Rode hond, rode hond

Wilt u op de hoogte worden gehouden van de romans en literaire thrillers van uitgeverij Signatuur? Meldt u zich dan aan voor de literaire nieuwsbrief via onze website www.uitgeverijsignatuur.nl.

Patrick Lane

Rode hond, rode hond

Vertaald door Laura van Campenhout

SIGNATUUR

2009

Copyright © 2008 Patrick Lane
Oorspronkelijke titel: Red Dog, Red Dog
Vertaald uit het Engels door: Laura van Campenhout
© 2009 uitgeverij Signatuur, Utrecht en Laura van Campenhout
Alle rechten voorbehouden.

Omslagontwerp: Wil Immink Design
Omslagfoto: Gary Braasch / Getty Images
Foto auteur: Kate Hill
Typografie: Pre Press Media Groep, Zeist
Druk- en bindwerk: Koninklijke Wöhrmann, Zutphen

ISBN 978 90 5672 323 1
NUR 302

Deze vertaling kwam mede tot stand dankzij Canada Council Conseil des Arts
een subsidie van Canada Council for the Arts.   for the Arts   du Canada

Dit is een roman. Namen, personages en voorvallen zijn ontsproten aan de fantasie van de auteur. Elke gelijkenis met bestaande gebeurtenissen en al dan niet nog in leven zijnde personen berust geheel op toeval.

Dit boek is voor Lorna.

1

Hij deed er niet lang over om me te begraven. Hij schraapte over het schrale leem, en onder zijn gebarsten schop en stompe houweel schoten grind en brokken klei weg. De zweetband van zijn strohoed werd steeds donkerder terwijl hij zich onder een lucht vol sterrenslib gebukt aan zijn taak wijdde. De hitte hing aan zijn nek als het juk bij een os. Het haar op zijn vingers was kroezelig vilt, een vacht waar zandkorreltjes in fonkelden, en er stond een volle maan aan de hemel. Twee bomen lieten hun knoestige takken over hem neerhangen waaraan bittere appels verschrompelden in hun korstige, wormstekige schil, glinsterend in het bleke licht.

Hij tilde me uit het ledikantje waarin ik zes lange maanden lispelend had geademd en wikkelde me in het laken waar moeder me na mijn geboorte op had laten liggen. Mijn babyzweet had de stof gelig grijs verkleurd. Ik vond het heerlijk dat hij me vasthield. Hij omwikkelde me stevig met dunne katoen, legde me op een stuk zeildoek en pakte me in. Mijn lichaam bewoog licht als het skelet van een vogel tussen zijn vingers.

Vouw na vouw.

Ik keek toe vanaf een tak van de appelboom in de verwilderde boomgaard, zijn kleine Alice, en wist dat aan de binnenkant van zijn schedel de tranen stroomden, al waren zijn donkere ogen droog als glas. Wat hij aan het begraven was, had hij gemeend te mogen houden, en ik wist dat hij mijn lichaam in het vel van zijn handen grifte. Wat hij ook moest dragen in de dagen en nachten die hem restten, of het nu een bijl was of een geweer, hamer, wiel of wonder, hij zou mij vasthouden, de dode dochter die vlak na Rose was gekomen, de eerste meisjesbaby die de grond in ging, waarna ik zou volgen, zijn een-na-laatste kind.

Wij waren de tussenkinderen, Rose en ik. Voor ons kwam degene die ze wilde, Eddy, en twee jaar later Tom, de jongen die niemand had gepland. Mijn moeder hield van Eddy, haar eerste zoon, voor haar de enige. Het kind dat na ons allemaal kwam was van een andere moeder, een dochter geboren zonder naam.

Volgens vader had moeders kwaadwilligheid en opzettelijke verwaarlozing Rose en mij het leven gekost, maar de waarheid was anders. Moeder droeg alleen leegte in zich voor haar eigen soort. Dat ze zei dat ze na onze geboorte in een donker oord terechtkwam, verandert niets aan wat ze wel of niet deed. Haar hart klopte voor haar eerste zoon, Eddy, en toen hij kwam was ze eindelijk een beetje gelukkig. Hij zou voor haar de geliefde worden van wie ze zeker was, een jongen, een bijna-man. Roosje leefde maar één week en ik op negen dagen na een halfjaar. Elke dag en nacht van die lange maanden was ik op weg naar mijn graf. Het was een lange weg die ik aflegde in dat ledikantje, zonder hulp van moeder, die zei dat ze niet goed werd van onze geboorte. De enige zorg kwam van Tom, en die was voor geen van beiden genoeg om ons heel te houden. Ik sabbelde op het lapje dat hij in koemelk had gedrenkt; een puntje katoen was de tepel die ik kende. Roosje had geweigerd wat hij probeerde te geven. Geboren voor de dood ging ze er bereidwillig heen. Tom was de enige die probeerde ons te verschonen.

Arme moeder. Het beetje melk dat ze had kwam er wittig uit, als water dat langs kalksteen sijpelt. Ik proefde haar een dag of twee, meer niet, de in een kopje gekolfde melk die ze met tegenzin aan Eddy gaf, die hem doorgaf aan Tom. Dat ze mij verloochende had te maken met haar dromen en waar ze vandaan kwam. Het verleden maakt ons tot wat we zijn. We falen dagelijks in ons verlangen naar heelheid. De levens van vader en moeder waren altijd al geschonden geweest.

's Nachts worden we gekweld door de spiegel die de dingen ons voorhouden. We horen onszelf als we schreeuwen tegen het invallende duister. Overdag zien we onszelf in wat en wie het dichtst bij onze smart komt. Dag en nacht zag moeder zichzelf in mij, zag ze het kleine meisje dat ze ooit was naar haar terugkijken, en hoewel ze zich in dit beeld vergiste, veranderde het haar niet. Rose verging het net zo. Moeder wilde niet naar haar toe. Ze zei dat ze niet naar iets kon kijken wat met stakerige beentjes en een gezwollen buik, toegeknepen ogen en een vlezig koord om haar nek uit haar was gekomen. Ze zag wie Rose was en later zou zijn, en ze kon er niet tegen. Mij verging het net zo. Ik kan er niet tegen, zei moeder dan tegen Rose wanneer ze de kinderkamer in kwam, Eddy klein naast haar. Waarom leef jij? Vader nam Rose op toen ze drie dagen oud was en legde het piepkleine lijfje van mijn zus op moeders buik in de hoop dat ze het aan haar borst zou leggen. Haal haar weg, zei moeder tegen vader en dat deed hij, en Roosjes longen piepten, verzwakt door de streng die haar bij het naar buiten komen had verstikt. Haar ademhaling was een traag, amechtig lied. Ze hield het zeven dagen vol, met Tom die de kinderkamer in glipte om haar rode huidje en haar twijgjes van benen te strelen, haar lipjes nat te maken met melk die ze nooit oplikte. Rose staarde langs hem heen naar de muur, haar piepkleine vuistjes stevig gebald.

Terwijl Rose lag te sterven, ging vader tekeer. Eddy en Tom pasten op hun tellen als hij dat deed en verscholen zich waar ze maar konden wanneer hij razend werd. Dan woedde er een staccato spervuur in zijn binnenste. Ze hadden allebei het getier gezien zoals alleen vader dat kende, dat in hem opvlamde als een kwaad gesternte. Uit de verte keken ze naar hun vader, bespiedden zijn bewegingen, zijn zwijgen, zijn dronken woestheid wanneer de toorn kwam opzetten, de eenzaamheid die hij leek te koesteren. Nadat hij die nacht Roosje had begraven, gluurden de jongens door de kieren op het dak van de aardappelkelder en zagen hem op de verpieterde maiskolven pissen. Zijn grote lul maakte hen bang, de troebele krans van zijn water bruiste in het stof. Ze staarden ernaar en in hun kinderogen was het onvoorstelbaar dat zij ook zo zouden zijn.

Vader was elke dag even bij Rose komen kijken zolang ze nog ademde. Hij raakte haar niet aan, behalve die ene keer dat hij haar aan moeder gaf, tuurde alleen door de spijlen terwijl zij dieper wegzonk. Zijn stilte daar was voor de jongens iets wat leek op de zorg die ze zelf nooit hadden gekregen.

Van woensdag tot woensdag, en zoals moeder tegen vader zei toen Rose haar laatste adem uitblies: *Op woensdag geboren ben je verloren.* Vader schreeuwde het uit bij die woorden en wreef ze moeder vanaf die dag aan.

Ik kwam vlak na Rose, vader had moeders lichaam doorboord en in haar binnenste het zaad gelegd dat hem de dochter zou geven die hij wilde. Moeder had vergeefs geprobeerd hem af te weren. Hij duwde met zijn ruwe knieën haar benen uiteen en bereed haar tot zijn behoefte was bevredigd. Haar wraak was zoet. Het ei dat ze hem schonk was net zo zwak als het vorige.

Toen ze indertijd een zoon wilde, was het anders geweest. Ze had de drie jaar dat ze kriskras door het westen trokken gewacht. Toen had hij haar naar de vallei gebracht. Een week nadat ze in het huis op Ranch Road waren gaan wonen was haar ei klaar, en ze liet Elmer in de val lopen toen hij stomdronken was, duwde hem in de lege woonkamer op de hardhouten vloer en sjorde hem bij haar naar binnen. Hij had luidkeels geschreeuwd, maar een mannenlichaam is niet te houden, ook al wil de man het anders. Wie weet om wie hij schreeuwde? Vader vervloekte zijn lust, maar dronken als hij was, kon hij haar niet tegenhouden.

Zei zij.

Ze spande zich natuurlijk alleen zo in voor een jongen. Ze klauterde met een nare lach van hem af nadat het zaad uit hem was gestroomd en hij daar op zijn rug lag, zijn stijfheid verslapt, haar dijen nat van zijn lozing.

Dat was het verhaal van Eddy en hoe hij is gemaakt.

Moeder zei dat ze een jaar nadat Eddy was geboren ijlde van de koorts en dat vader toen zijn zin doordreef, en vader zei dat hij de nacht dat Tom werd verwekt voor pampus had gelegen. Ze logen allebei, dat hadden ze altijd gedaan. Na Eddy was er behoefte aan Tom, al wisten zij dat niet. Ze wisten niet hoe hij later zou zijn of wat hij zou doen, maar hij had iets wat hen benieuwd maakte. Voor hen was hij anders, maar anders dan wie of wat? Tom droeg een beladen verlangen met zich mee dat misschien wel een hart zou zijn genoemd als ze er een naam aan hadden kunnen geven. Maar hoe had Tom daar iets van moeten weten? Hij was er gewoon, een baby, daarna een jongen. Welk kind weet hoe het moet vragen wie hij is? Eddy zag hun verwarring om deze tweede zoon. Hij hield van Tom om de last die hij droeg. Er zijn er een paar die al het werk moeten opknappen. Tom had het karakter van de kraai en het hart van het winterkoninkje. Sterven en schuilgaan zaten hem in het bloed.

Toen vader me wegdroeg tussen de laatste paar appelbomen, wist hij niet dat Eddy en Tom toekeken. Diep in de boomgaard legde hij me op een lamsvacht die hij dat voorjaar had geprepareerd. Daarna pakte hij drie blauwe veren uit zijn hoedband en stak ze in de lijkwade van zeildoek die me bedekte. Vader groef mijn graf zoals hij dat van Roosje had gegraven, elke haal met zijn handen, elke volle spade een veroordeling van moeders tekortkomingen. Hij zei dat zij me dood had gewild, maar hij had het mis. Ze wilde me gewoon niet in de wereld waarin zij haar tranen vergoot. Hij zei dat moeder geen meisje waard was, en ondanks al zijn liefdesbetuigingen voor de dochters die hij nooit scheen te mogen grootbrengen, geloofde hij dat moeder met haar regelrechte verwaarlozing iedere dochter had gedood die hij had kunnen laten uitgroeien tot een vrouw die voor hem zou hebben gezorgd in de jaren die nog komen moesten. Hij zou het niet lang meer maken, maar dat wist niemand. Een hoop grind en harde leem omringen mijn baar, net als bij het lichaam van mijn zusje.

Dit is woestijnland en goede grond is bijna niet te vinden. Verschrompelde appels hingen boven vaders hoofd toen hij me in het gat legde dat hij gegraven had en prevelde wat hij aan woorden had. Ik lag op het lamsvel en zag hoe hij zijn gezicht in zijn ruwe handen nam. Het was als een wonder voor hem dat hij voor het eerst sinds hij een jongen was weer zout water proefde.

Bij het piepkleine hoofdje van Rose had vader een steen uit de rivier geplaatst. Rozenkwarts waar vergruisd licht af bladderde. Die van mij zou een uitheemse steen zijn, ooit achtergelaten door een gletsjer toen de aarde van ijs was, blauw als de lucht vlak voor de zon opgaat. Hij zei dat zijn zus van blauwe stenen hield. Hij noemde me naar haar: Alice. Hij had de steen gevonden in de heuvels boven Sugar Lake en hem naar het veld gebracht, het gewicht ervan aan zijn sterke armen laten hangen. Hij lag boven me, eenzaam als een coyote wiens prooi hem is ontgaan.

O, zusjes van me, de verhalen kolken. Ze zijn slecht water dat door de rotsen is ingesloten. De woorden die me zijn verteld keren zich tegen zichzelf. Er waren nachten dat vader bij de halfronde blauwe steen aan het hoofdeinde van mijn graf zat en me met de whiskeyfles in zijn knuist verhalen vertelde. Hij praatte tegen mij, maar soms denk ik dat het evengoed tegen de nacht was. Als het volle maan was, kwam hij uit de aardappelkelder naar de boomgaard gewankeld, terwijl hij een countrylied van vroeger zong, *Cowboy Jubilee, Tumbling Tumbleweed*. Nadat hij zich op de grond had laten zakken, dronk hij en mompelde hij over toen hij een jongen was. Hij voelde zich veilig daar bij mij. Ik was de dochter die hij gekend dacht te hebben. Het verleden dat hij me gaf was zijn enige geschenk, afgezien van de blauwe veren die hij in mijn lijkwade had gestoken en de steen die hij voor mij had geplaatst.

Zijn oudste verhalen had zijn moeder aan hem verteld. Ik lag nog maar een week onder de grond toen hij voor mij herinneringen ophaalde aan de tijd van zijn grootmoeder. Ze was een klein meisje dat destijds, in de vorige eeuw, vanuit het Montana Territory naar het noorden was gekomen. Er waren drie huifkarren en drie gezinnen. Zijn grootmoeder was zeven toen ze de puppy beschermde tegen haar vader, die hem wilde opeten.

Vader viel stil toen hij dat zei. Het was alsof hij verwachtte dat ik hem vragen ging stellen, maar hoe kon ik daar iets van zeggen? Ik lag in mijn graf te wachten tot hij verderging. Het was een lang verhaal, verteld met een fles in de hand. Zoals de meeste van zijn verhalen. Soms hield hij op en dan ging hij tekeer tegen vroeger, boos op een wereld waarvan hij vond dat die hem onrecht had aangedaan. En soms hield hij op met vertellen en staarde in het stof alsof daar een antwoord lag, als hij maar goed genoeg keek. Hij porde met zijn vinger tussen de kiezels en herschikte ze in vierkantjes en rondjes of trok er sporen mee in het stof. Hij keek lang naar wat hij gemaakt had en verspreidde het grind dan met zijn laars. Wie weet wat hij daar zag, wat hij dacht in de nacht.

Hij vertelde me dat elk gezin een gat groef in de grond aan de zuidrand van de Great Sandhills, de winter was al op komst voordat de zomer voorbij was, de sneeuwstormen raasden ononderbroken. Ze hadden nog driehonderdvijftig kilometer te gaan en konden geen kant meer op. Drie huifkarren, en de sneeuw hoopte zich op, de grond onder hun voeten was hard zand dat in groteske kristallen bevroor, brokken meteoriet waarvan ze dachten dat het begraven engelen waren omdat ze zo schitterden in de zon. Ze hadden zo veel mogelijk dieren opgegeten, de rest werd door katachtigen en wolven geroofd. De vrouwen en kinderen lagen in hun hol in de grond te luisteren naar het gehuil boven hen, terwijl de mannen de van elzenstammen en leren veters gemaakte ladders opklommen en kogels verspilden aan spookgestalten die uit de sneeuwduinen kwamen, grijze wolven wier honger het geluid werd van vallende sneeuw.

Drie gezinnen en een vroeg ingevallen winter in de Territories. Fort Macleod was nog ver weg, een door de sneeuw onbereikbaar geworden plek. Elke nacht van de reis hadden ze rondom hun vuren gezeten en gesproken over de droom, het land dat ze zouden ontginnen, de wildernis die ze zouden veranderen in iets wat ze konden bezitten, een boerenhoeve, een fokkerij, een schuur, een thuis. Het was 1886, zei mijn vader, nog maar dertien jaar nadat Amerikaanse wolvenjagers de Assiniboine hadden uitgemoord in de Cypress Hills. Ze waren 's nachts komen opdagen om de mannen te doden die hun paarden hadden gestolen, maar dat was allicht een leugen, zei vader. Ik denk dat ze gewoon een paar indianen wilden afschieten, vertelde hij me.

Soms denk ik dat de enige waarheid die hij kende het verleden was, de verhalen die op de doolhoven leken die hij met kiezels in het zand maakte. Hij zei dat de gezinnen vanuit het Montana Territory over de oude grens met de indianen, de Medicine Line, naar het noorden waren gekomen, waar ze doorgestoken waren naar de droge streek boven de Cypress Hills, tegen beter weten in, want de route langs de Frenchman River in het zuiden was veiliger en zekerder, met volop water en hout, en heuvels die hen tegen de stormen konden beschermen. Hij heeft me nooit verteld waarom ze zo laat vertrokken, augustus is niet het moment om aan zo'n reis te beginnen. Het schijnt dat er geen verhalen zijn behalve die waarin een hand een teugel beroert en een paard zijn hoofd wendt, het dier dat weet wat de man niet weet, dat met zijn zijdelingse blik vraagt waarom ze bij gras en water vandaan een woestijn in gaan. De eerste storm raasde vanuit het noorden als een molensteen hun leven in. Hij kreeg hen te pakken toen de maand augustus overging in september. Na amper vijftien kilometer in de sneeuw hielden ze halt, twee paarden waren doodgezweept, vastgelopen in de tot schofthoogte opgewaaide sneeuwhopen.

Vader mompelde wat en hield zijn whiskeyfles omhoog. Hij wees ermee naar de maan. Hij mocht er graag doorheen kijken, naar het vale licht, terwijl hij naar de wind in de graspollen luisterde. Hij zei dat de mannen de karren aan elkaar bonden en de laatste paarden in leven werden gehouden tot in december, toen het beetje voer dat ze hadden op was en er alleen gesmolten sneeuw was als water, waarna ze de dieren een voor een afschoten en probeerden van het vlees te leven. Elke nacht bleef er iemand buiten in de sneeuw achter die de slinkende voorraad moest bewaken tegen de rooftochten van de wolven. Wat ze niet mee naar hun holen namen, werd achtergelaten voor de wilde beesten, slachtafval en botten, aan flarden gereten vel. Hun jacht stelde niet veel voor, een enkele gaffelantilope en prairiehazen, totdat zelfs die er niet meer waren. Een of twee magere herten, meer niet, en ze maakten hun holen steeds dieper om in leven te blijven, met tussen iepenstaken gespannen canvas en dekens als hun dak. Vader zei dat de stormwind een geest is die je opvreet, gevallen sneeuw die van de hopen wordt opgetild en weer gaat vliegen.

Toen zijn moeder hem het verhaal vertelde, glimlachte ze altijd als ze bij het stuk kwam over het kleine meisje dat zich nacht na nacht voor haar vader verstopte zodat hij haar noch het hondje kon vinden. Hij zei dat zijn moeder grinnikte wanneer ze het vertelde, zijn overgrootvader die over die hond droomde en dat er niets eetbaars te vinden was behalve de botten die de op aas beluste wolven lieten slingeren boven het gat dat hij had gegraven.

Dan viel vader stil. Dat deed hij altijd wanneer hij over zijn moeder praatte. Zijn stem werd zachter en hij mompelde in zijn handen. God nog an toe, zei hij dan, het was koud en de maanden kropen voorbij, het vlees was op en de gezinnen leefden van hoop, droog hout was nergens te vinden, hun vuurtjes waren armzalig, de onderaardse ruimten stonden vol scherpe rook. Meel, gedroogde bonen en erwten, veel meer was er niet. Ik ruik het, zei hij en dan legde hij zijn hand op de steen die hij voor mij had geplaatst en zei: Maar jij wilt vast en zeker weten wat er gebeurde met het kleine meisje dat mijn grootmoeder was. Dan wachtte hij, met een schuin oor naar de maan. Toen er geen antwoord kwam, ging hij verder.

Tja, zei hij, ze had één ding mogen uitkiezen om mee te nemen op de tocht naar Fort Macleod. Maar één ding, want er was weinig plaats op de huifkar voor wat niet essentieel was, en uit alle mogelijke dingen koos zij een jong hondje. Toen werd ze eind februari op een nacht wakker en merkte dat haar vader de hond stiekem de ladder probeerde op te krijgen, zodat hij hem bij haar uit de buurt kon doden, zo'n honger hadden ze. Het gepiep of gejank van het hondje maakte haar wakker en chagrijnig gaf haar vader het dier terug. Ze wist dat het hondje zou sterven als ze het ooit uit het oog verloor.

Ze droeg dat hondje van ladder naar gat, van gezin naar gezin, nacht na nacht, drie en soms twee stappen voor haar vader uit. Ze hield het ruim een maand in leven tot hun smeulende vuur eind maart werd opgemerkt door een groep langstrekkende Cree die een dode gaffelantilope door hun rookgat lieten zakken. Drie keer brachten de indianen vlees, maar er werd niets gezegd, de gezinnen kropen dicht opeen in hun holen en luisterden naar het zachte geluid van de hoeven van onbeslagen paarden in de sneeuw.

Wat er daarna gebeurde, hoe ze Fort Macleod wisten te bereiken na die winter van '87 in de Great Sandhills, werd nooit verteld. Hun voettocht in het voorjaar door het droge landschap waar de dinosaurusbotten als nachtmerries uit het zand groeiden, hun zwerftocht verder westwaarts door naamloze grassen die tot boven hun middel kwamen, de roofdieren en ratelslangen, waren niet de verhalen die hem kwelden. Het was dat kleine meisje, haar hondje en de vader die in het donker joeg. Als hij dat verhaal vertelde, moest hij altijd glimlachen.

Er waren nachten dat hij niet kon slapen en naar ons toe kwam, en nachten dat hij niet eens probeerde te slapen. Dan stond hij met dat geweer van hem onder de appelbomen en probeerde op de sterren te schieten. Hij mikte op de maan en probeerde die te vermoorden. Dan schreeuwde hij dingen over zijn zus, dat hij haar jaren geleden in de steek had gelaten toen hij voor zijn vader op de loop was gegaan en zijn moeder hem voor zonsopgang de deur uit liet glippen terwijl zijn vader sliep.

Vader en zijn verhalen over het verleden.

Ik herinner me de nacht dat ik begraven werd, herinner me de stenen en kiezels die op me vielen. Er was geen maan toen ik mijn lichaam achterliet en over het droge gras van de begraafplaats in de boomgaard ging. Ik stak met vader het grind over dat hij had gestrooid om het onkruid laag te houden in het voorjaar, de slaapmutsjes tussen het grind weken voor zijn laarzen uiteen. Ik ging van mijn graf naar het huis waar moeder lag te slapen. Toen ik haar daar zag, dacht ik: moederliefde is sterk en soms is de dood al liefde genoeg.

Moeders vader had zich opgehangen in hun schuur, omdat de gewassen op de akkers voor het derde jaar doodgingen en de laatste stierkalveren houttong kregen nadat ze de distels hadden gevreten die hij op de akkers bij elkaar had gezocht. Ze had haar vaders lijk boven de ratten zien schommelen die tevoorschijn waren gekomen om het handjevol graan op te vreten dat hij bitter in het rond had gestrooid, alsof hij wilde zeggen dat wat zij hadden waardeloos was, alleen maar goed voor ongedierte.

Maar moeder zei altijd tegen de jongens dat haar leven verpest was toen ze Elmer Stark voor het eerst met ferme pas over het meetpad op de boerderij af zag komen waar zij en haar moeder, Nettie, op een man hadden gewacht in de jaren nadat haar vader gestorven was. Het duurde lang voor hij kwam. Elmer Stark. Lillian was al zeventien.

Er was nog een laatste dochter over wie ik vertelde, die ene die niet van moeder was. Die baby was ons halfzusje, geboren uit een vrouw die vader midden in de nacht meebracht om in moeders bed te bevallen. Nog een dochter, maar deze werd geboren terwijl moeder vloekte. Vader verbrandde die baby in de boomgaard, een meisje, net als Rose en ik. Ze stierf zonder dat iemand haar had gekend.

Ik noemde haar Sterrennacht.

Hoe het in de jaren daarna met de moeder verderging, weet ik niet.

2

Het was een stenen land, waar een karkas duizend jaar in het maanlicht kon blijven liggen, met ribben waar avondgorzen op neerstreken en een schedel waarin de dwergmuis woonde. Uitgedroogde heuvels verhieven zich uit roerloze meren, de bergen erachter waren tot zo'n fletse kleur mauve verbleekt dat ze stenen onder het ijs leken. Alsem en bitterblad doorstonden de septembernacht. Door het dorre gras op een braakliggend terrein volgde een ratelslang het spoor van een kangoeroemuis, een glanzende zandkever klauterde over het uitgedroogde lichaam van een in het stof liggende dode houtrat en een ekster sliep in zijn vleugels gehuld op een tak van een zieltogende vogelkers, waarvan de vruchtjes hard waren als klitten in een hondenvacht. De sterren glinsterden als vonken die van versplinterend kwarts af spatten, Orion duizelde aan de zuidelijke hemel en Mars stond somber en rood in het westen.

Middenin lag een vallei die nergens heen voerde, behalve naar het noorden en het zuiden. Noordwaarts ging het naar smallere rotskloven, strengere winters, donkerder bossen en nog desolatere stadjes die dorpen werden, dorpen die groepjes stacaravans werden en tot slot geïsoleerde hutten tussen de bomen, met daarachter niets dan wildernis die onbelemmerd doorging tot aan de toendra. Zuidwaarts ging het naar de woestijnstaten waar nergens werk te krijgen was tenzij je een indiaan was of een illegaal, iemand die bereid was om handje contantje de helft te krijgen van wat ieder ander aan loon zou vragen. De enige manier waarop je je daar in Washington of Idaho in leven hield, was door je af te beulen op de uienvelden, boomstammen aan te slepen voor een geïmproviseerde zagerij of te stelen. In het oosten had je bergen en nog eens bergen, de Monashee die overgingen in de Selkirks en de Purcells en tot slot de Rockies en de uitgestrekte prairies. Naar het westen strekte zich een golvend plateau uit waar alleen elanden, beren en krijsende gaaien leefden. Aan de rand van het plateau verhief het golvende bos zich tegen het kustgebergte tot waar het bij de puinhellingen steeds dunner werd, en aan de andere kant van de toppen en gletsjers lag de zee, die de meeste mensen in de vallei alleen kenden van horen zeggen en nooit hadden gezien, de Stille Oceaan die met zijn golven over de lijken van zeehonden en zalmen spoelde, krijsende adelaars en meeuwen.

Het stadje lag ineengedoken in een bekken onder aan de woestijnheuvels, de verspreide lichtjes als vreemde vuren die zichtbaar waren vanaf de hogergelegen gemeenschappelijke weiden, waar een ratelslang zijn wigvormige kop optilde boven het warmtespoor van een witvoetmuis en naar de drie meren in de diepte staarde, Swan in het noorden, Kalamalka in het zuiden en Okanagan in het westen, met daarboven, in een sluier gehuld, de Bluebush-heuvels en bergen. Tegen de lucht staken de door het oppervlak heen gedrongen rotslagen af met hun holten vol half gesmolten sneeuw waaromheen alleen korstmossen groeiden, bleekgroene uitbarstingen die zich vastklampten aan de ruwe granietknokkels, terwijl de niet-aflatende wind uit het noorden waaide. Daar waar in de vallei de meren samenvloeiden lagen de stoffige straten en doorgaande wegen van het stadje, omzoomd door vermoeide iepen en esdoorns. Wat de slang zag, wist alleen hij.

Het was het uur na het ondergaan van de maan, tegen het aanbreken van de dag. Het donker hield taai stand op de bergen van de Monashee. Halverwege de oostelijke helling liep Eddy als een nietsziende schim op een achterpad, het blauw van zijn ogen vervaagd tot vlekkig wit, dezelfde kleur als de drugs in zijn aderen. Enkeldiep geel stof kwam omhoog en zweefde om zijn laarzen. Wervelwinden van kiezelgruis dat achter zijn hakken natrillend neerkwam in zachte zandpoelen. Hij liep traag verder tussen kapot hekwerk en verzakte, verweerde schuren. Open ramen staarden blind de achtertuinen van de huizen in, de slapers zwaar in smalle bedden, klamme lakens verkreukeld aan hun voeten. Langs het pad lieten kweekgras en dreps hun aren boven de ondiepe voren hangen. Een stengel struisgras streek langs Eddy's broekspijp en er bleven twee zaadjes achter, verstrikt in het pluizige katoen van zijn versleten broekomslag. Hij waadde verder door het stof en de zaadjes wachtten het moment af waarop ze zich konden laten vallen in vruchtbaarder aarde, een plek waar iets levends kon schuilen voor de winter. Het pad deed denken aan water, door de golvende laagjes poederklei vol verwelkte grassprieten en cichoreiblad.

Eddy, een schrale schim, mager als een wilgenteen, dreef op de lome gloed van de heroïne die hij zich een halfuur eerder had ingespoten. De Duitse herder van brigadier Stanley sliep onrustig met zijn kop op zijn poten in de buitenkooi naast de restanten van een afgebrande schuur. Eddy had de schuur verleden week in brand gestoken. Op de heuvel had hij vanuit zijn auto naar de vlammen gekeken en zich voorgesteld hoe een razende Stanley in het donker naar de felle brand keek.

Brigadier Stanley was nergens te bekennen. Eddy wist dat hij, zoals vaker, waarschijnlijk in de weer was met een bang meisje dat hij had opgepikt en naar de westkant van het meer had meegenomen onder het mom van een of andere onjuiste, misleidende dreiging of aanklacht. Eddy had Stanleys vrouwen gezien. De agent kwam bij allemaal aan zijn trekken, ieder van hen schonk hem haar lichaam in oneerlijke ruil voor de cel die ze niet vanbinnen wilde zien, de vader, vriend of echtgenoot aan wie ze het nooit zou vertellen. Als jongen had hij weggedoken achter een bosje vogelkers op de hoge weiden Stanley gezien met zijn gulp open terwijl er een bang meisje naast de politieauto knielde en zwoegde of haar leven ervan afhing, terwijl ze haar knieën bezeerde aan de scherpe keitjes in de klei.

De schuur was nummer een geweest.

De hond werd nummer twee.

De Duitse herder, Prince, was Stanleys grootste vreugde. Wanneer de brigadier thuiskwam nadat hij in een verlaten keet of op een doodlopend weggetje langs de hoge weiden of verderop in Coldstream Valley aan zijn gerief was gekomen bij een van die beklagenswaardige meisjes, ging hij altijd even zijn hond begroeten voordat hij het huis in ging. Dat had Eddy gezien en hij had zich voorgesteld hoe Stanleys vrouw de auto van haar man met de zinderende rode lichtbol op het dak tot stilstand hoorde komen. Geluidloos en beweginloos lag ze in hun bed op hem te wachten met haar katoenen nachtpon strak om haar enkels, haar ogen open in het donker. Dan ging Stanley eerst naar de buitenkooi en knielde neer om zich te laten overspoelen door de toewijding, de onvermoeibare liefde van zijn hond. Zijn vrouw kende elke stap die hij zette, ze telde ze allemaal op de heenweg langs de zijkant van het huis en door de tuin naar de steeg. Ze wachtte ademloos tot ze weer terug kon tellen, terwijl ze onder haar oogleden naar de dichte deur staarde.

Eddy wist dat Stanley niet verwachtte dat iemand een tweede keer zou komen. En als hij al iemand in gedachten had die dingen in brand stak, hoe kon het dan bij hem opkomen dat die terug zou komen om zijn hond af te maken? Stanley probeerde nog steeds hoogte te krijgen van de brand. Misschien had hij bedacht dat hij was aangestoken door kinderen die met lucifers speelden, maar waarom zou een kind het risico nemen om in de schuur van een politieagent met vuur te spelen? Eddy wist dat Stanley er vroeg of laat achter zou komen, maar tussen weten en doen lag een doolhof die de man nog niet was gepasseerd.

Als Stanley al aan Eddy dacht, zag hij hem als een wilde jongen, het soort waarnaar hij keek als er iets misging in het stadje. Acht jaar geleden hadden Eddy en zijn vriend Harry bij een inbraak 's avonds laat in de bar van het Canadese oud-strijderslegioen sterkedrank gestolen en al het muntgeld meegenomen uit het geldkistje onder de toog. Veertien waren ze toen. De avond erna werden ze in het park samen dronken van een van de flessen whiskey die ze gestolen hadden, en het slot van het liedje was dat ze in Main Street handenvol kwartjes, dubbeltjes en stuivers stonden te gooien naar de dicht opeengepakte meute zuiplappen voor het hotel. Brigadier Stanley arresteerde alleen Eddy, aangezien Harry tussen de mensen was weggeglipt. Richard Smythe, de plaatselijke rechter, stuurde hem naar Boyco, het verbeteringsgesticht voor jongens in Vancouver, hoewel Eddy een jaar te jong was. Stanley wilde Eddy een lesje leren. Vader ook. Eddy zou nooit vergeten dat brigadier Stanley hem had gearresteerd, en het jaar in die gevangenis dat erop volgde vergat hij evenmin. Er was iets doodgegaan in Eddy's hoofd toen hij van de kust terugkwam. De jongen die hij was geweest, was er niet meer en zijn plaats was ingenomen door iemand die alle gevoel achter zich had gelaten, die niet met pijn kon zitten, noch die van hemzelf noch die van een ander. Zelfs vader ging opzij wanneer Eddy achter hem liep.

Hij heeft kwaad bloed, had vader tegen moeder gezegd nadat Eddy weer een maand thuis was. Ik zie mijn eigen vader terug in hem, zei hij.

Hou je kop, zei moeder. Haar handen zaten vol perzikvelletjes en de potten pruttelden op de houtkachel. Jij had hem uit Boyco kunnen houden. Jij had met de rechter kunnen praten zodat hij voorwaardelijk zou krijgen, maar nee, dat deed je niet. Hij is daarheen gestuurd omdat jij had gezegd dat ze dat moesten doen, en al ontken je het nog zo vaak, ik weet hoe het zit. Jij hebt Eddy dit aangedaan.

Jij weet helemaal niks, zei vader.

Geen ruzie, riep Tom dan tegen hun woede in. Hoe zit het met Eddy? zei hij. Wat is er met hem?

Jij moet ook je kop houden, zei moeder die bij de gootsteen tegen hem tekeerging, haar schilmesje een vlek in het perzikvlees. Waarom ben jij niet weggestuurd?

Jij bent geschift, zei vader. Dat ben je altijd al geweest, sinds de meisjes.

Hou je kop, hou je kop!

Eddy herinnerde zich Tom die een goed woordje voor hem deed, het gesmijt met deuren, vaders vrachtwagen die door de diepe voren de oprit op reed, moeder die perziken doormidden sneed, haar stompe duim als ze de volgende perzikpit in de gootsteen wipte.

Eddy wist wat hem overkomen was. Dat hen dat niets kon schelen of dat ze het niet eens wisten, deed er niet meer toe. Het belangrijkste was dat Stanley de brand niet met hem in verband had gebracht. Met gebogen schouders, de duimen in zijn versleten zakken gehaakt, slofte Eddy over het pad. Voor hem baande een spitsmuis met blote pootjes die in het stof leken te zwemmen zich moeizaam een weg over het pad. Hij zette een stap. De spitsmuis zat onder zijn laars, iets levends, iets doods. Wat hem bezighield, was de bal fijngemalen varkensvlees waar rattengif doorheen zat. Al lopend stak hij zijn rechterhand in zijn zak en hij kneedde de natte vleesbal tussen zijn vingers.

Eddy kwam al een week stilletjes 's nachts met de hond praten, hem achter zijn zwarte oren krabben, terwijl de tong zijn vingers likte. De hond vertrouwde hem en zou niet blaffen. De nacht dat hij de schuur in brand had gestoken, had hij de herder wat versgemalen varkensvlees voorgehouden toen de vlammen aan de houten wanden likten. De hond had alleen maar aan het vlees geroken en gegromd, maar na een paar volgende bezoekjes stond hij hem al bij de afrastering op te wachten en slokte hij het geschenk telkens op.

Wat zou het dat hij met geld had gegooid en had gelachen om de zuiplappen die in de goot naar muntjes hadden gegraaid? Het ergste was niet dat ze hem naar de kust hadden gestuurd, het waren de drie dagen voordat hij op de trein was gezet, zijn twee nachten in de cel. Stanley was erger dan de cipiers en de oudere jongens in Vancouver. Tweeëntwintig was hij nu en hij was nooit vergeten wat er was gebeurd.

De ijzeren paal van de waslijn bij de hoek van de hondenkennel rees op uit het donker, in de verweerde ring zat een kluwen roestige draad gepropt. Hij hield halt voorbij de verkoolde resten van de schuur. Uit het door de brand verschroeide gras stroomden hoopjes zaad op zijn laarzen. Hij grijnsde naar de zwarte hondenneus die door de afrastering heen stak.

De herder jankte zachtjes. Eddy dacht dat hij het restje zonnewarmte kon ruiken dat de paal uitwasemde en dat als aangekoekt stof in zijn neus ging zitten. Hij haalde zijn hand uit zijn zak en bood het vlees aan.

Tussen droge lippen door fluisterde hij: Hé, mooie hond. Hoe gaat ie?

De Duitse herder kwispelde en jammerde.

3

Het feest was al voor de derde avond aan de gang toen Billy Holdman en Norman Christensen gingen vechten. De mensen die achter hen aan de keuken uit waren gestroomd, vormden een kring op het grind van het keerpunt achter het huis. Ze stonden op de droge stengels van de dode zomerklaprozen, de vertrapte resten van bloemen die waren opgekomen uit het zaad dat moeder had uitgestrooid toen Tom en Eddy jongens waren, op het wrakgoed van jaren, op steengruis en onkruid, snippers schors en plukken hooi, oud bloed van geslachte dieren, sigarettenpeuken, verloren geraakte moeren en bouten, olie, weegbree, zaagsel, kippenveren, glasscherven en bijeengeschraapt vuil, al wat er groeide of was gevallen of afgedankt, dingen waar je weinig mee kon. De mannen en vrouwen die om Billy en Norman heen stonden, waren net kinderen op een speelplaats die een lijdend voorwerp hadden gevonden dat ze wilden zien worstelen, een door een langsrijdende auto deels geplet eekhoorntje, een roofvogel met een gebroken vleugel, een kreupel kind dat uit alle macht nergens heen ging in een wagentje zonder wielen, de handgreep in de grond gestoten.

Tom wist dat er geen twijfel bestond over wie er zou winnen. Hij had Billy al eerder zien vechten. Zijn zwaargebouwde lichaam en brede armen hielden de meeste mensen wel op afstand, maar Norman niet. Die had geen schijn van kans terwijl hij dronken in het rond sprong, half zo groot als Billy en een paar jaar jonger, zwaaiend met zijn nutteloze vuisten. Norman was geen vechtersbaas. Hij leefde dag en nacht in boeken, er heilig van overtuigd dat daarin een bepaalde waarheid te vinden was. Norman had ooit tegen Tom gezegd dat wat hij zich voor de geest haalde, belangrijk voor hem was. Zoiets als de wereldkaart die hij uit een *National Geographic* had gescheurd en met punaises aan de muur van zijn kamer in het souterrain had gehangen, waarop een zwarte x aangaf waar het stadje had moeten liggen, een plek waar behalve zijn raadselachtige teken geen naam stond.

Meisjes waren hun mannen naar buiten gevolgd. Ze hingen aan sterke armen en schouders met hun ponykapsels en pagekopjes, witte bloezen onder pastelkleurige truitjes, klokrokken die dankzij de petticoats wijd uitstonden, of kokerrokken die de heupen nauw omsloten, hoge hakken, soms versleten, soms nieuw, waaronder het grind knerpte. Zonder op hen te letten stonden de mannen naast hun meisjes, hun lichaam naar voren, volledig gericht op de vechtpartij.

Billy, die eindelijk genoeg had van Normans vergeefse aanvallen, pakte een schoffel die hij in het platgetrapte gras naast het grind had zien liggen, haalde ermee uit en raakte Norman bovenaan bij zijn oor, waar zijn bakkebaard zat, en trok zijn wang los. Het stuk vel hing als een lap rubber aan zijn kaak. In het licht van de buitenlamp glansden Normans tanden als twinkelende sterren in zijn rode mond. Zijn tong stak naar buiten, een hele tijd leek het wel, al was het maar even, om de grenzen van zijn gezicht te verkennen, en toen hij er geen vond, trok hij zich terug achter de kiezen. Diep in de spelonk van zijn hoofd glom een zilveren tand. Toen waren Normans vuisten weer handen geworden, vingers die zijn gezicht weer in elkaar probeerden te zetten, en zijn adem ging fluitend in en uit zijn nieuwe natte mond.

Gek dat het bloed er even over deed. Maar toen welde het op als plotseling opengaande rozen. Billy hield de schoffel dreigend omhoog en wilde nog eens naar Normans hoofd uithalen toen Tom de steel onder het blad greep en stevig vasthield. Billy verzette zich tegen de obstructie, zijn handen gekneld om iets waarvan hij vond dat hij ermee kon doen wat hij wilde. Tom bleef de stalen schacht die om de steel klemde vasthouden en keek Billy strak aan. Ergens waren er grenzen. Ze lagen daarginds, voorbij waar het land ophield. Tom had er al sinds zijn kindertijd naar gezocht. Hij was in de hoge heuvels geweest en diep in de geulen en droge rivierbeddingen, die hier *arroyos* heetten, maar hij had ze nooit kunnen vinden.

Ineens liet Billy de steel los en draaide zich snel om. Alleen met de schoffel struikelde Tom over iemands laars. Twee mannen duwden Tom lachend terug in de kring. Tom bleef op de been en smeet de schoffel weg, midden tussen de uitlopers van de verdorde moestuin achter de auto's en pick-ups die schuin omhoog geparkeerd stonden in de eerste rijen verwilderde erwtenranken en verdroogde mais. Onbeholpen doorkliefde de schoffel de lucht tot hij met de steel naar beneden loodrecht neerkwam en tussen de neerhangende peulen van de pronkbonen wel iets weg had van een uitgemergeld skelet.

Je bent een lul, Billy, zei Tom.

Niets of niemand probeerde Billy ooit tegen te houden. Hij kwam van een armlastige boerderij in de heuvels van de Monashee ten oosten van het stadje. Met schrale grond en keien als zijn erfgoed was het land hem net zo eigen als alles wat hij verder kende. Hij was het oudste kind van een vader die omkwam onder een lading boomstammen die in een haarspeldbocht ten zuiden van het Spuzzi Lake van onder de doorgeroeste kabels van een vrachtwagen wegstuiterden. Billy kreeg op zijn veertiende de last van zijn vaders kroost. Zijn moeder had hem, de oudste van de kinderen, van school gehaald en naar een houthakkersploeg gestuurd bij wie hij de stammen met sleepkabels aan de tractor moest haken. Billy was hardhandig volwassen geworden en de jaren waarin hij had gezwoegd om zijn familie te voeden en te kleden, hadden hem alleen maar harder gemaakt. Hij kende allerlei trucs, de meeste niet netjes en geen van alle legaal.

Billy wrong zich woedend door de meute en ging het huis weer in. Klote-Starks, zei hij tegen zijn vuisten alsof de dichtgeknepen handen oren hadden. Die kleine strontbaal van een Norman. Wie denkt ie godverdomme dat ie is!

Norman zette een paar wankele passen en liet zich langzaam op de steenslag zakken, en de kring dronkenlappen boog zich met ingehouden adem over hem heen. Norman lag op zijn zij, opgerold als een slapende kat. Zijn opengereten gezicht rustte op zijn ene hand, de andere hield hij tussen zijn benen. Kreunen deed hij niet, nog niet, zijn verdoofde vlees was nog in shock na de klap met de schoffel.

De oplaaiende vlammen van het brandende vat naast de schuur spuwden kometenstaarten de lucht in. Wayne Reid had het bijgevuld met de laatste palen en planken van de schutting aan de zijkant van het huis die iemand had neergehaald en in elkaar getrapt. Het vuur loeide terwijl hij met overslaande stem en trillende dikke wangen meejoelde. Hij stond achter de menigte wijdbeens onder de wilgenboom, zijn gezicht wit als varkensvet. Wayne draaide twee keer in het rond en leegde toen in de nachtlucht beide magazijnen van het geweer dat tot dusver boven de keukendeur aan een paar spijkers had gehangen. Het feest, de vechtpartij en te veel sterkedrank hadden hem opgehitst. Hij was een rijkeluiskind uit de stad, zijn vader was de Chevydealer net achter Main Street. Hij was zijn hele jonge leven op zoek geweest naar een vogelvrije held en had Billy én Eddy gevonden, Billy die hoe dan ook niet koud of warm van hem werd en Eddy die hem haatte vanwege zijn rijke afkomst, vanwege zijn zwakheid, zijn verwende leven. Tom wierp een snelle blik over de menigte en zag Wayne met het geweer zwaaien, een dikke jongen die zich graag dicht bij vernietiging en gevaar ophield, zonder het geringste benul van de risico's.

Norman gromde dwars door de kliederboel van bloed en tranen op zijn vel. Tom liet zich op een knie naast hem zakken. Rustig maar. Het komt wel goed, zei hij en om hem heen gluurden de mensen naar Norman die de lap wang in zijn hand hield alsof hij hem op de een of andere manier weer terug kon plakken op het kraakbeen en de botten waar hij van af was gehakt.

Alsjeblieft, zei Norman. Het is mijn gezicht.

Vera Spikula kwam uit de menigte, duwde Tom opzij en knielde bij Norman neer om zijn voorhoofd te strelen. Haar bruine paardenstaart zwaaide op de maat van haar kalmerende kreetjes. Tom herinnerde zich andere slachtoffers bij wie hij Vera had gezien. Ze leek zich van man naar jongen naar man te begeven en uiteindelijk met haar zorgzaamheid steeds aan het kortste eind te trekken. Ze was vijf jaar geleden van een uitzichtloze boerenbedoening in de rimboe weggelopen op gele schoenen die ze van haar moeder had gestolen. Ze was een meisje met een hart vol misplaatste liefde. Ze bemoederde iedere man die ze tegenkwam en vergaf ze allemaal hun soms terloopse gebruik van haar. Zo op haar knieën was ze net iemand op een plaatje, die aan het bidden was. Toen stond er als een vogel die van een andere planeet was komen aanwaaien een meisje zo groot als een kind voor Tom. Ze staarde hem aan, één oog half dicht, haar gezicht overschaduwd door het tonvuur achter haar. Terwijl hij naar haar keek, moest hij aan de ringfazanten denken waar zijn vader dol op was geweest, de Chinese vogels die jaren geleden naar de vallei waren gebracht en waar de mensen nog steeds niet helemaal in geloofden, zo vreemd waren ze voor degenen die ze zagen en erop joegen. Het onbekende meisje liep om hem heen en haar schouder raakte even zijn ribben.

Tom had al vaker gezien hoe vrouwen naar bloed keken, maar dit meisje was anders. Ze leek aangetrokken door wat ze zag, alsof voor haar Normans opengereten gezicht een manier was om via zijn vlees bij hem binnen te komen. Ze was niet bang en omdat ze dat niet was, wist hij dat ze ongewoon was. Klein als ze was en gezien haar respectvolle houding wist hij dat ze beschermd moest worden. De andere meisjes in de menigte stonden in de gloed van het tonvuur te fluisteren over het doen en laten van mannen en bedachten al een verhaal om over de vechtpartij te vertellen dat dagenlang in het stadje de ronde zou doen. Het meisje bij Vera was niet opgewonden zoals de rest. Ze scheen diep na te denken over wat er in een mannenhart omgaat.

Even later viel de menigte uiteen, de opwinding was achter de rug en de meesten gingen weer naar binnen om iets te drinken. Een paar stelletjes zwalkten naar hun auto of pick-up om de dingen te doen waarbij ze rust nodig hadden. Toen Tom overeind kwam, zag hij Joe Urbanowski met Billy's dealer en vriend van de kust, Lester Coombs. Joe leunde naast de waterton tegen de achtermuur van het huis. Hij droeg glanzende cowboylaarzen waar de strakke pijpen van zijn spijkerbroek in gestopt waren. Lester stond naast Joe te lachen, zijn kale hoofd glom in het maanlicht. Joe staarde Tom strak aan. Hij was Billy's beschermeling en Tom wist dat hij alles zou doen om Billy tevreden te houden. Als het er tijdens de vechtpartij slecht had uitgezien voor Billy, dan had Joe geprobeerd een handje te helpen.

Onderhand genoeg gezien, jullie? riep Tom.

Joe zette zich af tegen de muur en draaide zich om, waarbij zijn hakken in het grind knarsten. Hij ging langzaam het huis in met Lester achter zich aan. Ze keken niet om en de hordeur klapte achter hen dicht.

Vera zat nog op haar knieën naast Norman; het andere meisje stond boven hen met haar armen onder haar borsten over elkaar geslagen. Ze leek niet langer dan een meter vijftig op haar afgetrapte blauwe schoenen. Vera trok Normans overhemd omhoog en hield het tegen zijn wang aan terwijl ze hem overeind hielp. Help even, Marilyn, zei ze. Dit kan ik niet in mijn eentje.

Het meisje negeerde Vera en wendde zich in plaats daarvan met een glimlach naar Tom. Tom staarde haar aan en bedacht hoe raar het was dat hij naar de Melkweg had staan kijken en nu diezelfde zachte sterren in haar linkeroogkas zag zweven. Hij liep om haar heen en hees Norman overeind door een arm over zijn schouder te trekken. De andere liet hij op Vera's borst bungelen. Even stond Marilyn voor hen drieën en ze raakte met haar vinger het bloed op Normans wang aan, alsof ze benieuwd was naar wat er bij hem naar buiten was gekomen.

Vera maakte een geluid als iets waarin geknepen werd.

Marilyn keek van haar natte vinger op naar Tom en zei: Wat een feest, zeg.

Ja nou, antwoordde Tom, terwijl hij Norman voetje voor voetje naar zijn roestige Ford bracht. Tom vroeg Vera of zij Norman naar huis kon brengen. Ja, zei ze en Norman stotterde dat hij naar het ziekenhuis wilde maar geen hechtingen wou, zijn stem jammerend als die van een kind.

Het is al goed, zei Vera tegen Norman. Ik zorg wel voor je. Marilyn slofte achter hen aan en plukte de grasjes en bladsnippers van haar rok.

Toen ze bij Normans pick-up waren, deed Tom het portier open en hielp hem op de bank, terwijl Vera vlug omliep naar de bestuurderskant. Zijn sleutels zullen wel in zijn zak zitten, zei Tom. Ze schoof over de bank en frutselde ze uit zijn broek, terwijl Norman kreunend zijn gezicht bijeenhield. Hé Tom, zijn woorden kwamen in zachte kreten. Waarom deed hij dat?

Joost mag het weten, zei Tom. Je kent Billy toch.

Marilyn was op de treeplank geklauterd en keek naar Norman op de voorbank. Kom er eens af, zei Tom toen Vera de motor startte en er een wolk uitlaatgas van onder de achterklep opsteeg. Hij pakte Marilyn bij haar middel en tilde haar eraf.

Toen werd er weer geschoten.

Die godverdommese Wayne!

Wayne stond onder de wilg en riep Jezus! Jezus! Jezus! Hij richtte het geweer omhoog en schoot nog een paar keer in de takken boven hem, het kapotte blad viel rond zijn schoenen toen Tom eraan kwam.

Allemachtig, Wayne! zei Tom, die zich even afvroeg waar hij de patronen vandaan had en zich toen de doos herinnerde die altijd op de ijskast stond. Hij pakte het geweer van hem af. Er sliertte blauwe rook uit de lopen. Wayne wankelde achteruit en viel over een meisje met zwart haar dat Tom in het donker niet had gezien.

Ze zat op handen en voeten te kokhalzen onder het bladerdak van de boom, vlak bij de kapotte schutting.

Het salvo door Wayne afgevuurde kogels regende neer op de pompoenbladeren in de tuin, als loden zaadjes die uit de lucht kwamen vallen. Bij de laatste waren er een paar die *pling plink pling* deden op de vogelverschrikkerhoed van de schoffel. Tom was volgens hem de enige die de kogeltjes hoorde vallen, de anderen die erbij stonden waren te ver heen om te beseffen hoe wonderlijk het geluid was.

Hij keek even in het donker naast de schuur. Een vrouw die hij in de stad weleens in de kroeg had gezien, boog zich over de motorkap van een pick-up, haar rok tot haar middel opgehesen, haar broekje aan één enkel, terwijl de man achter haar de bleke halvemanen van zijn kont etaleerde. Opschieten, schat, opschieten, straks zien ze het, hoorde Tom de vrouw zeggen, en de man ging sneller met billen en buik, *flap flap flap* deed het witte vlees. Tom wendde zijn blik af en zag even het silhouet van zijn broer en van Harry die uit Eddy's slaapkamerraam naar beneden staarden. Plotseling waren ze weer weg, het raam een leeg gewelf van licht. Eddy had al sinds Billy en Lester Coombs er waren boven op zijn kamer gezeten. Hij had bij Billy zijn drugs gescoord zodra beide mannen waren gearriveerd.

Eddy's lichtgroene Studebaker stond met zijn ronde neus onder de spar geparkeerd, de auto wees recht naar Ranch Road en niemand waagde het eraan te komen of, erger nog, zijn weg te versperren. Eddy wilde altijd een vrije aftocht. De auto was vaders trots geweest. Hij was pas een jaar oud toen vader hem door vals te spelen bij het pokeren van Harvey Jellison had gewonnen, drie maanden nadat Eddy met vaders zegen naar de kust was gestuurd. Eddy kreeg de auto toen vader begraven was en dat was terecht. Tom kreeg het geweer. Hij had het leren vest nog dat zijn vader altijd droeg als hij de heuvels in ging, met op de zijzakken lussen voor de geweerpatronen en op de rug van doorgestikte zwarte velours op schouderhoogte de geborduurde naam waarvan zijn vader zei dat hij hem had gekregen toen hij in de jaren twintig wilde paarden had gereden in het rodeocircuit. In dieprode krulletters stond daar Elmers bijnaam geschreven, 'The Chocteau Kid'. Tom had altijd het zakmes bij zich dat hij de nacht dat hij vader begroef in diens zak had gevonden.

Het onbekende meisje keek naar Tom, in haar bruine krulhaar glommen de lichtjes die van het dovende tonvuur naast haar kwamen.

Net vuur, zei hij en hij dacht aan hoe zijn handen haar middel hadden aangeraakt.

Wat zeg je? vroeg Wayne.

Niks, zei Tom, met het geweer in de kromming van zijn arm. Hij duwde het geweer open en de gebruikte patronen vielen in het ongemaaide gras, onzichtbaar tot de komende lente.

4

Vader treurde om zijn leven, hij treurde om de zus die hij op de boerderij in Saskatchewan had achtergelaten en hij treurde om zijn dochters. Hij had ons niet lang gehad, dus miste hij ons des te meer. In zijn grove handen droeg hij de fouten die hij in dit leven had begaan. Hij kon wringen wat hij wilde, maar wat er onder zijn huid zat, kreeg hij niet weg. Tegen zijn zonen ging hij enkel tekeer omdat ze als jongens geboren waren. Hij zat gehurkt naast Roosjes steen zijn liedjes te zingen. *Roll Along Moonlight* en *The Drunkard's Son* kwamen trillend over zijn lippen, woestijndeuntjes uit vergeten tijden. Dan zong hij *Blue Okanagan* en dronk er Crown Royal bij uit de fles, de jonge Buddy Reynolds zoetgevooisd op zijn tong.

Van achter bij de put keek Tom naar zijn vaders bewegende lippen, vader die zong over laarzen en zadels, honden en vee, het eenzame blauw van de alsem, of die vertelde over zijn zwerftochten over de prairie en over de donkerder tijden daarvoor, toen hij een jongen was. Toms ogen registreerden elke beweging die vader maakte, stompe vingers die naar een wang werden gebracht, een laars die in het stof werd verschoven, een schouder die werd gebogen. Hij dacht dat hij als hij elk gebaar, elk gegrom en elk schouderophalen kende, de man zou kennen.

Soms ging Tom even kijken bij de graven in de oude boomgaard. Aan de takken van de paar dorre bomen die er nog stonden verschenen elke lente iele scheuten, takken die bloesem droegen maar zelden fruit. Dan stond hij daar op dat gletsjergruis, met onder zijn voeten graspollen, stenen en kiezels, hard geworden klei, het stof van jaren. Vader had er de nodige dieren begraven. Wat was dat toch met die mannen dat ze zo graag dingen onder de grond stopten? Vader, zijn vader, de vader voor hem. Het was zo'n oude traditie, die mannen. Het lag vast aan de oorlogen, al zei vader dat er van zijn familie nooit iemand had meegevochten. Waarom zouden ze vechten voor iets wat niet van hen was? Misschien lag het aan te veel vrede dat ze aan het bloedvergieten en begraven waren geslagen.

Eerst vertelde vader de jongens bijna nooit verhalen. Hij joeg Tom weg als die hem lastigviel. Vader was er meestal niet, hij was ergens anders, aan de zuip, zoals moeder het noemde, of hij lag met olie besmeurd onder zijn vrachtwagen iets te repareren. Hij leek weinig tijd voor verhalen te hebben toen, behalve in de nachten dat hij bij ons in de boomgaard zat.

Op een nacht zag ik Tom naar vader toe gaan die op de stoep van de achterveranda zat. Joost mag weten waarom Toms gebedel die dag een verhaal aan hem ontlokte. Hoe dan ook, hij vertelde Tom over die ene keer dat hij en Alice, zijn zus, mee waren geweest naar Minot in Noord-Dakota, op familiebezoek. Daar had hij zijn grootvader ontmoet. Die vertelde hem dat zijn eigen vader als jongeman vanuit Kentucky naar Illinois had moeten vluchten, nadat hij zonder het te beseffen een slavinnetje met zijn vader had gedeeld. In de ruzie die volgde dolf hij het onderspit toen zijn vader hem ten slotte neerschoot. De kogel die hij in zijn zij kreeg bleef er zitten en zou hem de rest van zijn leven kwellen. Vaders overgrootvader vertrok uit Kentucky en kwam nooit meer terug. Hij trouwde met een meisje van de Bulliner-clan uit het zuiden van Illinois. Tom luisterde stilletjes naar het verhaal over een vete tussen de clans van Bulliner en Henderson die in 1869 in Bloody Williamson County was begonnen tijdens een potje kaarten. Elmers overgrootvader was er die bewuste dag bij geweest toen een familielid van zijn vrouw werd uitgemaakt voor leugenachtige klootzak omdat iemand slechte kaarten had. Hij had partij gekozen voor de Bulliners en de langdurige vete met de Hendersons die toen begon werd een strijd waarbij hij zich wél betrokken voelde. Hij doodde drie mannen en hielp zestien anderen begraven, onder wie ook vrouwen en kinderen. Hij werd twee keer neergeschoten en vertrok ten slotte na tien jaar met zijn vrouw naar de Dakota's in het westen. Vader vertelde Tom dat familie er indertijd toe deed, dat de enige oorlog waar de Starks tijd voor hadden een vendetta was. Toen hij het verhaal vertelde, greep hij Tom beet en schudde hem door elkaar. Er is niks veranderd, zei hij. Denk erom.

Toen Tom nog een kind was, was het altijd duidelijk waar zijn vader voor stond, al maakte hij nog zo'n herrie en was hij nog zo gewelddadig. Ook zijn moeder maakte hem bang, met haar stemmingen en haar onlesbare behoeften. Eddy zag dat anders. Hij zei altijd dat hij wist wie ze was, wat ze ook deed. Maar Tom vond dat moeder Eddy te veel aanraakte toen hij nog klein was. Ze zoende hem overal en dat ging weleens te ver, die mond van haar die jacht maakte op bepaalde stukjes van hem, haar rode lippen die sporen achterlieten op zijn lichte huid, terwijl Eddy met zijn helderblauwe ogen naar haar opkeek.

Eddy was in moeders greep toen hij jong was, maar daar kwam verandering in. Na zijn afwezigheid van een jaar ging hij nog wel naar haar toe, maar Tom vroeg zich af of hij dat alleen maar deed om haar verlangens in te willigen of om haar te plagen met haar behoefte aan hem. Soms liet Eddy haar wachten, terwijl hij luisterde hoe ze om aandacht bedelde. Tom zat dan alleen in de keuken, vader was al gaan werken en zijn moeder en broer waren in haar slaapkamer, en dan piekerde hij over zijn leven. Hij vond uiteindelijk dat zijn geboorte een vergissing was en zijn behoefte aan hen allemaal verbijsterde hem. Hij had voortdurend het gevoel dat hij aan het zoeken was, maar waarnaar wist hij niet.

Tom probeerde met Eddy te praten over hun vaders haat of liefde, maar het leek Eddy koud te laten. Hij vertelde Tom een keer dat haat en liefde alleen maar woorden uit de film waren. Tom had die woorden in boeken gelezen en ook al kon hij in zijn eigen leven niets vinden wat op de verhalen leek die hij las, toch geloofde hij erin. Vader zei altijd dat het land waar ze woonden te groot was voor welk verhaal dan ook. Hij zei dat elk verhaal dat je in het land probeerde in te passen, verloren ging.

Wroeging matte vader destijds af. Hij schikte zich nooit in zijn eigen leven. Vreemd zoals mannen hun leed proberen te verzachten, maar spijt is aan hen niet besteed. Vader zei dat hij alleen zijn dochters trouw was, maar uiteindelijk geloofde niemand hem, wij al helemaal niet. Wij hielden van hem, ongeacht het verleden en zijn vele leugens. Wij waren er niet lang genoeg geweest om door hem gekwetst te worden. Maar waar was hij toen ik in mijn bedje lag uit te drogen? In welke kroeg, achterpad, steeg of keerplaats?

Eddy kwam zelden naar de graven. Tom vroeg hem altijd om met hem mee te gaan luisteren, maar Eddy wilde nooit. Hij zag alles wat hij wilde zien uit zijn raam aan de achterkant van het huis. Vaak zag hij vader daar 's nachts weeklagen wanneer hij bad voor Rose en mij, maar Eddy vroeg zich nooit af hoe ver het terugging, het eeuwige vader-op-zoon. Eddy had geen behoefte aan 's nachts neerhurken, geen behoefte om een verhaal af te bedelen. Het treuren om een zus of een dochter was vaders klaagzang, niet de zijne.

Toen Eddy uit Vancouver terugkwam, deed hij zijn vizier omlaag. Het was met geen woorden omhoog te krijgen, door niemand. Het was de helm waar Eddy doorheen keek. Voordat hij naar de kust ging, hunkerde moeder naar zijn liefde. Toen hij klein was, had hij zijn plek aan haar borst verworven. Het was alsof hij bij zijn geboorte met haar melk haar toewijding in zich opzoog. God weet dat die rijkelijk voor hem vloeide. Ze gaf hem de borst tot hij vier was. Dan kwam hij uit de tuin naar binnen en trok haar schort opzij om aan een borst te drinken alsof het een leren zak was, terwijl Tom in zijn kinderstoel staarde naar iets wat hij niet kreeg.

Moeder streelde Eddy, terwijl ze zich vastklampte aan haar droom over een dansgelegenheid in San Francisco, een chique hotelkamer in Spokane waar ze voor iedere man haar jurk uitdeed, zolang het vader maar niet was. Ze koesterde haar verliezen, deze of gene onrechtvaardigheid, ieders leegte behalve die van haarzelf. Ze onthield Tom dingen die ze Eddy gaf, die nam wat hij van haar wilde alsof het hem toekwam en die zijn afwezigheid teruggaf. Toms kinderlijke wensen waren stenen uit het veld, opgeraapt van de woestijnbodem. Eddy zag ze in de droevige starende blik van zijn broer en deed wat hij kon voor hem, gaf hem de zorg die Tom van niemand anders kreeg.

Als moeder niet in de buurt was, trok Eddy Tom in het karretje dat hij van een appelkist had gemaakt, met kinderwagenwieltjes die hij in een greppel langs de weg had gevonden. Met kromgebogen spijkers bevestigde hij ze aan de assen en van een kapotte hark maakte hij een handvat. Op wasdag deed moeder Tom een tuigje aan en haakte het touw met een ringklem aan de waslijn. Dan rende Tom heen en weer van de paal naar de veranda terwijl de ring over de draad van de waslijn krijste en dan riep hij om Eddy, maar Eddy kwam niet. Eddy was in de tuin met moeder met dat karretje van hem tussen de aanplant, volgeladen met onkruid, en zij aaide hem bemoedigend over zijn hoofd, terwijl hij het door de kleidikke modder trok om het onkruid naar de mesthoop bij de populieren te versjouwen. Er huisde een onschuld in Eddy toen hij klein was, ongeacht de problemen en het verdriet om hen heen. Net als Tom kende Eddy geen ander leven. De ellende die anderen zagen als ze langs het huis kwamen, kende Eddy niet. Hij was een kind en welk kind vindt zijn leven minderwaardig?

Moeders behoefte aan Eddy was onlesbaar en ze was bijna nooit uit zijn gedachten. Het was net alsof hij haar klaagzang van verre kon ruiken. Wanneer hij de geur van haar smart opving, ging hij op huis aan met zijn verstelde broek en vuile gympen. Toen hij groter was, had hij een roestige fiets die hij geel had geverfd met behulp van een blik dat hij uit een geplunderde garage vandaan had. De ene keer zat hij een meisje achterna in een steeg, de andere keer worstelde hij er met eentje op een veranda, hij sloeg een kelderraam in of was met een gestolen loper een huis aan het openmaken dat te lang had leeggestaan. Dan hield hij plotseling op met zijn bezigheden en wendde hij zich af van een natte meisjesmond, een portefeuille op een ladekast of een tasje dat aan een keukenstoel hing.

De dag dat Eddy werd weggestuurd had moeder bij de anderen op het perron gestaan. Bij het coupéraam stond een jonge Mountie, kersvers uit Regina, achter haar jongen, en de agent keek glimlachend op haar neer terwijl zij huilde. Eddy staarde recht voor zich uit in de ijdele hoop dat er toch nog iemand de coupé in zou komen, een vader die niet de zijne was die hem zou zeggen dat het allemaal een vergissing was, dat het in orde kwam met Eddy, dat hij veilig was voor Stanley en beschermd tegen wat er komen zou. Maar zijn moeders tranen konden niets uitrichten. De twee nachten die Eddy in de cel onder de rechtbank had doorgebracht, zijn lichaam dat bezweek onder de handen van de brigadier terwijl hij op de ijzeren brits werd gedrukt, dat alles en nog meer had hem in een bodemloos ravijn geduwd. Sindsdien schepte hij alleen nog op over dat hij jong zou sterven.

Tom en Eddy praatten nooit over wat er was gebeurd toen hij weg was. Wat Eddy had kunnen vertellen was gewoon nog een onderdeel van de stilte van het gezin. Eddy deed alsof hij nog dezelfde was als ervoor en Tom wist dat hij dat niet was. Er werd genoeg verteld over wat er gebeurde met jongens die naar Boyco werden gestuurd. Sommigen kwamen niet meer terug, die zwierven liever rond op straat in Vancouver of Seattle, en anderen kwamen een week of een maand terug en werden daarna nooit meer gezien. Sommigen bleven in het stadje hangen, somber of een en al branie, sommigen werden gewelddadig en anderen waren zo eenzaam dat hun aanwezigheid ondraaglijk werd en hun familie hen wegjoeg. Ze woonden in de dorpen die op een rijtje in de vallei lagen, jongens bij wie niemand in de buurt durfde komen uit angst voor hun pijn en woede.

Wat Eddy had weggestopt, trok Tom naar zijn broer toe, want Eddy's leegte was soms zo luidruchtig dat Tom er bang van werd. Vader had Eddy willen breken en dat was ook gebeurd, maar degene die Eddy in elkaar had gezet uit de stukjes die overgebleven waren, was niet de jongen die zijn vader had gedacht terug te krijgen. Moeder wilde Eddy's stilte nooit doorbreken, de woorden die Eddy had begraven waren te gevaarlijk om hardop te zeggen. Er heerste stilte in huis, niemand sprak over wat ze hadden gedaan.

Toen moeder jong was, had ze zich een wild leven voorgesteld en dat speelde zich niet af op een desolate boerderij in een vergeten vallei. Jaren geleden had vader haar even laten proeven van wie ze kon zijn toen hij een kaartje voor de dansvloer kocht en haar voor een dubbeltje liet rondzwieren op de paardenharen vloer van de dancing in Watrous. De bands waren uit Minneapolis en Spokane, uit Winnipeg en Calgary ernaartoe gekomen om hun betoverende deuntjes te spelen bij Manitou Beach, omringd door de korsten van het zoutmeer. Al lang voor vader was komen opdagen had ze op de kristalontvanger in de boerderijkeuken naar dansmuziek geluisterd. Ze had Guy Watkins gehoord die in de radio-uitzendingen vanuit Danceland de nummers aankondigde. De kristalontvanger fluisterde haar de gesyncopeerde ritmes uit verre steden toe. Dan zat ze op het puntje van een stoel met haar oor bij de tere klosjes koperdraad te luisteren naar *My Heart Stood Still* en *The Desert Song*. Ze oefende de gefantaseerde passen van de langzame foxtrot, een denkbeeldig permanentje in haar haren. Haar hielen en tenen werden dol van een charleston die ze bedacht door naar tijdschriftplaatjes te kijken van Joan Crawford in een film. Haar vader schoot hardop in de lach wanneer ze zo rondsprong, haar moeder, Nettie, schudde haar hoofd.

Moeders behoeften werden door Eddy vervuld, of hij haar nu moest vasthouden als ze dronken was en hallucineerde over een of ander ingebeeld of echt onrecht dat haar al dan niet door vader was aangedaan, of wanneer ze huilde vanwege een herinnering uit het verleden, de boerderij en de eerste jaren, haar moeders borstkanker, haar vaders zelfmoord. Het kan gewoon de eenzaamheid van het land zijn geweest, niemand van haar leeftijd dicht genoeg in de buurt om mee om te gaan, de plekken waar ze had kunnen zijn niet meer dan foto's in een geleend tijdschrift. Het was Eddy's taak om vader af te leiden en bij haar weg te houden, een kwijtgeraakte of verstopte fles te zoeken en in haar handen te stoppen, een kommetje te vullen met knapperige radijsroosjes uit de waterkan, of restjes worst en dun met margarine en aardbeienjam belegde sneetjes brood uit de winkel op een bord te rangschikken. Eddy klauterde bij haar op bed toen hij klein was en toen hij groot was. Alleen zijn troostende aanraking kon haar kalmeren als ze dronken en in tranen was. Eddy lag dan op het beddengoed en liet zich door haar vasthouden terwijl ze zijn gezicht streelde. Ze zei dat zijn handen zware engelen waren. Ze zei dat ze haar vrede brachten.

Ze verweet vader al haar verliezen. Haar kamer zat elke avond op slot en vader, hoe dronken hij ook was, durfde er nooit naar binnen. Hij spuide zijn razernij dan wel tegen haar deur, maar hij probeerde hem nooit in te trappen. Haar blikken konden het zwijgen opleggen, haar scherpe woorden pijn doen. Tom hing in de keuken rond en luisterde naar hun geschreeuw. Dan sloeg de achterdeur dicht en ging vader naar de bar van het legioen of naar om het even welke weduwvrouw die haar deur voor hem opendeed. Op dat moment riep moeder Eddy. Tom sloop zijn broer door de gang achterna en ging met zijn rug naar haar deur op de grond zitten, zijn armen om zijn magere knieën, zijn smalle gezicht als een bot mes tegen zijn borst gedrukt, met een hoofd dat tolde van de echo's van gezangen die hij als kind had geleerd. Gewijde liederen die moeder nog uit haar eigen jeugd kende, verhalen van het andere westen, de prairievlakten waar ze over sprak wanneer ze hem en Eddy toen ze nog kleine jongens waren over haar kindertijd had verteld. Nettie had haar dochter leren bidden, haar als kind laten knielen om God te danken voor het beetje dat ze hadden. Moeder zong dan altijd *Tell Me the Old, Old Story* en haar jongens dreunden de tekst op terwijl ze wachtten op haar verhaal.

Elk fragment begon met 'Ik weet nog', terwijl moeder over hun hoofden naar de maan in het donkere raam staarde en tegen hen sprak alsof zij kon uitleggen hoe het leven vroeger was. Tom snakte naar het verleden. Hij wilde elke dag en nacht uit moeders leven kennen. Zo dacht hij zichzelf te leren kennen, het 'waarom' van wat hij was. Hij vroeg telkens weer naar de verhalen en luisterde goed, in de hoop dat door het opnieuw vertellen iets verborgens werd onthuld, een of andere aanwijzing, een sleutel als het ware voor een raadsel dat hij niet kon doorgronden. Haar woorden waren de catechismus die hij vanbuiten leerde, elk detail werd in zijn geest gegrift.

Vertel nog eens, zei hij dan. Vertel me over de nacht van de indianen, en dat deed moeder, zolang Eddy in de buurt was. Ze vertelde het alleen in de winter, als er sneeuw lag. Het was gebeurd toen ze dertien was en de indianen na twee dagen van sneeuwstormen naar de boerderij waren gekomen, terwijl haar vader en Nettie in Nokomis waren en daar vastzaten omdat de wind en de sneeuw de wegen hadden bedolven. Ze was nog maar een meisje toen ze de buitendeur opendeed voor de indianen, terwijl ze dacht dat het haar ouders waren die op de een of andere manier thuis waren gekomen door de sneeuw die in grote hopen de weg versperde. Vijf Cree, zei moeder, zo vreemd uitgedost als je je maar kunt voorstellen, eentje met een gedeukte hoge hoed en een cape gemaakt van de huid van een zwarte beer, zodat hij eruitzag als een beest dat levend en wel was opengesneden, zijn flanellen hemd eronder felrood alsof het van vlees was, zodat ze dacht dat ze zijn longen daar kon zien ademhalen. Er hingen ijspegeltjes aan de rand van zijn hoed en aan zijn haar. Ze maakten een klingelend geluid toen hij in de deuropening stond, zijn mond bewoog ze en zijn adem liet ze smelten. De anderen waren net zo vreemd, in capes van hertenvel of wollen jassen met koperen knopen en kraaltjes op hun broeken en hemden. Moeder zei altijd dat ze zo vies waren, ze stonken naar het ranzige vet waarmee hun huid was ingesmeerd en hadden zich sinds god weet wanneer niet meer gewassen. Wilden die vanuit de storm binnen waren gekomen, zei ze en ze was ervan overtuigd dat ze ter plekke verkracht en vermoord zou worden.

Wat is verkracht, vroeg Tom op een keer en moeder zei dat hij haar niet in de rede moest vallen. Eddy gniffelde om de vraag. Moeder had de indianen te eten gegeven van wat er was, het karige vlees dat nog aan een hertenbout zat die in de schuur hing. Terwijl de man met het berenvel er met zijn mes repen kraakbeen afsneed, had zij verschrompelde aardappels en kool uit de voorraadkast gehaald en gekookt en voor hen het brood aangebroken dat Nettie voor hun vertrek had gebakken, potten gedroogde pruimen en ingemaakte moesappeltjes, wat er maar was, terwijl het bruinkoolvuur smeulde in de kachel. Ze aten alles op en daarna gingen ze op de grond liggen slapen, opgerold als dieren rond de kachel, de stoom wolkte van hen af als de nevel die bij het ochtendgloren uit een verzuurde modderpoel opsteeg.

Moeder wachtte uren terwijl ze om het gordijn heen gluurde dat in de deuropening tussen haar slaapkamer en de keuken hing. Ze zei dat ze even moest hebben geslapen, want toen ze 's morgens wakker werd, waren de indianen weg en ze hadden niets achtergelaten behalve hun lucht. Haar vader was boos toen hij en haar moeder twee dagen later eindelijk terug waren, de storm was geluwd, de wegen waren grotendeels nog versperd, de paard-en-wagens zochten zich een weg tussen de sneeuwhopen door en de hemel was schoon als altijd in de winter, helderder dan de zon zelf. Haar vader bezwoer dat hij jacht zou maken op de indianen die zomaar het huis waren binnengedrongen, en vergewiste zich ervan dat zijn dochter niet was aangeraakt; moeder moest op bed gaan liggen en Nettie stak een vinger bij haar naar binnen om aan te tonen dat ze ongerept was. Ze vertelde ook dat ze een jaar lang om de paar weken als gift een stuk hert, eland of beer, een koppel ganzen of korhoenders aantroffen, zelfs grondeekhoorntjes die in de strik van een lasso aan de hekpaal hingen, allemaal achtergelaten door de Cree. Twee keer zag Nettie hen door het raam op hun paarden. Moeders vader verafschuwde die giften, omdat ze in zijn ogen voortkwamen uit liefdadigheid en niet uit dankbaarheid. Hij kon niet verkroppen dat hij voor wat dan ook in het krijt stond bij dat stelletje wilden dat zijn huis had laten stinken. Naderhand wilden een paar oudere meisjes op school niet meer met haar praten. De paar die dat wel deden, vertelden dat ze hun moeders hadden horen zeggen hoe haar vader tekeer was gegaan in de kroeg in Nokomis en de mensen had verteld dat er indianen in zijn huis waren geweest die zijn dochter hadden verkracht.

De mannen in de stad keken op een andere manier naar haar nadat haar vader dat had gezegd. Ze vonden me een gemakkelijke prooi, zei ze. Voor hen was een verkrachting een verkrachting. Wat wisten zíj daar nou van, zei ze, terwijl ze sneller ademde. Een keer hadden twee vrienden van haar vader haar naar de steeg achter de voederhandel gelokt door haar chocola te beloven, maar haar vader stak er een stokje voor en hun handen gleden onder haar jurk vandaan. Hij vervloekte haar om wat ze was, hen vervloekte hij niet.

Mijn vader lag heel wat nachten op de loer, maar hij kon de indianen er nooit op betrappen dat ze vlees achterlieten, zei moeder. Hij at het met tegenzin wanneer mijn moeder het klaarmaakte en zei telkens weer dat hij zijn eigen gezin best te eten kon geven zonder dat die vervloekte Cree betaalden voor het bezoedelen van zijn dochter, terwijl mijn moeder door haar wimpers naar hem keek, haar samengeknepen handen verborgen in haar schort.

Moeder vertelde dat verhaal meer dan eens, verfraaid of van alle franje ontdaan, in een paar woorden: *De indianen kwamen. Ze lieten eten voor ons achter. Vader vond het afschuwelijk dat ze bij mij waren toen hij er niet was.* Elke keer verlangde Tom hevig naar meer. Hij wist dat er iets was wat niet werd verteld. Dat kon hij zien aan het donker in haar ogen, de manier waarop ze naar de hoeken van de kamer keek alsof haar vader tevoorschijn kon komen, alsof de indianen er nog waren, samengehurkt bij de kachel. Alsof de giften die ze achterlieten niet zomaar voor het voedsel en het onderdak waren, maar als ze daar niet voor waren, waarvoor dan?

Tom vroeg haar wat voor mannen het waren, vroeg naar de kleur van hun kralen, wat voor soort knopen, been of koper of ijzer. Waren ze net als de indianen die in het reservaat boven bij het meer woonden of net als de indianen in de films? Hij dacht dat hij zou begrijpen wat er was gebeurd als hij het allemaal kon zien, als hij de dingen die ze aanhadden, hun geweren en messen, hun handschoenen en beenkappen, kon aanraken.

Uiteindelijk namen de verhalen over vroeger af en ze werden nauwelijks nog opnieuw verteld. Maar moeder las nog wel aan hen voor, dronken of nuchter. Altijd de Bijbel, toen ze klein waren, een van de weinige boeken die ze in huis had. Ze joeg Tom schrik aan met de vervloekingen van Jeremia, het lijden van Job. Het was alsof ze hem graag voor haar zag terugdeinzen. Eddy lachte altijd als Tom van haar het zwarte boek moest vasthouden. Toen hij klein was, legde ze de Bijbel in zijn handen en toen hij voor het eerst naar de woorden keek, dacht hij dat het geplette insecten waren. Hij ging geloven dat er in die woorden iets te zien was. De Bijbel was het eerste wat hij las, het boek dat hij bij zich hield toen hij opgroeide. Hij volgde de verzen met zijn vinger en gaf de profetieën een plaats in zijn hoofd, waar hij ze kon laten herleven. Voor hem waren de Bijbelwoorden een hartstochtelijk leger. Jesaja raasde in zijn jonge geest, Jeremia verdoemde zijn uren. De verzen beklemden hem. *En in haar paleizen zullen doornen opgaan, netelen en distels in haar vestingen; en het zal een woning der draken zijn, en een zaal voor de jongen der struisen.* Hij volgde de woorden over de pagina's zoals hij in een droge rivierbedding een sneeuwhoen volgde. Het heilige boek mocht dan ongrijpbaar en geraffineerd zijn, Tom geloofde dat degene die het had geschreven een spoor had achtergelaten. Er waren momenten dat hij boven de Bijbel naar een enkele zin zat te staren en niet verder kwam. Woorden bleven soms dagen in zijn hoofd hangen terwijl hij ze tot betekenissen probeerde te vormen die hij kon begrijpen. Op een keer zat hij weer eens in de badkamer met de deur op slot de rode visjes op het douchegordijn te tellen, toen hij moeder op de gang hoorde langskomen. Haar stem maakte hem bang toen de woorden onder de deur door glipten. *O dochter Mijns volks!* zei ze. *Gord een zak aan en wentel u in as.*

Het was Toms naam die Roosje naar me riep toen ik mijn laatste adem uitblies. *Tom,* zei ze, *Tom.* Hij was de broer in wiens handen ze mij gaf, de handen die ik levend kende toen hij me voedde met gestolen melk, een jongen over wie ik dood waak. Ik zag hem toen zoals hij was, zijn plechtige gezicht achter de spijlen van mijn bedje. Hij was een vroeg oud geworden jongen. Hij was in het verkeerde seizoen geboren, wind in een land van rots en woestijnsneeuw. Hij droeg een baal verdriet in zijn hart en in zijn ogen lag het verhaal van ons allemaal.

Ik luisterde naar het gejank van de coyotes in de heuvels, het ziedende gras en het geroezemoes van de bomen in de verte. Zelfs de stenen schreeuwden het uit. Ik lig nu in hun midden met een lijkwade om mijn beenderen en probeer te bedenken wat liefde zou kunnen zijn, en ik herinner me Tom, net negen, en de hond die hij redde en die nog vijf jaar bij hem zou zijn.

Het was het begin van de zomer. De puppy was de enige die nog leefde van een nest dat hij op de plaatselijke vuilstort had gevonden, in een dichtgebonden jutezak die onder een roestige bedspiraal was gepropt. Hij was op zoek geweest naar batterijen, alles wat van koper was, misschien iets van zilver, een vork of mes, een beker. De aardappelzak had bewogen in de rommel naast een kapotte kinderwagen en Tom, die op een plek als deze iets verborgens zag waar misschien wel leven in zat, trok de zak het zonlicht in. Met zijn mes sneed hij het koord door waarmee de zak was dichtgebonden en de puppy's en het moederdier rolden eruit, allemaal dood behalve die ene die Eddy Docker zou noemen en die toen, kleverig en nat van poep en plas, amper nog in leven was. De kastanjebruine moederhond was een spaniël met een stompje bij wijze van staart. De teef was uit de zak komen ploffen met deze ene, blinde pup die zich aan een koude tepel achteraan had vastgezogen. Tom moest zijn vinger tussen het tandvlees duwen om hem van zijn moeder te verlossen.

Hij droeg de puppy in zijn hemd naar huis en verstopte hem in de aardappelkelder in een lege appelkist, waar hij een oude deken in legde die hij binnen was gaan halen. Hij wist wat vader zou zeggen als hij erachter kwam dat hij een dier mee naar huis had gebracht. Vader wilde geen kippen of ganzen, geen stierkalf of zeug, net zomin als hij een kanariepietje, een kat of een hond wilde. Als hij al eens sprak over een hond nemen zou het een rottweiler of een mastiff zijn. Hij wilde er vooral niets bij wat het gedoe dat hij met een vrouw en twee zonen al meende te hebben, nog erger zou maken. Maar toen Tom met de puppy thuiskwam, was vader er niet, die zat in de staat Washington bij een vrouw met geld die bereid was haar lichaam met hem te delen. Hij gaf het hondje botten van karbonades om met zijn spitse tandjes aan te knagen, en stukjes gebakken kip of marmot die hij uit het keukenafval viste. Elke dag smokkelde Tom een kop melk naar de kelder, doopte er een hoekje van zijn hemd in en liet de puppy zuigen, net zoals ik in mijn ledikantje had gezogen toen Tom mij melk had gebracht.

Twee weken later kwam vader thuis en wankelde in het maanlicht naar zijn ondergrondse hol. Hij was te lang in Wenatchee blijven hangen en als een haas naar huis gegaan, terwijl een woedende echtgenoot op zoek naar hem de woestijnwegen afschuimde. Het was zomer en de kelder was koel. Naar binnen gaan was zinloos, want dan werd moeder wakker van hem en zou de gebruikelijke ruzie beginnen. In plaats daarvan strompelde hij naar de aardappelkelder, waar hij zich op de brits liet vallen. Hij werd wakker van het gejengel van de puppy toen Tom ermee in zijn handen stond bij de appelkist en het hondje in zijn hemd probeerde te proppen. Met een wilde blik, zijn dunne witte haar klam op zijn voorhoofd en de rode puppy kermend in zijn handen, staarde Tom naar vader die hem had betrapt op een daad van liefde.

Vader bulderde: Wat spook jij daar godverdomme uit?

Hij veerde op van de brits toen Tom de deur uit rende, de zand-stenen treetjes op, en door het ruige gras de boomgaard in vlucht-te, en toen langs de oever van de zieltogende beek en langs de ge-barsten kleirand van het zomermoeras. Hij bleef dagenlang weg. Eddy haalde hem uiteindelijk naar huis. Tom had de puppy ver-stopt in een beschut holletje bij een keet zonder ramen in een doodlopende arroyo ter hoogte van Cheater Creek, veilig wegge-borgen in een hok dat hij had gemaakt van oude planken die hij achter een verlaten stal in een veld daar in de buurt had gevonden. Vader ging met Tom naar de schuur boven de aardappelkelder en sloeg hem met zijn riem omdat hij volgens hem ongehoorzaam was geweest. Hij bezwoer moeder dat hij er de leugens en de op-standigheid wel uit zou slaan, en dat probeerde hij, maar Tom vertelde zijn vader niet waar hij was geweest, noch waar de puppy was verstopt. Na de aframmeling was hij achter zijn vader aan naar het huis teruggelopen, zijn blote voeten in de laarsafdrukken van zijn vader, en met elke stap die hij zette werd hij harder. Hij kon nog zo bang zijn voor zijn vader, maar hij was bereid te sterven om het leven van zijn puppy te redden.

Het was de zomer van de aframmelingen. Vader eiste dat Tom hem gehoorzaamde. Hij verbood hem het grindgedeelte van het erf te verlaten. Tom mocht niet bij de weg komen of voorbij de put. Als vader met hout moest rijden in het gebied ten westen van Sugar Lake, moest moeder Tom in de gaten houden, maar hoe goed ze dat ook deed, hij schoot toch van het erf af met wat eten in zijn zakken, een jampotje melk onder zijn riem. Hij bleef de hele dag weg, soms een dag en een nacht, maar vader zwichtte niet voor zijn zoon. Een dergelijke opstandigheid kon hij onmogelijk accepteren. Hij bezwoer moeder dat hij de jongen zou leren gehoorzamen, maar na twee maanden waarin Tom telkens ontsnapte en vader hem sloeg, zei moeder dat vader, tenzij hij zijn zoon in de aardap-pelkelder vastbond of hem aan de paal van de waslijn ketende, Tom net zo goed de hond mee naar huis kon laten nemen.

Ze had Tom nooit iets gegund, en meestal wenste ze hem mis-schien wel een heel eind van huis, maar de aanblik van vader die hem week in, week uit over het pad naar de aardappelkelder sleur-de, begon haar te kwellen. Eddy had haar gesmeekt vader zover te krijgen dat hij Tom de hond liet houden, en ten slotte had ze zich tegen haar man gekeerd, omdat ze het beu was om Tom weer het pad op te zien strompelen met voor zich uit vader die zijn zware riem door de lusjes van zijn broek haalde. Na urenlange ruzies en nog meer dagen van beladen, bitter zwijgen stemde vader er schoorvoetend mee in en beloofde hij moeder dat hij niets zou doen wat de hond pijn deed, en toen ging Tom zijn puppy ophalen in de arroyo. Vader en moeder zagen hem door de boomgaard aankomen met Eddy op zijn hielen en de puppy buitelend naast Tom, vastgebonden aan zijn pols met een eind paktouw.

Twee dagen later nam vader de puppy mee naar de schuur en coupeerde zijn staart met de bijl voor het aanmaakhout. Toen Tom het uitschreeuwde, zei vader: Het is godsamme een spaniël! Dit doen mensen met spaniëls, ze halen er de staart af. Als wij er hier een hebben rondlopen, moet die er ook uitzien zoals zo'n hond eruit hoort te zien.

Tom bond de stomp af en verbond hem met een doekje dat hij in de jodium had gedoopt die hij in de badkamer uit het medicijnkastje was gaan halen. Tom zei er geen woord meer over tegen vader. Hij droeg de puppy naar zijn kamer op zolder en hield hem daar tot de stomp genezen was. Vader zei dat hij niet begreep waar ze zich allemaal zo druk om maakten.

Tom hield meer van die hond dan van wat ook ter wereld, zelfs meer dan van Eddy. Ze zwierven samen door de velden en heuvels. Docker zat altijd pal achter hem wanneer Tom een moerassneeuwhoen of een blauwhoen schoot. De hond trilde in afwachting van het teken, de lange oren inmiddels versierd met klissen en graszaden. Wanneer Tom de hond liet apporteren, holde Docker er als een rode flits op af en bracht de vogel terug op zijn fluitje.

Een jongen en zijn hond.

Ik zag ze de heuvels in trekken, Tom met het geweer in de hand, de hond pal achter hem. Ik volgde hem wanneer hij door de velden en heuvels zwierf. Hij nam het jachtgeweer mee en trok over het boerenland de hogergelegen droge sneeuwgeulen en arroyos in. Hij jaagde op konijnen, eekhoorntjes en marmotten. Op den duur kon hij op honderd meter de kop van een sneeuwhoen eraf schieten, waarbij het eetbare borstvlees intact bleef. Hij ging met een sliert korhoenders terug naar huis, de vogels aan elkaar gebonden met paktouw dat om hun geschudde poten was geknoopt. Wanneer hij door de laatste velden naar het huis toe liep, leek hij van een afstand een gevederd schepsel, zijn schouders en armen vol vogellichamen, een gouden jongen met wit haar, een blaffende Docker pal achter zich, door het dolle heen van blijdschap.

Zijn rust wanneer hij tussen het pollengras een fazant tevoorschijn zag komen die op een jammerklacht met de wind mee ging, was van een geheel eigen schoonheid. Hij kende de schepsels uit de poelen en moerassen, de droge kleiheuvels en het grasland met de pijnbomen. Hij ging op de harde rotsgrond liggen van een aardlaag die hoog boven Grey Ditch uitstak en staarde over de vallei naar Ranch Road en Cheater Creek. Soms liep hij om en kwam hij van achteren naar het huis toe. Dan ging hij op Pottery Road de oude boomgaard in en knielde bij onze graven met in zijn handen de witte schedel van een nerts die hij had gevonden of een adelaarsveer die hij uit de wolken had zien vallen, en dan legde hij de schat op de stenen die onze plek aangaven.

5

De ruzie was begonnen omdat Norman iedereen met of zonder stuk in zijn kraag had willen laten merken dat hij slimmer was dan zij. Zijn meest recente obsessie was Nietzsche. Met zijn rug tegen het aanrecht waar de drank stond zanikte hij maar door over iemand die Übermensch werd genoemd en die als een koorddanser boven een menigte dwazen liep. Billy, die koorddansers sowieso al voor gek versleten zou hebben, kwam juist een paar flesjes Lucky Lager uit het koude water in de gootsteen vissen en hoorde Norman een meisje iets vertellen over Superman. Billy dacht dat het over de stripheld ging en zei tegen niemand in het bijzonder dat hij graag Superman las. Norman, die alle Captain Marvel- en Batman-strips die ooit waren verschenen had bewaard, vond Superman het beste van allemaal, maar dat was niet de Superman die hij bedoelde.

Wat weet jíj nou van Superman?

Normans vraag was een belediging, want hij kon Billy Holdman niet uitstaan, maar hij was dronken en vergat waar Billy's wortels lagen, de ongebreidelde trots van mensen die niet deugen. Norman had zijn fles scotch bijna leeg. Hij had zijn vraag niet gesteld om antwoord te krijgen, hij wilde alleen maar imponeren. Billy was alleen geïnteresseerd in de twee flesjes bier in zijn ene hand, allebei voor hem, en de dubbele gin in de andere. De borrel was niet voor Vera, het meisje met wie hij was gekomen, maar voor Crystal, die bij de keukentafel stond en van wie Billy wist dat ze hem naar zijn pick-up buiten of naar de logeerkamer boven zou volgen, ongeacht wat Vera ervan vond.

Crystal droomde de berekenende dagdromen van de armen. Ze was opgegroeid in een gammele stacaravan met oude handdoeken voor de raampjes. Wie haar beter bekeek zag een gat in haar kous, een met een haperende naald gestikte naad, een losgeraakte zoom of een scheef gebreide trui. Op haar rustte de vloek dat ze uit het niets kwam en op een dag zou de routekaart van al haar plannen haar naar een aftandse caravan brengen die erger was dan die waar ze vandaan kwam, zwanger, met twee jengelende koters en bloeduitstortingen in haar gezicht. Voor haar waren een rok en een truitje uiteindelijk alleen maar dingen die een jongen uittrok, blond haar iets waar hij aan kon trekken. Volgens Tom had Crystal toen ze bij haar geboorte haar ogen opsloeg een wereld in gekeken die niet klopte. Eddy zei dat Crystal Wright het soort meisje was waar mannen op teerden, Billy, Joe, Harry en de anderen. De broers hadden allebei gelijk.

Eddy en Tom hadden tegen Billy opgekeken toen ze jongens waren. Hij was ouder, maar net als zij en als bijna al hun vrienden was hij groot geworden op rauwe melk, wild vlees en gestolen eieren. Toen Billy in de bossen was gaan werken, ging het geld dat hij verdiende naar zijn moeder om het gezin te eten te geven. Geld voor zichzelf haalde hij in een steegje achter de kroeg uit de zakken van een laveloze indiaan die nog wat bijstandsgeld had, of die van een straalbezopen houthakker of een afgepeigerd sletje. Hij verkocht ook spullen die doorverkocht konden worden, koperdraad dat hij uit een huis in aanbouw of een slooppand haalde, gestolen batterijen die werden omgesmolten voor het lood, een autoradio of een uit een woonhuis gejatte platenspeler of de vettige, met olie besmeurde, zuurverdiende dollars en centen die op zondagavond in het geldkistje of de kassalade van een onnadenkende garagehouder of buurtkruidenier waren blijven liggen.

Toen hij wat ouder werd, ontdekte Billy het gokken. Hij wist een auto of paard, een hond of een vechthaan vlijmscherp in te schatten, en zijn weddenschappen bij races of gevechten tussen mens, dier of vogel pakten meestal zo uit dat hij er meer aan overhield dan wat hij bij aankomst had gehad. Hij had één vaste bron van inkomsten en dat waren de hondengevechten. Aanstaande zaterdag was zijn laatste tweekamp van het seizoen op de boerderij van Carl Janek.

Toen Tom nog een jongen was, had hij gezien hoe Billy zijn achterlijke zus Nancy vanuit een kolenhok aan het spoor voor een paar stuivers aan oudere jongens verkocht. Naderhand werd gezegd dat hij haar verkocht aan mannen die geen andere vrouw konden krijgen, mannen uit de kroegen of stegen die nooit die laatste dans kregen, die alleen in hun zielige, handbediende dromen iemand konden versieren. Op het feest was Nancy op sleeptouw genomen

door Lester Coombs, die weer in de stad was. Billy had hem mee-
getroond naar het feest om te pronken met zijn dure drugsleveran-
cier uit Vancouver. Voordat Eddy Lester die middag binnenliet,
had hij hem het pistool dat hij bij zich droeg laten afgeven. Lester
had van onder zijn leren jack de Smith & Wesson .22 uit zijn riem
gehaald en Eddy had het pistool in de trommel van de wasmachine
opgeborgen. Lester zei dat het pistool er maar beter nog kon liggen
als hij het bij het weggaan kwam ophalen. Eddy en Tom hadden
hem alleen maar aangekeken, zo'n vent van de kust die hen waarschijnlijk maar een stelletje slome boeren vond, alleen goed om te
kopen wat hij had meegebracht om door Billy te laten doorverko-
pen.

Het feest was twee avonden geleden begonnen, nadat in het stadje
en in de wijde omtrek het bericht de ronde had gedaan dat het
zaterdagavond bij Eddy Stark thuis een wilde boel zou worden. Op
zaterdagmiddag had moeder zichzelf opgesloten in haar slaapkamer op de hoek van het huis en met een harde klap het nachtslot
erop gedaan. De voor haar raam bevestigde ijzeren stangen maakten moeders privacy, zoals zij dat noemde, compleet. Ze zei tegen
Eddy en Tom dat ze een mes had en klaar zou staan als een of andere dronkenlap haar kamer probeerde binnen te dringen. Eddy
had tegen haar gezegd dat haar niets zou gebeuren. Het is maar een
feestje, had hij gezegd. Moeder had niet eens gereageerd en Tom
evenmin.

Moeder had haar eigen diepe dalen gekend en kon Eddy's fees-
ten niet verdragen, het drinken, kaarten en dansen, de auto's en
pick-ups die op alle tijden van de dag en nacht in wolken stof
en kiezels af en aan reden, de mensen die door het huis sjouwden
om ergens hun roes uit te slapen. Zo'n chaos was te veel voor
iemand die vond dat ze in haar leven wel genoeg had doorstaan.
Met de jaren was ze eenzelvig geworden, teruggetrokken, van alles
afkerig behalve het gezin, hoewel Tom vond dat ze ook voor het
gezin een vreemde was. Ze had geen vriendinnen. Eventuele vrouwen die ze misschien had gekend toen zij en vader naar de vallei
verhuisden, hadden zich langzaamaan teruggetrokken nadat Rose
was verdwenen. Hun vragen over haar plotselinge verdwijning bleven in zoverre onbeantwoord dat moeder zo'n bemoeizuchtig mens

aan de voordeur alleen maar hoofdschuddend en met tot spleetjes geknepen ogen aankeek. Ze vertelde iedereen die ernaar vroeg dat er geen geboorte was geweest, alleen een sterfgeval, en hoewel de buurvrouwen de maanden bij elkaar optelden en konden uitrekenen dat ze het had voldragen, praatten ze er met niemand over, zo vast waren ze ervan overtuigd dat ze wisten hoe bij de familie Stark aan Ranch Road de vork in de steel zat. De vrouwen kwamen niet meer op bezoek. Soms zag je ze in een voorbijrijdende auto met strakke blik en een verbeten trek om de mond naar het huis kijken, terwijl hun man zijn aandacht bij de voren en greppels hield.

In zijn laatste jaren zwalkte vader 's nachts dronken rond met het geweer. Nachtslot of geen nachtslot, moeder werd er zenuwachtig van. Vader wist waar hij kon slapen en dat was niet bij haar. Tom was op zijn hoede als hij er was en rende de boomgaard in wanneer vader met het geweer in de hand liep te mompelen. Tom lag dan bij de graven het huis in de gaten te houden tot alles rustig was. Aan de vleermuizen zag hij wanneer vader uitgeteld lag te slapen. Pas als het stil was op het erf keerden de vleermuizen door de kieren in de nokbalken terug naar hun slaapplaats op zolder. Eddy was niet bang, maar na een tijdje boezemde vaders manier van doen hem zoveel ontzag in dat hij verdween in het donker en pas bij het aanbreken van de dag terugkwam. Als vader dronken was, lag hij op het veldbed in de aardappelkelder of op de bank in de woonkamer, maar op geen van beide hield hij het een hele nacht uit.

Op de avond van haar kleine wraak had moeder Eddy gevraagd een nachtslot op haar deur te zetten. Ze had een keukenstoel in de weg laten staan waar vader altijd liep. Hij liep ertegenaan en toen gingen in het donker per ongeluk beide geweerlopen af. Toen Tom vader er de dag erna over hoorde brullen, wist hij dat ze de stoel expres zo had laten staan, maar zij bezwoer dat dat niet zo was en dat vader wijzer had moeten wezen dan 's nachts met een geladen geweer in huis rond te lopen. Ze vroeg Tom en Eddy: Op wie denkt hij dan dat hij jaagt, als het niet op mij is?

Daar kon je geen duidelijk antwoord op geven. Het had best moeder kunnen zijn, al dachten de jongens allebei dat het de gezworen vijanden waren over wie vader elke week klaagde, de spookbeelden van mannen die hem op enig moment schade hadden berokkend. Dat hij in 1949 de tractor was kwijtgeraakt aan de bank was een van die tegenslagen geweest. De Reo-kiepwagen waar zeven jaar geleden beslag op was gelegd, was zijn laatste kans geweest om eigen baas te zijn. Daarna had hij een rupswagen gereden of boomstammen vervoerd voor de kleine zagerijen die overeind waren gebleven, maar hij raakte zijn baan telkens kwijt vanwege zijn drift, zijn hatelijke opmerkingen tegen anderen, wanneer hij tegen hen zei dat ze het verschil nog niet zagen tussen hun eigen reet en een gat in de grond als je in de bossen je geld moest verdienen.

Wat vader aan loon kreeg hield hij zelf, moeder gaf hij een of twee avonden na betaaldag een handvol kleingeld, een paar verfrommelde dollarbiljetten die nog in zijn borstzakje zaten. De rest had hij in de kroeg uitgegeven aan gokken en drank. De etenswaren waar hij mee thuiskwam, had hij geruild: wortelen, uien en aardappels die hij van een boer kreeg voor een achterbout van een buiten het seizoen geschoten eland of hert. Meel en suiker, zout, varkensvet en rijst haalde hij bij Winning Chow van het New Dawn Café. Hij probeerde bij de Chinees iets van de prijs af te krijgen in ruil voor een zij spek die hij uit iemands rookhok had gepikt en kippen die hij uit een ren in de buurt van Oyama had gestolen. De snavels van de in aardappelzakken gepropte vogels staken door het grove weefsel heen. Wat het gezin verder at, werd door moeder geteeld of door de jongens gejaagd, gestolen of op de pof gekocht bij de kruidenier, meneer Olafson, die om de zoveel weken belde om hen eraan te herinneren dat ze bij hem in het krijt stonden en die de dollar die de jongens af en toe kwamen brengen, aannam en in zijn boek noteerde, al werd het saldo nooit vereffend.

In de muur bij de porseleinkast zaten twee gaten waar Toms voet in paste. Eén schot was er dwars doorheen gegaan, waardoor Tom op de gang recht in de eetkamer kon kijken. Vader was ver heen wanneer hij vanwege slaapgebrek door het huis dwaalde. Hij doorzocht de kamers naar verstopte en vergeten flessen. Nadat hij door de eetkamermuur had geschoten, was moeder bang geworden dat hij zou binnenstormen om met het geweer in de aanslag datgene op te eisen waarvan hij vond dat hij er recht op had. Tegen de zoon die dicht genoeg in de buurt was om het te horen, zei ze: God weet op welk recht hij aanspraak denkt te maken. God weet.

Ze hoorden hem vanaf het erf tegen haar schreeuwen dat het

toch geen wonder was dat hij naar andere vrouwen liep. Ik ben nog steeds een man!

Loop naar de hel, siste ze dan.

Tom ging naar binnen, hing het geweer weer aan zijn spijkers en staarde de gang in naar moeders deur. Hij had haar twee dagen geleden gezien, toen ze aan het hamsteren was geslagen: haar flessen Seagram's 83, een zinken emmer om haar behoefte in te doen, sigaretten en een aantal etenswaren. Ze zei dat ze niet van plan was voor de dag te komen in wat zij Eddy's idioterie noemde, en tegen Tom zei ze: Da's vader die weer de kop opsteekt bij hem, en dat gold overigens voor hen allebei, al vond Tom wel dat het bloed dat hij had niet hetzelfde was als wat er in het hoofd van zijn broer klopte.

Tom stelde zich moeder voor die in bed haar schilmesje wette aan een nagelvijl terwijl ze verwensingen prevelde tegen de man die haar leven had verwoest. Al die jaren met dat verhuizen van boerderij naar fokkerij naar de stad, naar het schrale land waar ze nu woonden en dat zij hun halfbakken stukkie niks noemde. Hij had haar meer beloofd en zij had minder gekregen, elke dag en elke maand en elk jaar was die droom aangevreten tot er niets meer van over was dan een rafelig vod, iets waarmee veldmuizen of ratten hun holletjes bekleedden. Door de slaapkamerdeur heen hoorde Tom het haar vragen aan Eddy, die haar rug masseerde en haar spieren als dunne touwtjes in zijn vaselinehanden nam: Wie denkt hij eigenlijk dat hij is? Tom wist dat Eddy weinig aandacht schonk aan wat ze zei, hij had het allemaal al veel te vaak gehoord.

Wanneer vader 's middags in de bossen aan het werk was, liep Eddy de gang in om naar moeder te gaan, en op een ochtend bedacht Tom een manier om hun geheime samenzijn mee te maken. Moeder ging aan het begin van de middag altijd naar de tuin, waar ze ruziede met de jonge mais die zo langzaam leek op te komen, en tobde over de erwten waar ze staken tussen plantte om ze op te binden, zodat ze niet gingen hangen en weg zouden rotten. Op een dag wachtte hij in zijn slaapkamer op zolder tot hij haar naar buiten hoorde gaan en schoot toen de trap af naar haar kamer, waar hij vlug in het donker onder haar bed een holletje maakte door de lege flessen tegen de muur te duwen, waar bergen gescheurde tijdschriften en verfrommelde snoeppapiertjes lagen. Hij was acht.

Zijn ene blote voet steunde tegen de muur, de andere zat in een springveer gestoken. Hij had het gevoel alsof hij ondersteboven over de onderkant van haar matras kroop. Eén hand klemde de achterpoot van het bed vast, de andere de rand van de matras. De quilt hing als een gordijn over de zijkant van het bed. Met zijn wang op de vloer gluurde hij van achter de katoenen vierkantjes in afwachting van moeders terugkeer, doodsbenauwd voor wat ze zou doen als ze hem in zijn schuilplaats betrapte.

Hij moest lang wachten voor hij haar weer naar binnen hoorde komen. Ze ging naar de platenspeler in de woonkamer, zette *Stormy Weather* op en draaide het volume harder zodat ze het in haar kamer kon horen. Terwijl Tom van onder het bed toekeek, vond hij haar net een meisje, zo lichtvoetig draaide ze rond over de vloer. Het was alsof ze aan het dansen was bij dat zoutmeer van haar waar ze hem weleens over had verteld.

Net toen het nummer was afgelopen, deed Eddy de deur open. Zijn blik was leeg. Moeder glimlachte en zei dat hij de plaat nog een keer moest draaien. Hij zette hem weer op en toen hij terugkwam, stak ze haar armen uit. Tom wist niet dat zijn broer kon dansen. Eddy schuifelde met haar langs het bed. Tom staarde naar hem van onder de quilt terwijl het gezicht van zijn langzaam kringetjes draaiende broer verscheen en verdween. Moeders ogen waren dicht, maar die van Eddy staarden de kamer in, en op zijn gezicht stond een uitdrukking die Tom nog nooit had gezien. Het leek wel of zijn broer iets was kwijtgeraakt, maar wat wist Tom niet, wat hij hier aan het doen was met moeder die hij vasthield terwijl hij bewoog alsof ze niets was in zijn armen, en dan het krassen van de naald in de groeven op de draaitafel, het *wisj-tik, wisj-tik, wisj-tik* en het klikje van de omhoogkomende arm van de platenspeler en de rondtollende draaitafel die tot stilstand kwam. Toen ging ze naar het bed toe en Eddy kwam naast haar liggen, zij met zijn tweeën erop en Tom eronder. Tom keek omhoog en zag de vorm van hun lichamen in de grijze matras. Tom lag roerloos te luisteren hoe moeders ademhaling dieper werd terwijl Eddy's monotone *soeja soeja soe!* haar in slaap suste. Dat geluid had Tom al die jaren door de deur heen gehoord. Tom herinnerde zich het gevoel dat in de kamer hing, en hoewel hij het destijds niet had kunnen benoemen, wist hij nu wat het was. Eenzaamheid. Die had daarbinnen gehangen, niet alleen die van zijn moeder en zijn broer, maar ook die van hem, zoals hij daar moederziel alleen onder het bed had liggen wachten.

Tom liep de gang door, klopte de geheime code op moeders deur, drie stevige en twee lichtere klopjes, en wachtte. Hij hoorde haar aan de andere kant van de deur, als een vos in de val. Gaat het? vroeg hij.

Wie schoot er met dat geweer?

Maak je niet ongerust, zei hij. Er was gewoon iemand aan het geinen. Moet je iets hebben? Hij wist dat ze een geheim voorraadje droge worst, smeerkaas en zoute crackers in schoenendozen in de kast had liggen, meer dan genoeg gezien haar gebrek aan eetlust. Het enige wat ze leek te willen eten waren haar radijsjes. Eddy sneed er roosjes van met zijn mes en zette ze in afgesloten potjes met water in de ijskast. Ze had al zo vaak gezegd dat ze het enige waren wat haar bloed nog liet stromen.

Waar is Eddy?

Boven, op zijn kamer, waar hij altijd is, zei Tom.

Moeder zweeg even en zei toen: Ga weg. Hij hoorde haar blote voeten op de vloer toen ze naar haar bed liep. Hij wist dat hij op een dag zou aankloppen zonder dat er antwoord kwam. Ze zou er doodgaan en Eddy en hij zouden de deur moeten openbreken om haar te kunnen begraven. Nu vader dood was, leek elk jaar met haar moeilijker dan het vorige. Het deed er niet toe waar hij haar van beschuldigde, zei ze steeds, het was het zwarte gat waarin zij na de bevalling was terechtgekomen dat haar dochters het leven had gekost. Ze was in het donker weggezakt en maandenlang was er van bovenkomen geen sprake geweest. Ze had naar het plafond liggen staren alsof ze dwars door de verkleurde platen de nacht zelf had willen zien.

Jij wou niks van meisjes weten, zei hij altijd wanneer ze elkaar de huid vol scholden. Wanneer heb jij ooit aan Rose en Alice gedacht?

Welke dochter? De twee die je hebt begraven of die ene die je hebt verbrand?

Hun beschuldigingen kwamen altijd aan het eind van een dronken ruzie over waarom er niet genoeg op de houtstapel lag voor de winter, niet genoeg te eten was, geen geld, wat dan ook, een gevallen beker, een kapotte broodrooster, een vettige moersleutel die op de armleuning van de bank in de woonkamer was blijven liggen, een lege fles, isolement of minachting. Op het eind werd vaders stem altijd een luide klacht over de meisjes, het teken dat hij voor haar het veld ruimde. Loop naar de hel, schreeuwde hij als ze de gang in liep. En dan zij tegen hem: De hel? Waar is die? Hier?

Met zijn handen tegen zijn oren probeerde Tom de boze woorden van vader en moeder buiten te houden, maar hij zag hoe moeder zich bij de put over vaders lichaam boog. Eddy was haar de nacht dat vader stierf binnen gaan halen. Zijn vader lag daar met geknakte benen in een plas beekwater, er was een stuk van zijn hoofd weg en het geweer lag naast de pomp, op de Poolster gericht. Wat een ellende, zei ze terwijl vader daar in het gras bij de stenen putrand lag en het bloed als een vlies op de plassen van de beek dreef, zijn hersenen overal in het gras alsof hij samen met de sprinkhanen en kevers had willen nadenken over wat dat wilde zeggen, leven en sterven. Het was Tom die de kuil groef en hem in de grond stopte. Toen hij klaar was, kwam hij terug van de boomgaard met de kruiwagen en de spade. Ze ging naast hem op de putrand zitten en staarde naar de plek waar vader met zijn voeten in de beek had gelegen, en ze zei: Bloed is bloed en weg is soms gewoon beter. Tom keek haar bang en uitgeput aan, maar in haar ogen was geen traan te bekennen. Wel iets stils, alsof ze een slang was die met een strakke, starende blik uit de zon was gegaan om in de door het duister beloofde koelte uit te rusten.

Tom keerde moeders vastgelopen leven de rug toe. Hij liep de gang in en zag een stel verstrengeld tegen de muur staan waarvan de een gromde en de ander klaaglijk steunde. De jongen klemde zijn hand onder de rok van het meisje om haar bil. Zij hing aan zijn nek alsof ze bang was om in een stroomversnelling terecht te komen en te verdrinken. Dit waren ongetwijfeld onbekenden uit de stad, dronken van de roem die ze hadden verworven door op een feestje van Eddy te zijn, sensatiezoekers, meelopers.

Er welde iets donkers in hem op als water dat door een smalle mijnschacht omhoogkwam en hij wenste vurig dat het weg zou gaan. Hij keek naar de houten vloer en voelde weer de pijnlijke splinters in zijn knieën en handen. Hij was nog maar klein. Hij hield halt en liet zijn hoofd hangen. Hij had zijn neus opgehaald, er zat iets dikkigs in, een geur die hem wel en niet bekend voorkwam. Het was stof en boenwas en hitte, een zware lucht die er door schuifelende voeten, schurende borstels en poetsdoeken ingewreven was. Het was zo'n massieve geur dat hij ervan moest kokhalzen.

Hij wilde dat kind niet zijn, maar plotseling zag hij zichzelf boven op de overloop kruipen terwijl hij met zijn ogen dicht het zachte geruis volgde van moeders nachtjapon over de vloer. Zij kroop ook. Toen hij zijn ogen opendeed, kon hij haar niet vinden. Ze was de hoek omgegaan waar de trap in een bocht naar de zolder ging. Op handen en voeten, met alleen een versleten pyjamabroek aan, wiegde hij heen en weer. Het was zo gek om heen en weer te bewegen en niet vooruit te komen. Nu Tom er weer aan dacht, schoot hij vol. Hij stond boven aan de trap en beneden hoorde hij dingen breken. Er ging vaatwerk aan diggelen en in de keuken viel er iets zwaars op de grond. Hij hoorde het sprenkelende geluid dat brekend glas als laatste maakt. Als ijzel die van een dak glijdt, zo klonk vaders vuist die tegen de muur bonsde. Hij was weer dronken. Het glas ruiste steeds zachter tot het alleen nog een muziekje was op Toms huid. Hij probeerde nog steeds te bewegen. Hij wist waar moeder was. Ze zat in de geheime kast. Hij kon de verstopplek niet zien, want die zat onder de trap. Hij wiegde harder, maar zijn knieën kwamen niet in beweging en zijn tenen gleden weg op het hout. Hij was al eerder bij de kast geweest, maar hij wist dat hij er niet in mocht. Moeder zat er met Eddy. Ze hadden zich er verstopt en er was maar plek voor twee. Nee, zei ze altijd. Hij wist dat hij dat te horen kreeg als hij met zijn hoofd tegen de deur bonkte.

Wegwezen, kleine opdonder, siste ze dan. Ga je ergens anders verstoppen.

Maar er was nergens anders. Eddy zei tegen haar dat ze hem erin moest laten, maar moeder wilde niet opendoen. Tom hoorde zichzelf zachte geluidjes maken. Moeder zei dat dat het geluid was dat een varken maakte. Ze zei door de geheime deur: Jij bent maar een varken.

Dit kleine varkentje ging naar de markt,
Dit kleine varkentje bleef thuis,
Dit kleine varkentje at rosbief,
Dit kleine varkentje kreeg niets,
En dit kleine varkentje deed *wè wè wè*
De hele weg naar huis.

Hij voelde heel even de stilte en toen hoorde hij beneden vaders laarzen door de keuken lopen, zijn ruwe hand over de trapleuning schuren, en vader die *klos klos klos* de trap op kwam. Toms keel duwde een geur zijn neus in. Die bleef daar als een natte, vettige brok zitten die hij niet doorgeslikt kreeg. Hij wiegde steeds harder en toen stond hij weer in de gang met twee onbekende mensen naast zich, van wie de een gromde en de ander steunde.

Er gebeuren dingen met me, zei Tom tegen hen, maar blijkbaar hadden ze daar geen boodschap aan. Hij voelde het koude, glibberige zweet op zijn handen en met zijn rug tegen de muur geleund wreef hij ze tegen elkaar. Eddy had hem al zo vaak gezegd dat hij zich die dingen niet moest herinneren, maar hij kon het niet tegenhouden.

6

De deur van de logeerkamer tegenover Eddy's kamer stond op een kier en Tom keek naar binnen. Wayne zat op zijn knieën voor het meisje over wie hij op het erf gestruikeld was. Hij probeerde uit alle macht haar broekje uit te krijgen. Hij had zijn handen al achter het elastiek om haar heupen gestoken, maar met haar witte benen stevig over elkaar geslagen werkte ze niet erg mee. Haar truitje had ze nog aan en op haar afgerolde vuilwitte sokjes vlogen verschoten binnenstebuiten papegaaien een rondje om haar enkels. Ze had haar handen in haar haren en staarde zonder een woord tegen hem te zeggen naar haar krampachtig tegen elkaar geklemde benen alsof wat ze daar zag haar hele wereld was.

Wegwezen jullie, zei Tom. Hierboven is het privé.

Wayne probeerde bij Tom uit de buurt te blijven. Sorry, Tom, jammerde hij toen hij de gang op werd geduwd. Dat wist ik niet.

Maak dat de kat wijs, zei Tom.

Wayne vluchtte de trap af en het meisje, dat ongezond bleek zag, fatsoeneerde haar kleren en draafde achter hem aan, waarbij ze als om zich te verontschuldigen op een kinderlijk toontje tegen Tom zei: Maar eigenlijk wil ik gewoon naar huis.

Tom draaide zich om en klopte op Eddy's deur, terwijl de klanken van *Jambalaya* hard door het dunne hout heen kwamen. Hij deed de deur open en ging naar binnen.

Sally-Ann danste met uitgelopen zwarte make-up onder haar ogen in haar blootje op de dunne matras van het metalen legerbed; Eddy had een lange broek aan en hing blootsvoets en met scharminkelige borstkas wijdbeens in zijn doorgezakte leunstoel met in zijn hand een glas whiskey en tussen zijn lippen een sigaret. Haar lippenstift was vervaagd. Tom keek naar de naaldsporen, de bloeduitstortingen aan de binnenkant van haar armen en op haar bovenbenen, de zwelling van haar borsten en de toef haar bij haar kruis. Eddy had er maar een maand of twee voor nodig gehad om haar verslaafd te krijgen. Tom vond het wonderlijk dat zijn broer zich zo afzijdig hield van mensen, terwijl hij ze tegelijkertijd zo naar zich toe trok. Mannen en vrouwen leken in zijn ban te komen, maar eenmaal in zijn nabijheid werden ze vleugellam. Eddy werd altijd door chaos achtervolgd, en toch wist Tom dat er tussen zijn broer en hem een onverbrekelijke band was. Het was een tastbare broederschap die Tom vrij van struikelblokken probeerde te houden, terwijl Eddy er een rommeltje van maakte.

De kogellamp die met zijn zwak gloeiende rode peertje op een kist in de hoek stond, verspreidde een gedempt licht. Harry zat op het randje van de keukenstoel die Eddy jaren geleden heimelijk van beneden had meegenomen. Moeder had hem nooit gemist. Na vaders dood lette ze nauwelijks nog op dingen als stoelen of serviesgoed, tafels, vorken of spiegels. Harry, Eddy's enige vriend, had zich in het donker teruggetrokken. Hij werkte parttime als timmerman, als hij niet op het dievenpad was of als ritselaar en speeddealer in het poolcafé zat. Hij ontleende zijn volume aan zijn buik. Tom vond zijn ineengedoken gestalte op een witte made lijken. Onder zijn dikke pens, strak om zijn heupen, zat Harry's riem met de glimmende Harley-Davidson-gesp die hij vorig jaar van een motorrijder had afgepakt, toen Eddy en hij hem op de weg boven Lumby te grazen hadden genomen. Nadat de man hen in de kroeg had uitgescholden, waren ze de motorrijder in hun auto achternagereden en hadden hem de greppel ingeduwd. Voor Harry was de gesp een aandenken, net zoiets als de oren die de soldaten na de oorlog meebrachten uit het Verre Oosten. Tom had ze als gedroogde halve abrikozen aan een snoer zien hangen in het souterrain van een veteraan die verzot was op wijn maken. De man had telkens weer aan de koperen krans met oren geschud, die fluisterden als ze tegen elkaar aan kwamen en het zachte leren huidje hadden van de binnenkant van een kinderpols.

Het verbaasde Tom niet dat Harry er was. Het enige wat er voor Harry toe deed was Eddy. Ze waren altijd samen en waren dat van kleins af aan al geweest. Ze hadden als jonge jongens samen hun overtredingen begaan, de winkeldiefstallen, het gepest en getreiter, de uit auto's en vrachtwagens gestolen drank en geld, de woninginbraken. Hun vergrijpen bereikten het kritieke punt op de avond dat ze in de bar van het oud-strijderslegioen inbraken en Eddy werd gearresteerd. Hij had het Harry nooit nagedragen dat hij degene was die ze hadden opgepakt. Harry had weleens tegen Tom gezegd dat hij wou dat hij de kans had gehad om met Eddy naar Boyco te gaan, om samen delinquent te zijn. Eddy was na Vancouver weer teruggegaan naar de alledaagse doortraptheid van Harry die zich verliet op zijn drugsdeals, zo nu en dan een beroving en het misbruiken van meisjes die te jong waren om te weten waar ze zich in begaven, die het maar wat spannend vonden om alle drank te krijgen die ze op konden en een paar simpele pilletjes in ruil voor hun lichaam.

Harry aanbad Eddy, net zoals Joe tegen Billy opkeek en dezelfde soort macht wilde. Joe vond dat zijn afkomst hem in de weg zat. Hij stond kil en haatdragend tegenover het al dan niet ingebeelde onrecht dat hem sinds zijn jeugd achtervolgde, maar Harry kende die bitterheid niet en zou raar opgekeken hebben als iemand hem had gezegd dat hij de boel in de vernieling hielp. Hij was zonder kleerscheuren opgegroeid bij een doopsgezinde vader en een onderdanige moeder, die uit een afgelegen bergdorpje kwam en van haar zoon hield, maar op wie Harry neerkeek omdat ze zo nederig was en met name zo onderworpen aan een man die luidkeels profetie en onheil verkondigde, zijn pa met zijn baantje bij de frisdrankengroothandel, waar hij de godganse dag met steekwagentjes vol flesjes cola en sinas liep. Harry geneerde zich voor de mensen die hem op de wereld hadden gezet. Hij greep elke gelegenheid aan die zich voordeed, een op een toonbank achtergebleven portefeuille, een niet-afgesloten deur, een bibberend jong meisje uit een dorpje in de Cariboo in een leeg bagagehok achter het busstation. Eddy voelde niets toen hij terugkwam van Boyco en Harry deed zijn uiterste best om ook zo te worden.

Eddy had als jongen naar Billy gekeken en gezien wat hij kon zijn. Tom had altijd geweten dat Billy zichzelf in Eddy zag, diezelfde wrede onverzettelijkheid. Ze waren allebei voorbestemd om aan het kortste eind te trekken, en dat geboorterecht wreekten ze op iedereen die ze tegenkwamen. Het was hun kilheid waar de mensen op afkwamen; Harry trok naar Eddy en Joe naar Billy en dan had je de rest van de bende nog, want ze vonden het allemaal lekker om die angst te voelen wanneer ze zo dicht bij de leegte kwamen. Tom had diep in zijn broers ogen gekeken en ook in die van Billy. Hij wist wat er ontbrak.

Dansen kan ze, hè Tom, zei Eddy.

Tom ging op de rand van het bed zitten en keek naar Sally-Ann.

Ze was Eddy's nieuwste vriendin, een serveerster bij het Venice Café. Haar flirt met Eddy had haar naar een plek gebracht die niet in haar dromen voorkwam. Toen ze de eerste keer in de Studebaker stapte, had Tom haar kunnen vertellen dat dit haar te wachten stond, maar hij wist dat ze niet zou hebben geluisterd. Mensen luisterden niet naar hem. Hij zag aan Eddy's ogen dat de high van zijn laatste shot was begonnen. De heroïne had de plaats van bestemming bereikt en toen Eddy na de beweginloosheid van de eerste roes weer boven kwam drijven, waren de scherpe kantjes eraf en had hij een slome grijns op zijn gezicht. Zijn spullen lagen op het nachtkastje, een papiertje met heroïne ernaast. Tom wist dat dat niet alles was wat zijn broer in huis had, maar dat hij tegen Sally-Ann had gezegd dat dit zijn hele voorraad was.

Sally-Ann danste nog steeds, met vermoeide, hortende bewegingen, maar *Jambalaya* was afgelopen en de naald kraste zijn herhalingsrondjes in de laatste groeven van de plaat. Het geluid van de 45-toerengrammofoon die Eddy ergens had gestolen stond hard en weer verbaasde het Tom dat zo'n meisje de dingen pikte die Eddy van haar vroeg. Hij wist dat het niet alleen haar drugsbehoefte was waarom ze danste. Ze danste omdat Eddy haar dat had gezegd. Sally-Ann deed het voor de heroïne en de liefde die ze ermee verwarde. Hij wist dat Sally-Ann haar kleren kon pakken en de kamer uit kon lopen en dat Eddy haar niet zou tegenhouden.

Sally-Ann had maanden om Eddy heen gehangen in de hoop dat ze de kans zou krijgen om met hem uit te gaan. Nu mat ze haar dagen en nachten af aan de naalden in haar afgebonden arm. Ze was de laatste in een lange rij wrakgoed. Ze zat de helft van de tijd bij haar moeder in Coldstream Creek, in een oud huis op een verlaten boerenbedrijf. Tom kende Elvie Madden wel. Hij had haar in het Okanagan Hotel gezien, daar werkte ze. Sally-Anns vader was er jaren geleden tussenuit geknepen. Geld voor het gezin had hij nooit bij zich als hij thuiskwam, alleen zichzelf, en dan alleen wanneer hij blut was of iets mankeerde.

Sally-Ann had vanuit de verte van Eddy gehouden. Ze had de hele lente en zomer gratis koffie voor hem geschonken, hem niet laten betalen voor het ontbijt en alles gedaan wat ze kon om ervoor te zorgen dat hij haar mee uit vroeg. In haar ogen was Eddy een trofee. Net als de meeste vrouwen dacht ze dat ze hem kon veranderen. Vrouwen dachten dat ze Eddy met wat tederheid en liefde konden genezen, dat hij dan weer een man zou worden. Tom wist dat vrouwen zich wat betreft mannen meestal vergisten, en wat betreft Eddy altijd. Sally-Ann had haar kans gekregen en nu was ze voor hem aan het dansen, terwijl Harry zijn gebogen pik streelde die uit zijn losgeknoopte gulp stak.

Tom wreef over zijn wang en voelde de stoppels. Beneden loopt het uit de hand, zei hij.

Eddy glimlachte, zijn gezicht week van de dope. Kom op, Tom. Kijk Sally-Ann eens dansen. Is ze niet geweldig?

Norman is naar het ziekenhuis, zei Tom. Billy heeft hem met een schoffel toegetakeld.

Eddy's arm ging omhoog met een futloze hand die aan de prikkeldraadtatoeage om zijn pols leek te bungelen. Zijn vingers zigzagden door de bewegingloze lucht. Hij komt er wel weer bovenop, zei hij.

Hij ligt godsamme helemaal open, joh, zei Tom.

Daarop hield Sally-Ann op met dansen en begon met haar armen voor haar gezicht te huilen. Tom kwam overeind en pakte de indianendeken van het voeteneind. Hij hing hem over haar schouders en kreeg haar zo rustig dat ze van het bed af ging. Met een paar kledingstukken die hij van de grond had geraapt onder zijn arm duwde hij haar met een hand tussen haar knokige schouderbladen zachtjes naar de deur.

Ze hield op met huilen. Kut, zei Eddy, terwijl Tom Sally-Ann de deur uit werkte en die achter zich dichtdeed. Hij gaf haar de kleren en ze trok ze een voor een aan.

Waarom doet hij zo? Waarom doet je broer zo? vroeg Sally-Ann, terwijl ze met trillende vingers twee van de drie knopen dichtdeed die nog aan haar bloesje zaten, maar het enige wat daarop te zeggen viel, was dat Eddy geen grenzen had en dat ze toen ze eraan begon had moeten weten dat hij een mijnschacht was en geen berg.

Ik wil niet dat iemand me zo ziet, zei ze. Mijn tasje en zo liggen allemaal nog binnen. Ze keek naar haar blote voeten. Ik heb niet eens schoenen.

Je kunt je spullen later halen, zei hij. Hij nam haar mee naar beneden en Sally-Ann sputterde een beetje tegen. Hij moest haar ergens kwijt en de enige rustige plek die hij kon bedenken was moeders kamer. Hij liep met haar de gang door, klopte aan en toen moeder eindelijk de grendel terugschoof, duwde hij Sally-Ann zachtjes naar binnen en zei tegen moeder dat ze een oogje op haar moest houden.

Eddy, zei ze.

Het was geen vraag.

Tom zei: Ja.

Moeders schilmesje ving het licht van haar danseresjeslamp. Ze duwde het lemmet door de kier van de deur, langs de schaduwen. Dat je het maar weet, zei ze.

Wat wil je daarmee zeggen? vroeg Tom. Voor zover hij zag kwam de dreiging nergens vandaan.

Moeder gaf geen antwoord en hij draaide zich om toen ze de deur dichtdeed.

Tom liep naar de kinderkamer, in de verwachting dat iemand die wel voor het een of ander in gebruik zou hebben, maar er was niemand. De oude strijkplank stond tegen de westelijke muur met ernaast een gebutste rieten mand vol oude kleren. Ertegenover stond het ijzeren ledikantje waarin de meisjes waren gestorven, met om de matras nog steeds een rubberzeil dat met de jaren korrelig was geworden en vol scheurtjes zat. De roze spijlen van het ledikantje en de blauwe muren erachter waren gevlekt en groezelig. Het zonlicht dat al die tijd op de vloer was gevallen had hard gewerkt aan het verdere verval. Bij de kastdeur stond de oude kinderstoel en Tom zag zichzelf er als klein jongetje in zitten met om zijn benen, opdat hij er niet uit kon klauteren en vallen, van meelzakken gemaakte luiers die met een stevige knoop aan de achterkant waar hij er niet bij kon, waren vastgemaakt.

Daar had hij elke ochtend gezeten met zijn vingers die in het bakje een *slep slup* havermoutpapgeluid maakten terwijl hij naar Eddy op moeders schoot keek. Hoe oud was Eddy toen, drie, vier? Ze maakte haar jurk los en Eddy zoog aan haar borst, pakte met zijn sproetenhanden het blauwdooraderde vlees vast. Moeder zei tegen Eddy dat hij van de ene borst naar de andere moest en Eddy speelde de baby die hij niet meer was. Ze nam haar donkere tepel tussen twee vingers en stopte die in zijn mond. Met zijn hoofd dicht tegen haar aan gedrukt neuriede ze zachtjes *Blue Canadian Rockies* voor hem. Elke ochtend bond ze Tom vast in de stoel. Geen wonder dat hij amper praatte. Geen wonder dat hij dat niet wou. Behalve tegen Eddy. Tegen Eddy praatte hij wel, maar alleen als vader en moeder er niet bij waren.

Wanneer Eddy vroeg waar vader was, was het antwoord altijd hetzelfde. Hij is aan het werk in de bossen. *In de bossen, in de bossen, in de bossen.* Tom luisterde terwijl ze neuriënd de gang in liep, Eddy achter haar aan: Mijn kleine knulletje, mijn schattebout. Vastgebonden aan zijn stoel in de keuken hoorde Tom moeder haar slaapkamerdeur dichtdoen. Hij voelde geen wanhoop wanneer hij daar vastgebonden zat. Er was nog niets gebeurd in zijn leven wat hem op andere gedachten had kunnen brengen. Hij zat gewoon de uren uit in de wetenschap dat Eddy hem op een gegeven moment weer zou komen bevrijden.

Dan maakte Eddy hem los en hielp hem naar beneden. Want Eddy hield van hem. Zelfs na Boyco hield Eddy nog van hem, al was het toen wel anders. Dat was niet meer dan logisch. Nadat ze Eddy waren komen halen, joeg moeder Tom het huis uit met haar uit graniet gehouwen gezicht. Telkens als ik jou zie, moet ik aan Eddy denken, zei ze al die maanden. Wat doe je hier?

Tom zwierf door de heuvels met zijn geweer. Soms liep hij op zaterdagmiddag de ruim drie kilometer naar het stadje, waar hij door de stegen dwaalde en in de groene vuilnisbakken achter de winkels keek of er wat te halen viel. Als hij honger kreeg, ging hij naar het New Dawn Café, waar de vrouw van Winning Chow hem altijd iets te eten gaf. Dan ging hij met de rijst en groente naar het Cenotaph Park om naar de verhalen te luisteren van de oude mannen die er zaten te dammen. Een veteraan uit de Eerste Wereldoorlog had hem eens verteld over een soldaat die in Frankrijk blijkbaar verdwaald was in het niemandsland tussen de Canadese en Duitse linies. Hij zei dat ze hem in het donker onder de lichtgranaten zagen bewegen tussen de kraters en de prikkeldraadrollen en ze riepen naar hem in de hoop erachter te komen of hij bij hen hoorde of bij de moffen. Toen Tom vroeg of ze nog te weten waren gekomen wie die soldaat was, keek de oude veteraan gewoon de andere kant op en slofte weg, op zoek naar een fles die hij kon delen of gewoon om alleen te zijn. Het laatste wat hij tegen Tom zei was dat de wereld op beenderen was gebouwd.

Bij thuiskomst 's avonds gluurde Tom door de ramen tot hij zeker wist dat de kust veilig was. Zijn koude avondeten stond op een bord op het aanrecht, moeder zat in haar kamer en vader was met de vrachtwagen weg. Tom at stilletjes en glipte dan naar zijn kamer, waar hij op zijn knieën op het bed naar Ranch Road en de verre lichten van het stadje tuurde. Hoe Eddy van de kust naar huis moest komen was hem een raadsel. Vancouver was een onbestaanbare stad, een metropool die ver weg lag, achter de bergen en door de Fraser Canyon naar het deltagebied waar de rivier in zee uitmondde. Daar zat Eddy opgesloten en Tom wenste elke avond dat zijn broer thuis was, want hij was ervan overtuigd dat moeder weer blij zou zijn als Eddy terug was en dat ze door Eddy's kalmerende aanwezigheid niet meer zo boos op hem zou zijn.

Tom trok de gordijnen voor het stoffige glas. Hij wilde niet dat iemand de kamer in kon kijken. Hij keek om zich heen. In de hoek bij de mand waren dekens en vuile lakens op een hoop gegooid. Kleren die in geen jaren gedragen waren, lagen tussen vaders spullen, gescheurde hemden en broeken, ondergoed en jasjes, alsof het stukken vel waren die vader had afgeworpen. Vaders laarzen en schoenen lagen in een wirwar van afgesleten zolen en gehavend leer op de grond.

Tom raakte het ledikantje aan en zag de krassen waar hij en Eddy indertijd aan de spijlen hadden geknaagd. Zijn vingers gleden over de inkepingen en minuscule gleufjes in de verf en hij herinnerde zich zijn zusjes. Roosje had niet lang genoeg geleefd om te gaan staan en met haar mond over het ijzer te wrijven, en Alice had alleen maar liggen staren achter de spijltjes, haar wereld een kooi. Elke dag van het halve jaar dat ze had geleefd had Tom op zijn knieën op de vloer liedjes gezongen voor zijn kleine zusje, kinderrijmpjes, cowboydeuntjes, *Mother Goose, Big Rock Candy Mountain, My Old Kentucky Home*. Na het avondeten, als niemand het in de gaten had, sloop hij naar beneden om bij het ledikantje te zitten. Elke ademtocht van hem was de echo van die van zijn zusje.

Hij zag zijn vader van de beek komen en de spade in de laadbak gooien, die klank van metaal op metaal, en dan zag hij hem wegrijden met achterlichtjes die steeds kleiner werden. Hij herinnerde zich hoe het later was, als hij op de avonden dat Eddy naar de stad was in zijn eentje naar de boomgaard ging en er een geur van alsem en wilg opsteeg uit de modder bij de beek. Door de aarde gestut lag daar Alice' blauwe steen, en op zijn knieën veegde hij het droge blad en de steentjes weg terwijl hij aan haar kleine lijfje dacht. Op een keer had Tom voor zich gezien hoe hij haar uit de aarde bevrijdde, het bundeltje opnam, de knopen losmaakte en het zeildoek openvouwde waarin vader haar had gewikkeld. Daar zat hij dan met het dunne blauwe hemdje dat tevoorschijn gekomen was, de broze beenderen, de fontanel die zich als een liploos miniatuurmondje spreidde, de melktandjes die in de schedelholte dobberden.

Alice.

Nu keek Tom om zich heen. De kamer leek groter te worden en de spullen die in de hoeken en op de grond lagen groeiden terwijl hij ernaar keek. Hij werd steeds kleiner en wist dat hij als hij hier bleef weer het kleine kind zou zijn dat in het ledikantje aan de spijlen stond te knagen. Hij ging naar buiten, sloot de deur en liep door de gang naar de keuken.

Daar waren de gebruikelijke mensen, van wie hij de meeste wel kende, maar ook onbekenden die flesjes uit de gootsteen visten, stonden te drinken en de vechtpartij op het erf bespraken en intussen naar het partijtje poker keken dat aan de gang was. De tafel was van de muur getrokken en nu zat Lester Coombs eraan op een appelkist met zijn rug naar de deur met tegenover zich op een keukenstoel Billy die de kaarten schudde. Aan de raamkant naast Lester zat Gregor, een stille jongen van de zagerij met een door de waterpokken geschonden gezicht, en naast hem Rafe Gillespie met zijn vette haren en zwarte brilmontuur. Hij was chauffeur op een van de gemeentelijke vuilniswagens. Tegenover Gregor en Rafe zaten Don Stupich en Andy Kimball. Don kende hij al een hele tijd. Twee jaar geleden had hij bij zijn leerbedrijf Caterpillar Tractor een volledige baan als monteur gekregen. Andy was van Eddy's leeftijd. Hij was een poolbiljarter uit Falkland die elke zaterdagmiddag om geld speelde in White's poolcafé. Hij was goed in *eightball*, maar ook bij het snookeren was hij een gevaarlijke tegenstander. Terwijl Tom en de anderen toekeken, hield Billy op met schudden en deelde de kaarten rond voor *five-card stud*: één kaart gesloten en de eerste van de vier overige kaarten open. Lester bekeek zijn gesloten kaart en ging mee met Gregors inzet van vijf dollar. Naast hem deed Rafe zijn kaarten bij elkaar en gooide ze met een zelfingenomen lachje terug naar Billy. Weggekropen achter Lesters schouder neuriede Nancy een liedje voor zich uit. De mensen bij de gootsteen en hier en daar tegen de muren waren net de lampjes van oude kerstverlichting, als één ervan ermee ophield gingen ze allemaal uit.

Tom zag Marilyn door de achterdeur wegglippen en volgde haar tot aan de deur. Toen hij zijn hand over de versleten hor liet gaan, streken de puntjes in het gaas langs zijn vingertoppen. Wat was ze klein. Hij dacht aan hoe ze zich over Norman had gebogen alsof hij een gewond dier was in plaats van een mens. Toen ze even opkeek was haar blik recht door hem heen gegaan. Hij had haar in zijn lichaam gevoeld en in zijn verwarring had hij opeens datgene willen aanraken wat zoiets teweegbracht. Ze kon dan wel een meisje zijn, maar ze was ook een vrouw. Ze leek hem iemand die hij kon vasthouden zonder zichzelf of haar te kwetsen. Marilyn, zei hij en ze keek om en toen ze naar hem toe kwam, zwierde haar rok om haar benen. Het was een meisje voor wie gezorgd moest worden. Ze kwam de veranda op en keek hem door de kapotte hordeur aan. Ben jij het, zei ze.

Tom vroeg of ze wat wilde drinken en ze knikte. Ze ging achter hem aan de keuken in en hij gaf haar een gin met Seven-up in het schoonste glas dat hij kon vinden. Toen ze samen naar de woonkamer liepen, kwam haar hoofd amper tot halverwege zijn borst. Er waren wat mensen daar, sommige helemaal van de kaart, en op de bank had een stelletje dat hij niet kende zich deels toegedekt met een van het zijraam afgetrokken gordijn. Anderen lagen op met kussens of stoelen gebarricadeerde plekjes die hun een beetje een gevoel van privacy gaven. Veel was er niet kapot, de lampen brandden nog, de drie overgebleven eetkamerstoelen stonden overeind en de asbakken waren vol maar stonden niet in brand. Iemand had het tweezitsbankje naar het raam gedraaid. Tom ging erop zitten en legde zijn voeten op de vensterbank en Marilyn pakte zijn hand. Hij hield de kleine hand onbeholpen vast. Hij had weleens meisjes gezoend. En ook aangeraakt, meisjes die hij op school had gekend en andere via Eddy en Harry. Twee zomers geleden bij het meer had zijn broer tegen hem gezegd dat hij er eentje mocht neuken, maar toen hij aan de beurt was, was hij weggegaan. Hij wist dat haast iedereen hem maar een rare vond met meisjes, maar wat anderen van hem dachten kon hem niet schelen.

Hij rook Marilyns geurtjes die naar hem opstegen, make-up en lippenstift en een eau de toilette die ze Evening in Paris noemde. Je ruikt lekker, zei hij en Marilyn lachte en stak haar roze tong in haar gin. Ze luisterden voor de zoveelste keer naar *Blueberry Hill*.

Die Fats Domino kan wel pianospelen, zei ze.

Wat is er met je oog gebeurd?

Ze draaide haar hoofd weg zodat hij het niet kon zien. O, dat, zei Marilyn. Da's niks, hoor, en ze deed haar schouder omhoog en hield haar hoofd gedeeltelijk weggedraaid om die kant van haar gezicht te verbergen.

Het was rustiger in huis nu het pokerspel het feestgedruis had getemperd. Ineens had hij belangstelling voor wat ze onder haar truitje had zitten met dat halskettinkje van plastic klikkralen dat op haar borst lag. Hij wilde zo hard aan de kraaltjes trekken dat ze in haar schoot rolden, op haar rok, die tot boven haar knieën was opgekropen.

Wat hij voelde was vreemd en nieuw. Hier zat hij naast een meisje dat haar gevoelens overduidelijk toonde en het enige wat hij deed was haar hand vasthouden. Hij voelde zich onbeholpen en zei: Ik lees een hoop boeken.

Welke dan?

Eh, nou, boeken als *The Amboy Dukes* en *Cry Tough*. Ik heb zelfs *Of Mice and Men* gelezen. Ik haal ze meestal bij de bibliotheek onder de rechtbank, maar van de Bijbel hou ik het meest.

Marilyn giechelde en zei dat Tom zijn ogen dicht moest doen en haar moest kussen. Hij voelde haar zachte lippen van elkaar gaan en haar tong over zijn tanden glijden. Het melkwit in haar slechte oog was een kleine storm op zee. Zijn hand vond de weg onder haar trui, vlees lag op vlees, behalve bij het kooitje van haar beha, en terwijl haar heupen dichterbij kwamen, nam de meisjesgeur toe. Tom kreeg een stijve en omdat hij bang was dat ze het zou merken, verzette hij zijn been, maar ze bleef waar ze was. Ze drukte zich tegen hem aan en de stemmen uit de keuken vervaagden. Een paar dronken meisjes gilden toen er een auto over de oprit wegreed, er werd hard getoeterd en een paar mannenstemmen riepen iets terug. Hij hoorde Stupich inzetten en Andy die de inzet met tien dollar verhoogde. Tom zag voor zich hoe Billy over de inzet nadacht, terwijl tegenover hem Lester de andere spelers en Billy in de gaten hield of er soms gebluft werd. Midden op tafel lag een stapel losse bankbiljetten. En toen liet iemand een glas vallen. Het viel op de grond aan diggelen en iedereen in de keuken hield op met praten.

Marilyn hapte naar lucht. Wat is er aan de hand?

Het is te stil, zei Tom.

Onder het gescheurde gordijn op de bank kwam het hoofd te-voorschijn van iemand die hij niet kende. Met samengeknepen ogen tuurde de jongen over de armleuning naar de keuken; onder hem liet een meisjesstem hem gesmoord weten dat hij van haar af moest gaan. Er volgde een korte worsteling van twee lichamen waarbij het jongenshoofd weer onderdook en er aan de zijkant een blote meisjesknie zichtbaar werd. Op de armleuning van de bank lag een waaier van bruin haar. Tom hoorde voetstappen op de vloer boven hem, waar Eddy's kamer was. Zijn broer had de vertrek-kende auto en het geroep gehoord, gevolgd door de plotselinge stilte beneden, en wilde weten wat er aan de hand was.

Dat is mijn broer, zei Tom. Hij heeft het ook gehoord.

Wat gehoord?

Dat het stil is, zei Tom. Onder haar truitje lag zijn hand nog steeds met gespreide vingers op de vouwtjes in haar huid waar haar taille een knik maakte. Hij hoorde boven op de overloop blote voeten de trap af komen, gevolgd door Harry's laarzen.

Marilyn probeerde hem nog een keer te zoenen, maar Tom maakte zich los en bevrijdde zijn arm. Haar tong trok zich terug als een gladde slak. Je zei dat je je ogen dicht zou doen, zei ze en toen ze haar rok omlaag deed, dansten de kraaltjes op haar kleine bor-sten.

Ze kwamen van de tweezits af en liepen naar de keuken. De kamer had iets breekbaars, alsof iemand een elastiekje zo ver had uitgerekt dat het bijna knapte. Toen hij binnenkwam, zag hij dat moeder iemand uitfoeterde en zei dat ze allemaal uit de weg moes-ten gaan. Ze stond bij het aanrecht tussen een jongen en een meisje die hij nog nooit had gezien en zocht in de kast achter een stapel borden naar de fles whiskey die daar stond. Moeder, riep hij, en toen zag hij hoe Lester Coombs Rafe Gillespie over de tafel heen bij zijn hemd pakte. De stok kaarten waarvan Rafe aan het ronddelen was regende uit zijn dikke vingers over het geld dat op tafel verspreid lag. Met zijn arm hield Tom Marilyn achter zich, terwijl Andy en Stupich achteruitschoven. Gregor probeerde weg te komen en viel met stoel en al opzij. Op dat moment sprong ook Billy overeind. Zijn stoel schoot onder hem vandaan en stuiterde met een bons tegen de deurpost naast Toms been, en daar was Joe, vlak achter Billy, en ze draaiden zich allebei om, maar of dat rich-ting Lester en Rafe was of ergens anders heen, wist Tom niet. Tom

zette nog een stap de keuken in en zag toen Eddy die bij de wasmachine als een gek met Lesters pistool stond te zwaaien en tegen
iedereen riep: Het feest is afgelopen! Harry, die bij Crystal stond,
ging op hem af en toen viel er een schot.

De kogel leek zo langzaam te gaan dat Tom meende dat hij een
loden glans door de rokerige lucht heen zag glijden. De kogel door-
kruiste het vertrek en besloot door het vel boven Lesters sleutel-
been naar binnen te gaan. Toen hij er aan de andere kant uit kwam,
ging hij op Nancy's keel af. Marilyn keek ernaar vanuit de deuropening van de woonkamer. Daar blijven, gebaarde Tom. En toen brak
de hel los. Alle anderen die hadden staan kijken, stormden op de
achterdeur af, een meisje dat hij niet kende struikelde en zette het
toen ze viel op een gillen, en iedereen probeerde vloekend door de
achterdeur weg te komen. Toen Tom zich omdraaide, zag hij Billy
in een poging om Eddy tegen te houden tegen moeder op botsen,
met Joe op zijn hielen. Het enige wat Tom kon doen was Joe met
zijn arm vol op zijn keel raken, een tackle waarbij Joe onderuitging
en Tom een knie in zijn rug zette, terwijl hij Joe's arm klemvast
tegen diens rug hield. Andy en Gregor struikelden half over Joe's
gespreide benen en toen over het gevallen meisje dat overeind probeerde te komen, waarbij ze naar lucht happend weer onderuitging, en een vloekende Stupich hielp haar met uitgestoken hand
overeind en werkte haar de deur uit. Andy en Gregor drongen
langs de tafel en zeiden tegen de laatste paar mensen dat ze uit de
weg moesten gaan, waarbij Andy tegen Lester Coombs op botste,
die geschokt in een hoekje stond met Nancy naast hem, die haar
hand tegen haar keel drukte, terwijl er tussen haar vingers een
sliertje bloed tevoorschijn kwam. Rafe Gillespie kwam van onder
de tafel en struikelde de deur uit waar Tom net door naar binnen
gekomen was, op weg naar de voorkant van het huis en zijn auto
die ergens op de weg geparkeerd stond. Tom hoorde wagens star-
ten, banden gierden op de oprit en auto's en pick-ups vertrokken
loeiend richting stadje. Hij had Joe's arm op diens rug in een houd-
greep en Joe schold hem uit terwijl hij probeerde los te komen.
Tom keek op en zag Billy een uitval doen naar Eddy, terwijl hij
schreeuwde: Klootzak, je hebt mijn zus neergeschoten! Hij zag ze
even worstelen en plotseling duwde Eddy het pistool tegen de achterkant van Billy's hoofd. Oké, oké, zei Billy, genoeg. Eddy deed een
stapje achteruit met het pistool nog in zijn hand.

Moeder was op de een of andere manier tussen het fornuis en het aanrecht bekneld geraakt en ze greep naar haar zij, terwijl Sally-Ann haar bij de gootsteen probeerde los te krijgen. Tom bleef de kronkelende Joe eronder houden. Laat me opstaan, hufter! snauwde hij toen Tom harder duwde om te waarschuwen dat hij niet moest bewegen. Crystal leunde tegen de vensterbank. Ze stak een sigaret op en keek toe; naast haar raapte Harry een omgevallen stoel op en schudde zijn hoofd.

Nancy stond er zwijgend bij, haar lippen trilden en de blauwe bolling van de kogel die aan de zijkant van haar keel onder de huid zat, leek wel een vette teek die met lijf en al in haar bloed was gekropen. Tom en Joe stonden op en Tom liet Joe's gedraaide arm los en duwde hem naar de deur. Tom zei dat hij moest oprotten, het huis uit, maar Joe ging niet verder dan de drempel en toen Billy zei dat hij Nancy naar buiten moest helpen, pakte Joe haar met een laatste blik op Tom bij de elleboog en vertrok. Lester Coombs haalde zijn hand van zijn schouder, keek naar het bloed aan zijn vingers en zei verbijsterd tegen Eddy: Vuile klootzak!

Op dat moment werkten Eddy en Harry Billy al naar de deur, waarbij Eddy even bij de tafel bleef staan om wat geld te pakken. Lester zei dat hij ervan af moest blijven en Eddy zei dat hij honderd dollar pakte vanwege de overlast. Eddy zwaaide met het pistool naar de anderen en zei nog eens dat het feest afgelopen was. Sally-Ann ging bij Eddy staan en zei *Alsjeblieft* tegen hem en Tom wist dat ze om een shot vroeg, niet om hulp.

Volgens mij heb ik een rib gebroken, zei moeder en ze voegde eraan toe: Die Billy moet eens beter opletten waar hij loopt. Ze leunde tegen de gootsteen en hield haar zij vast, en Eddy, die Billy geen moment uit het oog verloor, zei tegen Sally-Ann dat ze moeder terug naar haar kamer moest brengen. Lester schoof met één hand de rest van zijn geld bij elkaar, propte het papiergeld in zijn hemd met de met bloed bevlekte schouder, en ging weg. Crystal liep met haar rode schoenen bungelend in haar hand achter hem aan waarbij de felgekleurde hoge hakken tegen haar dij stootten. En toen gingen ze allemaal en even later volgde ook Harry hen naar buiten.

Ineens was het weer stil in de keuken. Marilyn zette een stoel overeind, ging aan tafel zitten en zocht tussen de gemorste drankjes de kaarten bij elkaar. Ze had in de deuropening gestaan toen Eddy het pistool tegen Billy's hoofd hield. Tom had gehoord hoe ze de hele tijd *Doe het dan, doe het dan* zei. Hij keek naar Eddy, die met een verstarde glimlach op zijn gezicht naar het stapeltje geld keek dat hij had gepakt.

Ik ben een spook, zei Tom en Marilyn kneep hem in zijn pols en zei dat dat niet waar was. Voel eens, zei ze en ze drukte haar heup tegen zijn bovenbeen waarop zijn pik zich roerde, een blinde mol in zijn broek, en even wilde hij dat ze met de anderen was meegegaan.

Marilyn zei dat het haar speet voor Nancy.

Dat komt wel goed, zei hij, het is maar een vleeswond.

Marilyn hield zijn hand vast en met zijn tweeën gingen ze de gang door naar de open deur van moeders slaapkamer. Daar zagen ze Eddy op de rand van het bed zitten en moeder die erop lag met haar hand tegen haar ribben. Eddy zei: Moeder, en toen zei hij tegen haar dat ze toch had moeten weten dat ze het slot, dat hij er nu juist op had gezet vanwege wat er allemaal was gebeurd, beter dicht had kunnen laten. Hij stak haar het geld toe dat hij uit de pot had gehaald en zei dat het genoeg was voor een betere ijskast, misschien zelfs een tweedehands Kelvinator of International Harvester of in elk geval een met een echt goed werkend vriesvak en dat ze dat zo fijn zou vinden omdat in de oude alles bevroor, vooral de groenten onderin en denk eens aan de melk die altijd schift en bederft als je hem ontdooit. En zo ging hij maar door, zijn mond stond zoals gewoonlijk niet stil, terwijl hij alles wat er was gebeurd probeerde terug te brengen tot iets onbeduidends. Intussen mompelde Sally-Ann: Toe nou, Eddy, alsjeblieft, en met elk woord schoof haar duim een kraal verder aan de rozenkrans.

Ik vind dat we maar eens moeten gaan ontbijten, zei Tom.

Wie is zij? vroeg Eddy met een knikje naar Marilyn.

Zij gaat met mij, zei Tom. Voorlopig, zei hij.

Moeder kreunde toen Eddy over haar linkerbeen wreef, het been dat volgens haar altijd zeer deed. Tom stond daar met Marilyns hand op zijn arm en wist dat wat er was gebeurd op het feest consequenties zou hebben, ook al probeerde Eddy het nog zo weg te praten.

7

De nacht dat ik doodging legde Tom een doek over mijn gezicht en sloot met zijn duimen mijn ogen. Honderden dieren, duizenden vogels had hij zien sterven. Zijn zus mocht van hem niet liggen staren tot haar ogen waren verdroogd. Toen liet hij me alleen en ging naar vader, die laveloos in de kelder lag. Hij schudde hem wakker en ontweek de optater die vader hem wilde geven. Nadat hij vader over mijn dood had verteld, ging Tom op de putrand zitten: een bibberende jongen in een versleten pyjamabroek in de kille herfstnacht. Hij keek naar zijn vader die jammerend op het huis af liep. Vader was degene die moeder vertelde dat ik dood was. Ze luisterde en toen hij klaar was, draaide ze zich om en trok de quilt over haar hoofd.

Vader gaf me een kleine amulet aan een koordje. Hij deed het om mijn nek in de hoop dat ik ermee in de hemel zou komen. In plaats daarvan hield het me hier op aarde en doolt mijn geest. Moeder bevond zich in een donker oord, een hermetisch afgesloten hol waaruit geen uitweg te vinden was. Zonder acht te slaan op oorzaak of overtuiging, rancune of aanblik stond vader, enkel gekleed in een lange onderbroek en met zijn blote voeten in wijde laarzen, onder de appelboom, en gooide het gat dicht terwijl hier op aarde mijn laatste ademtocht nog gevangenzat, zoals moeder zou zeggen. Vader had gezegd dat ik het jaar niet zou volmaken. Let maar eens op, jullie, had hij tegen zijn zonen geroepen. Dit kindje vermoordt ze ook.

Wat we het meeste haten, hebben we dodelijk lief. Wat we verloochenen, willen we hebben.

Mijn heengaan was van mij.

Toen ik geboren was, vertelde vader zijn zonen dat ik Alice heette, naar zijn zus. Eddy had tegen Tom gezegd dat het Alice Bluegown was, net als in het liedje, Alice met het lichtblauwe jurkje aan. Maar waarom? vroeg hij. Eddy glimlachte alleen maar en Tom was verrukt door het huis gaan rennen en zei de hele tijd mijn naam, *Blue Gown, Blue Gown*, en Eddy keek naar Tom, die van de ene kamer naar de andere fladderde tot hij door de achterdeur naar buiten vloog.

Vader kwam en ging en als hij weg was, dook moeder in huis op. Ze veegde de gang of verplaatste de meubels in de woonkamer, werkte in de moestuin of zat op haar knieën in de bloembedden. Ze zag er niet uit. Fluisterend vervloekte ze de wereld. Toen wij dood en begraven waren, was de waanzin in haar gevaren. Er waren perioden dat haar mond een dorsvlegel was en haar zwijgen een gruwel. De jongens zagen haar tranen en hoorden haar gejammer. Niemand wist wie ze zou zijn wanneer ze er was, zoals ook niemand wist wie ze was wanneer ze zich tussen haar vier muren opsloot; met de staven die ze vader in haar raam had laten zetten, een ijzeren traliewerk, hield ze de wereld buiten. Met een flinke trap had vader haar deur open kunnen krijgen, maar dat heeft hij nooit gedaan. Hij zei dat je degene die erachter zat maar beter met rust kon laten.

Toen vader zichzelf een keer uit een dronkenmansslaap schudde, vertelde hij Tom dat hij maar voor één ding bang was, en dat was dat moeder hem zou vermoorden. Hij zei dat hij droomde dat ze zijn keel afsneed terwijl hij voor pampus lag. Er waren nachten dat hij dronken thuiskwam uit het stadje en durfde te zweren dat ze een spook was. Hij vroeg zich waar Tom bij stond hardop af hoe zijn kinderen waren verwekt, laat staan hoe ze geboren waren. Hij zei tegen hem dat hij geen gemeenschap had gehad met hun moeder. Er was een ander in hem gevaren, een onbekende man uit een nachtmerrie die zij tevergeefs had proberen om te brengen.

Tegen mij zei hij op een avond dat ze wel wat vreemd was geweest toen hij haar die eerste keer in Saskatchewan aan de kant van de weg had zien staan. Ik hoor het vader nog zeggen: Een sirene, dat was ze. Ze was gestuurd om me van mijn pad te lokken. Ze stond tussen mij en het licht in. Dat doet ze nog steeds. Die dag keek ik dwars door haar katoenen jurk en zag haar naaktheid. Ze wist waar ik naar keek, daarom etaleerde ze het ook. Ze lachte om mijn gestaar. Elk jaar werd door haar krankzinnige manier van doen getekend. Haar moeder was op het laatst al net zo gek. Op sommige nachten zwalkte ze naar buiten om in de schuur onder het bungelende touw te raaskallen tegen de vleermuizen die als vuile handschoenen aan de dakbalken hingen. Als ze daarna weer naar binnen kwam, was ze onherkenbaar veranderd. Nettie was een kluwen prikkeldraad, kolkend water. In haar poelen van rancune waadde je op eigen risico rond.

Tom en Eddy hadden uitgerekend dat vader het vier keer met moeder moest hebben gedaan, maar wie weet met zekerheid wie zijn vader is? Dat laatste zei moeder, met een sluw lachje naar haar jongens, en vader werd razend als ze dat deed. Hij schreeuwde tegen haar: Wist ik veel dat die boerderij van jullie voor mij het begin van het einde zou zijn. Wist ik veel! Moeder lachte hem uit. Dat moet je mijn móéder vertellen, zei ze. Met haar dook je elke nacht het bed in nadat je overdag in de stal met mij bezig was geweest. Dat krakende spiraalbed herinner ik me net zo goed als het stro dat mijn knieën kietelde wanneer je mij pakte!

Allemaal leugens, zei vader razend. En jij dan in Watrous met die gladjanus op het parkeerterrein? Hoe zat het met hem?

We waren alleen maar aan het praten.

Hij kon zijn handen niet van je afhouden. Jij bent van begin af aan rot geweest, riep hij.

Niet zo rot dat je het niet met me aanlegde en me die avond in de schuur de jurk van het lijf trok, zei ze.

Ik? Ik? Jíj kon die jurk niet aanhouden. En het was niet in de schuur. Het was op het veld.

Mijn eigen moeder! Vertel daar eens over, gilde ze en als vader naar buiten liep, trok ze zich terug in de badkamer.

Toen Docker en vader er niet meer waren, zwierf Tom in zijn eentje rond. Hij verdween soms dagen aan een stuk en dwaalde door de stad of in de heuvels. Moeder vroeg nooit waar hij heen ging of waarom hij de helft van de tijd niet thuis was, maar Eddy spoorde hem altijd op. We zijn maar met zijn tweeën, zei hij dan. 'Verloren' was niet het woord waar Tom aan moest denken. 'Gevonden', dat moest Tom leren. Jij bent gevonden, zei hij dan. Ik heb je gevonden en nu ben je niet verloren.

Nettie.

Moeders moeder.

Nettie kon de gedachte aan haar echtgenoot die in de schuur hing niet van zich afzetten. Ze werd erdoor gekweld. Sommige mensen hebben dat. Het was een verdriet dat ze niet met rust kon laten, alsof ze hoopte dat ze het verkeerd had begrepen. Het ondiepe graf onder de erwtenstruik waar ze op de boerderij in Saskatchewan in was gelegd, bracht haar geen rust. Haar echtgenoot lag op de begraafplaats voor zelfmoordenaars voorbij Nokomis. Mannen zoals hij, mannen die zich van kant hadden gemaakt. De stilte in hun leven hield ook in dat voorgeborchte aan. Ze waren diep in slaap.

Maar hoe zat het met vader?

Toen hij een jaar op de boerderij was, kreeg Nettie kanker. Het begon in haar borst. Elmer sliep al maanden niet meer bij haar. Hij hield het met haar dochter. Het was niet iets plotselings geweest, het had Nettie beslopen. Hen samen zien was oud worden. Een soort afgunst, dat was het, een bittere weemoed als ze haar jonge dochter zag met een volwassen man die haar eigen bed had gedeeld, een man van wie ze had gedacht dat hij de hare was, wat was ze toch een dwaas geweest. Ze zag Lillian met een pirouette op het keukenraam af gaan om naar de schuur te kijken. Haar dochter kon haar voeten niet stilhouden. Hij kwam aangelopen van de omheining of stond aan de rand van de velden die hij al als de zijne zag. Ze bezwoer dat haar dochter straalde, springlevend was ze, hitsig als een jonge vaars of een merrie met de zomer in de bol. Het meisje kon niet wachten tot hij van de velden terugkwam, was pas tevreden als hij er was. En dan het geliefkoos, die heimelijke lachjes. Het deed Nettie pijn als ze het zag.

Lillian dacht nooit aan haar.

Nettie haatte haar dochter erom, al begreep ze het wel. Zo was je als je jong was, gedachteloos. Het kwam niet in Lillian op dat haar moeder verlangens had. Zij dacht dat haar moeders begeerte voorbij was, alsof die er nooit was geweest, maar zoiets ging niet over, ze werd alleen maar ondoorzichtiger, net alkalisch water, een troebel bezinksel. Dat ze weer wilde wat haar dochter had, wat zij niet meer kon krijgen, was een ander soort verlangen.

Zelfs in het begin, toen ze wist dat hij het in de schuur met Lillian had gedaan en ze aan zijn handen en borst, aan zijn buik haar dochter rook, had hij tegen haar gezegd dat ze zich dingen inbeeldde, maar ze wist het, en toen kwamen de pogingen om hem te houden, met haar eigen kind streed ze om een man. Hij had nooit begrepen hoe het was geweest nadat haar echtgenoot zich had opgehangen. Hoe kon hij weten wat zij voelde toen ze het touw doorsneed en er een man uit haar armen viel? Haar echtgenoot was een klepel zonder bel geweest, die langzaam rondjes draaide in de lucht. Hoe kon Elmer weten dat ze 's nachts wakker had gelegen en haar man buiten in de schuur aan het fiasco van zijn leven had zien hangen?

Lillian was nog jong toen haar vader stierf. Nettie had haar dochter erbij geroepen om te helpen. Nettie pakte een van zijn voeten en Lillian moest de andere pakken; de schoenen die hij zelf had gepoetst blonken zwart in hun handen. Ze sleepten hem over de grond de schuur uit, om de wagendissel heen en langs de losse balen oud stro naar het erf en toen het huis in. Nettie keek achterom over het lichaam van haar echtgenoot heen naar de openstaande schuurdeuren en het spoor dat zijn hoofd had gemaakt; de enkel die ze vasthad knikte en zette zich schrap tegen haar heup toen ze zich van hem weg boog om hem verder te trekken, haar blote voeten in wijde rubberlaarzen die weggleden op het stro en het stof.

Toen stonden ze bij de keukentafel. Over twee stoelen hingen de kleren die hij had gedragen, zijn broek die na het gesleep over het erf vol stof en mest zat, en in de gootsteen weekten zijn overhemd, sokken en ondergoed in het bleekwater. Zijn jasje had ze opgevouwen nadat ze er de koperen knopen had afgeknipt, de broek had nog de scherpe vouw die ze er twee jaar eerder in gestreken had, toen hij haar met tegenzin had vergezeld naar het paasbal in het parochiehuis van Nokomis.

Ze zette Lillian aan het werk. Hoe moesten ze het anders voor elkaar krijgen, zei ze, maar het meisje was bang van haar dode vader van wie ze had gehouden toen hij leefde. Lillian was in tranen toen ze met teilen heet water van het fornuis naar haar moeder liep, haar handen beefden, haar vaders lichaam met het opzij gebogen hoofd lag naakt op tafel. Nettie probeerde hem telkens recht te leggen, maar om zijn nek zat een dikke striem, net een slang die klappen had gehad. Het touw had zijn ene oor er deels afgerukt. Ze zei tegen Lillian dat hij allicht had geworsteld om te proberen te ontkomen aan wat hij zichzelf had aangedaan. Toen waste ze hem en ze zei tegen Lillian dat ze moest ophouden met dat gesnotter en op moest letten, want op zekere dag zou zij het voor haar of voor een echtgenoot, een zoon, een dochter moeten doen. Ze wist dat zijn lichaam haar angst aanjoeg. Lillian had alleen zijn borst en armen weleens onbedekt gezien, en zijn voeten als hij 's morgens bij het fornuis zat om zijn sokken aan te doen. Nu zag ze haar vaders geslacht, een slap wit ding dat uit het ruige, springerige zwarte haar bij zijn kruis groeide, de zak eronder was een bleke blauwe bult, en hoe hij tussen zijn billen werd gewassen waar hij besmeurd was geraakt. Haar dochter had haar ogen dichtgeknepen, ze wilde niet zien wat er werd gedaan.

Hoe was het geweest met haar echtgenoot? Ze moet het goed gehad hebben met hem, misschien wel fijner met het verstrijken van de jaren. Soms vond ze dat. Er waren momenten dat ze bijna bij het deel van hem kon komen dat hij had weggestopt. Dat probeerde ze althans, maar zodra ze in de buurt kwam, glipte hij bij haar vandaan. Een maand nadat ze hem had begraven, ging ze naar de schuur om hooi voor de melkkoe te halen en toen rook ze zijn tabak, maar hij was nergens te bekennen. Hij had nooit geweten dat zij ook moe was. Echt iets voor een man om niet stil te staan bij de gevoelens van een vrouw.

Slechte jaren waren het, het ene na het andere. Winter na winter viel het bekende dunne laagje sneeuw en amper gerijpte tarwe en haver verkommerden alweer. De verschrompelde zaadjes. Er waren zomers bij dat ze vanwege het opgewaaide zand de hekpalen niet meer zagen en winters waarin de wind huilde en de muren deed schudden. Ze vond het heerlijk als hij 's avonds bij het naar bed gaan tegen haar praatte, terwijl hun babydochtertje in het bedje lag dat hij voor haar had gemaakt. En toen kwamen de droge jaren waarin hij ophield met praten en het graan onder de sneeuw liet rotten. Hij kon het niet weggeven. De dag brak aan waarop hij de kudde voor bijna niets verkocht en het vee loeiend de vrachtwagen in ging. Daarna was hij zo diep in zijn schulp gekropen dat hij niet meer te vinden was. Die avond was ze niet naar de schuur gegaan. Ze had voor hem gedekt en had het laten staan tot het eten de volgende ochtend koud op tafel stond. Toen ging ze naar buiten omdat de kippen gevoerd moesten worden. Was het daarom? Was dat de reden dat ze ging?

O, ik wil er niet over praten, zei ze tegen me.

Maar dat wil je wel, dat wil je wel, Nettie. Je wilt het je kleindochter vertellen.

Ze zei dat ze een kankergezwel in haar borst had. Haar moeder was daar indertijd ook aan gestorven in Minot, Noord-Dakota. Ze wist nog dat ze haar moeders lichaam had gewassen. Ze had haar moeder haar enige goede jurk aangedaan, die van groene velours waarin ze in de baptistenkerk in Fargo was getrouwd. Ze moest hem aan de achterkant openknippen zodat hij om haar moeders opgeblazen buik heen paste, en ze duwde haar moeders dunne armen door de pofmouwtjes en stopte daarna de helften van de jurk onder haar lichaam, zodat het net was of ze hem echt aanhad in de kist die haar vader voor haar had gemaakt van door de wind gegeseld hout dat hij van een ongebruikt kippenhok had afgetrokken en waarin hij hier en daar een spijker had geslagen. In de lijkkist had ze schone lakens gedrapeerd waarop haar moeder kon liggen, en onder haar hoofd had ze het souvenirkussen van de zomerrodeo in Fargo gelegd, waar ze op haar huwelijksreis naartoe waren geweest, met aan beide kanten steigerende paarden erop geborduurd die in haar uitgekamde krullen leken te dansen, terwijl haar vader de hele tijd vroeg waarom ze een kist had gewild, aangezien die toch zou wegrotten.

Elmer was bang voor haar ziekte en Lillian ook. Ze stonden te wachten tot ze zou doodgaan. Nettie lag in het oude spiraalbed dat meegekomen was uit het zuiden. Haar moeder, Elvira, had verteld hoe hun huifkar zich een weg had gebaand door de laatste Sioux bij Wood Mountain, waar de tentkringen in de dorre grond op ringwormplekken leken. Een paar achtergebleven squaws bedelden om eten op de boerderijen, hun kinderen waren even mager als ratten in de winter. Elvira zei dat ze van één vrouw het gezicht nooit was vergeten, het roerloze ervan dat iets vredigs had en haar baby die dood in haar armen lag. Elvira's man had tegen haar gezegd dat ze geen eten mocht verspillen door het aan de doden te geven. Over een paar dagen is zij er ook geweest, had hij gezegd.

Toen Nettie ten slotte op haar sterfbed ging liggen, zag ze haar dochter in de slaapkamerdeur, half binnen en half buiten. Ze zag het in die jonge ogen, de angst, en de wens dat ze doodging. Misschien was dat het moment dat haar dochter wist dat haar moeder een vrouw was. Gek dat er een kankergezwel in haar borst voor nodig was om het meisje zoiets simpels te leren. En Elmer? Die wilde het achter de rug hebben. Eerst dacht ze dat het zijn hardheid was, maar toen besefte ze dat hij gewoon een man was, ongeduldig, net als met een ziek geworden dier, een bedreiging voor de kudde en dus voor hen allemaal.

Ze begroeven Nettie naast een paar bessenstruiken achter het huis. Er was niemand om tegen te vertellen dat ze dood was. De dichtstbijzijnde buren hadden maanden geleden hun spullen gepakt en waren vertrokken, op zoek naar een plek waar het water uit de lucht kwam vallen, waar het zich op de grond verzamelde. In het stadje had je de kerk, maar wat deed de kerk anders dan praten? Een graf in Nokomis kostte drie dollar. Elmer sprak de woorden waarvan hij dacht dat ze haar tot rust konden brengen, *Ja, al ging ik ook in een dal des doods*, woorden van die strekking, een zeldzame voorjaarsbui alsof die hielp, de zon, het onophoudelijke stof. Lillian leek te huilen. Ze leek op zoek naar een beetje verdriet, bang maar evengoed opgelucht dat haar moeder er eindelijk niet meer was. Het verbaasde Elmer dat Lillian überhaupt tranen had. Ze dacht alleen maar aan zichzelf. Hij vond haar verwend, maar verwend waardoor of door wie? Aan het land kon het niet liggen. Dat had er niet genoeg baat bij om een meisje te verwennen, het had het al zo druk met alles te doden. Zo ging ze ook met de Bijbel om. Ze las de woorden zonder dat die haar raakten. Ze zei de verzen, maar voelen deed ze ze niet.

Volgens mij zijn er mensen bij wie er vanbinnen iets mis is, en hoe je ook probeert ze weer ten goede te keren, je krijgt het niet voor elkaar. Ze was net een pot met in de herfst ingemaakte wilde appeltjes, fruit dat zo mooi was achter glas, maar er was iets mee, de deksel was niet goed afgesloten, de weckring was beschadigd, zoiets, of juist niets van dat alles, en dan groeide er zwarte schimmel achter het glas zonder dat je er iets aan kon doen. Dat fruit gooi je weg, maar wat doe je met een dochter?

Lillian had inderdaad behoefte aan een man, maar dan wel een die haar meenam, weg van het land en het leven dat ze haar moeder zag leiden, die van donker tot donker werkte tot ze erbij neerviel. Maar waarheen dan? En wat gingen ze doen? Ze zei dat ze de grote steden wilde zien, maar Elmer voelde zich in de stad niet op zijn gemak. Hij had Calgary geprobeerd, maar vond dat er te veel mensen woonden. In Alberta had hij in de buurt van Turner Valley gewoond, in Dog Town met zijn kroegen en hoerenkasten. Ze waren er begonnen met gaswinning en werk was er volop. Voor Dogtown voelde hij niets dan verachting; de hutjes van teerpapier en de mannen en vrouwen die er woonden waren een soort verdoemenis waar hij nooit meer van loskwam. Hij zei dat de olievergasserij in het ravijn van Hell's Half Acre iedereen de lust zou ontnemen nog bij andere mensen in de buurt te wonen. Aan de oostkant van het ravijn waar de olie werd vergast bleef het vanwege de hitte de hele winter groen en in het smeltwater zwommen sneeuwganzen, zwanen en canadaganzen die het gras vraten dat er in januari groeide. Toen het lente werd, waren de zwanen van kleur veranderd, hun witte veren waren zwart geworden van het pekkige vet dat uit de lucht kwam vallen. De meeste vogels konden niet vliegen omdat ze onder de olie zaten en ze werden doodgeknuppeld door mannen die uit de kroeg kwamen. Een paar vogels renden naar de sneeuw boven de kloof, waar ze met hun zwarte lijf een gemakkelijke prooi waren voor de coyotes. Vader zei dat stadjes en steden waardeloze plekken waren waar de mensen elkaar opvraten. Voor hem was de stad een jachtterrein, een plek waar je vrouwen vandaan lokte en mannen oplichtte en bestal.

Op Ranch Road was hij een woestijnman zoals hij dat ook op de prairie was geweest. De eerste jaren nadat hij de boerderij had verkocht had hij met Lillian rondgezworven. Hij vertelde me dat er in het zuiden, in het ratelslangengebied van de Triangle, bouwland was geweest waar ze alleen maar resten omheining hadden aangetroffen, waar de grond zo droog was dat een paal het er langer uithield dan het ijzerdraad dat erdoor omhoog werd gehouden. De huizen en schuren waren al aan het verdwijnen, hopen planken waren het op de zandgronden waar de mensen ooit iets hadden willen telen. Ze lieten hun huizen in de steek opdat iedereen die langskwam zou zien dat dit het land was van Kaïn.

Het enige waar Lillian echt dol op was, was dansen. De plaatselijke danszaal in Nokomis met zijn volksdansen, menuetten en polka's was niet genoeg. Ze wilde de nieuwe dansen. Elke veertien dagen had ze naar het beddenlaken zitten staren dat in de zaal in Nokomis aan de muur werd gehangen en terwijl de projector ratelde, had ze films gezien als *The Gold Diggers* en *Love Me Tonight*. Ze wilde vreselijk graag naar Watrous, en toen Nettie één jaar dood was, ging Elmer er dan eindelijk met haar naartoe. Het was eens maar nooit weer. Ze bleven twee avonden en Elmer deed zijn best op die paardenharen vloer, maar het waren de jongens uit steden als Saskatoon en Helena die echt konden dansen en die haar meenamen naar plekken waarover ze alleen in bladen als *Chatelaine*, *Modern Screen* en *Canadian Home Journal* had gelezen. De Engelse wals, de quickstep, de foxtrot, ze danste ze allemaal. Ze draaide met andere mannen rondjes over de vloer tot Elmer haar wegtrok en haar te verstaan gaf dat ze te intiem danste met vreemden. Wanneer was dat? Negentiendrieëndertig, de depressie deelde harde klappen uit. Kort daarop betrapte hij haar buiten op het parkeerterrein met een man uit Great Falls. Hij joeg de Amerikaanse gladjanus weg en brulde tegen haar bij hun A-Ford, zei dat ze een ordinaire slet was, sloeg haar in het gezicht. Zij sloeg terug. Ze gingen een uur tekeer, tot Elmer haar de auto in duwde, een vernedering waartegen moeder luidkeels protesteerde.

Haar fout was dat ze zo'n behoefte had om uit de band te springen. Ze was Elmer na Watrous eigenlijk al beu, maar toen was ze al wel met hem getrouwd, de boerderij ging in de verkoop en drie maanden later waren ze onderweg naar een ranch in de buurt van Manyberries, ten zuiden van Medicine Hat, waar Elmer bij een veehandeltje betrokken was dat uiteindelijk misliep. Bij alles waar hij aan begon, trok hij aan het kortste eind: vee, graan, de grond zelf, zijn dochters, zijn zonen en haar. En altijd haar frustratie, zijn beloften over een beter leven die haar steeds verder naar het westen brachten tot ze vanuit Pincher Creek bij de uitlopers van de bergen kwamen en via de Frank Slide de Crow's Nest Pass over trokken en de Rocky Mountains haar opslokten, waar muren van bomen als oogkleppen het licht wegnamen. Ze zou het hem nooit vergeven. Zij had van het zuiden gedroomd, richting Minneapolis of verder, Californië.

Elke boerderij had destijds een verhaal dat niet veel van het hare verschilde, misschien een man die niet dood, maar alleen weg was, wel of geen dochter, een zoon, ongelukken, weglopers, een gezin dat op een vrachtwagen of boerenkar verder naar het westen of noorden trok, weg uit de woestijn die er door de droogte was gekomen, of met de trein terug naar het oosten terwijl ze de spulletjes vastklampten die ze bij hun komst hadden meegebracht, een stel zilveren opscheplepels, een handvol lapjes om een quilt van te maken, twee op een lapje katoen gestoken naalden, kleine voorwerpen, en altijd minder dan waarmee ze waren gekomen, alles aangetast, waardeloos gemaakt door het land. Doodgaan was iets natuurlijks voor een gezin, ze aanvaardden het gewoon. Het merendeel van die grond had nooit ontgonnen moeten worden. Het was een plek die je het beste maar aan het gras en de dieren kon overlaten.

Maar na de dood van haar man waren er momenten dat Nettie 's morgens bij het kneden van het brooddeeg opkeek van haar bebloemde handen en haar dochter bij het raam naar buiten zag kijken, naar de weg achter de windkering. Het meisje was pas één jaar vrouw. Net veertien.

Ze wachtte op hem. De verkeerde man hoefde alleen maar te komen.

8

Rafes kaarten lagen op de keukentafel, tussen de kruimels en korsten van het ontbijt van die ochtend; een stok kaarten waarvan de met duimnagelkrassen gemerkte hoeken aangaven waar de azen en poppen zaten. Eddy speelde patience en hoewel hij wist hoe het zat met de kaartruggen, speelde hij niet vals. Zijn spel bestond enkel uit kaarten pakken en aanleggen, er was geen verschil tussen begin en einde, met hemzelf als enige tegenspeler. Hij zat er in afwachting van een onderbreking die hem de actie zou brengen die hij nodig had; zijn sproetige handen schudden de kleiner wordende stok, terwijl hij met afhangende schouders boven de resten van het al uren geleden gegeten ontbijt hing en wie weet hoe lang al zijn eenzame spel speelde.

Tom had overdag zo nu en dan wat geslapen en Sally-Ann was telkens de keuken in gekomen om iets tegen Eddy te zeggen en dan weer terug naar boven gegaan. Ze zag er stoned uit, de beetjes heroïne die Eddy haar gaf waren net genoeg om haar rustig te houden. Tom vroeg zich af of Eddy überhaupt had geslapen. Zijn broer zat tussen de vergeten troep, vette borden, stukjes aardappel en ui, eindjes worst, gele plakkaten opgedroogd ei, alles bij elkaar leken het wel schilderijen die Tom ooit op foto's in een tijdschrift had gezien. In de winkel bladerden de mensen die tijdschriften door en dan zagen ze kolossale gebouwen, rare landschappen en zulke vreemde mannen en vrouwen dat ze verbijsterd hun hoofd schudden omdat iemand zo totaal anders kon zijn en toch op aarde thuishoorde.

Voor Tom waren er te veel gedachten over wat je niet echt kon aanraken of ruiken of proeven in de wereld. Toen hij klein was, had vader hem verteld dat er ver weg in de steden mensen waren die onbegrijpelijke dingen deden, bij wie het hoofd door schoonheid of narigheid op hol was gebracht. Voor Tom bestonden die mensen alleen in boeken en tijdschriften en in de verhalen die met vreemdelingen in het stadje arriveerden en met hen vertrokken; wie niet in de vallei geboren was, hield het er niet lang uit. Als ze al bleven, was het in het stadje, niet op het platteland. In de loop der jaren had Tom hen leren kennen en naar hen geluisterd als ze vertelden over waar ze waren geweest of wat ze hadden gezien, maar als hij hun woorden bestudeerde, vielen die uiteen in raadsels en willekeurige verhalen waar hij geen touw aan vast kon knopen. Zijn broer nam nooit de moeite om naar hun verhalen te luisteren. Het kon hem niet schelen wat er met vreemdelingen was gebeurd. Voor Eddy waren verhalen over het verleden, wiens verleden dan ook, fataal; hij wilde er niets mee te maken hebben. Als hij naar het stadje keek, zag hij iets waar hij zich op kon storten, wat hij kon plunderen. Hij had lang geleden van zijn vader geleerd dat hij afstamde van mensen die niet tussen anderen konden leven en alles wat niet van hen was als buit beschouwden; andermans spullen waren er om af te pakken. Eddy's grijns sprak boekdelen, niet zijn lach, want Eddy had zijn hele leven nog niet hardop gelachen. Ook als kind had hij alleen maar een beetje lucht gehapt, alsof hij kon stikken in wat anderen vermakelijk vonden.

Tom liep bij Eddy weg, terug naar de woonkamer waar Marilyn op de bank sliep onder de deken die daar altijd lag. Moeder had hem voor de geboorte van Roosje gemaakt. Tom stond half slapend mee te deinen op Marilyns ademhaling, en op haar kleine borsten steeg en daalde de versleten deken in het tempo van zijn lichaam dat boven haar door de bedompte lucht bewoog. De plastic klikkralen om haar hals leken van dezelfde kleur en substantie te zijn gemaakt als haar oog, dat ook in haar slaap een beetje open bleef en hem nieuwsgierig, blind, opnam. Hij staarde verwonderd naar haar. De Marilyn naar wie hij keek was volgroeid en niet volgroeid, kind en vrouw, zestien en zestig, een meisje dat langer had geleefd dan de meesten en niet lang genoeg. Wat onder de stervenden ligt, zal leven, zei hij hardop. Er was niemand die antwoord kon geven.

Hij liet zich zwaar op het tweezitsbankje zakken. De middag was al voorbij, weer legde de dag het af tegen het komende donker. Hij hoorde *flisssj* wanneer Eddy in de andere ruimte de kaarten schudde, zijn broer die onder een stolp van roerloosheid aan tafel zat. Hij dacht na over hoe Eddy daar de hele dag zat en zijn mond niet opendeed over wat er was gebeurd. Zijn broer zei nooit wat er in hem omging. Naar hoe hij eventueel over iets dacht kon Tom alleen maar raden.

Voor Eddy had de wereld geen grenzen. Dat had hij van zowel vader als moeder geleerd. Zo zag Tom het nooit. Eddy's vergrijpen en zijn wangedrag, de dingen die hij deed en naliet, waren gewoon een deel van zijn leven.

Hij herinnerde zich dat Eddy hem over een verhaal vertelde dat hij lang geleden in het tijdschrift *Life* had gelezen. Het ging over een oude man die ergens bij Florida de zee op was gegaan en een grote vis had gevangen die hij door de haaien had laten opvreten. Eddy kon er maar niet over uit dat iemand zoiets kon doen, alsof hij het iemand kwalijk nam dat die een keuze maakte die hij zelf nooit zou maken.

Tom was anders. Hij kon zich verliezen in verhalen over andere plekken en andere levens. Net als vroeger, toen hij als kind naar het Empress Theatre ging. Hij zat er met de andere zaterdagmiddag- kinderen, allemaal in hun opgelapte kloffie, tekenfilms te kijken in afwachting van de hoofdfilm. Hij herinnerde zich de eerste film die hem bang had gemaakt. Lou Costello met zijn mollige, jongens- achtige handen kreeg van Bud Abbott te horen dat hij aan het ein- de van een gang een deur moest opendoen. Tom had in het donker waar hij met Eddy zat willen roepen: Je moet hem niet vertrouwen! De deur niet opendoen! Erachter stond het monster met zijn mas- sieve, moordlustige domheid, en van de stompzinnigheid op zijn gezicht ging meer dreiging uit dan van zijn boosaardigheid. Het was net de gorilla waarover Tom had gelezen in *Ripley's Believe It or Not*, een reusachtige aap die een baby die hij te pakken had ge- kregen aan stukken had gescheurd, terwijl de bewaker zei dat de aap de baby alleen wilde laten ophouden met dat gehuil. In de bioscoop leerde Tom dat niemand gered kon worden, je kon er hooguit naar kijken en dan zag je in het gedempte licht na de voor- stelling de meisjes die met hun bezems en emmers tussen de rijen stoelen door liepen om de popcorn uit kleverige plassen gemorste frisdrank te peuteren als verder iedereen al naar huis was, dus als de film hun leven niet was, wat dan wel?

Tom ging liggen en dacht aan alles wat er de avond ervoor was gebeurd. Hij wist dat de meeste mensen zijn familie vreemd von- den, maar maakte dat wat uit? Of moeders afzondering van de wereld, vaders hardhandigheid, het door de vallei ronddwarrelende geroddel? Allemaal hadden ze hun trots, ieder voor zich, bij elkaar gehouden door een stilzwijgende band die hen van de rest van het stadje en de vallei afscheidde. Vanwege die Stark-trots keken anderen naar het gezin op, hoewel ze zich er ook aan stoorden en vonden dat Eddy en hij op een onnavolgbare manier uit de hoogte deden; maar het isolement en de eenzaamheid die Tom kende, zagen anderen voor arrogantie en minachting aan.

Mensen werden aangetrokken door degenen die in hun ogen machtig waren. Tom had het zien gebeuren. Hij had gezien hoe mannen en vrouwen zich dicht bij Billy of Eddy ophielden in de hoop dat er in elk geval iets zou gebeuren. Daarom waren ze naar het feest gekomen, daarom kwamen ze zaterdag op het hondenvechten af. Sommige mensen reden honderdvijftig kilometer in de hoop dat ze een brug in een wassende rivier zouden zien storten. Ze stonden vooraan bij een brandend huis, bogen zich als eersten over een bloedbad op de weg. Ze kwamen graag dicht bij de vernietiging zonder er veel voor te hoeven doen.

Nu hoorde hij moeder in haar kamer lopen. Ze was blijkbaar de hele tijd moe, maar zei dat ze niet kon slapen. Hij vroeg zich af of ze tegen hen zou zeggen dat het uit de hand gelopen kaartspel en Eddy's pistoolschot door haar waren voorspeld. Toen ze klein waren, had ze hun allebei verteld dat er tijden kwamen die alle voorgaande naar de kroon zouden steken. Ze zei dat haar twee zonen voorbestemd waren, maar ze zei nooit waarvoor. Diep vanbinnen hadden Eddy en hij haar allebei geloofd. Zij waren de jongens van Stark en dus op de een of andere manier uitverkoren, maar waarvoor wisten ze niet. Dan sprak ze over vreemde tijden, haar gouden glas whiskey weefde woorden in de lucht en er drupten Bijbelfragmenten uit haar mond, maar ze legde nooit uit wat het verleden betekende of hoe de tijd die komen ging zou zijn.

Toen hij een jongetje van zes was, had moeder tegen hem gefluisterd: *En van uw zonen, die uit u voortkomen zullen, die gij zult verwekken, zullen zij nemen.* Ze zaten aan de keukentafel erwten boven een schaal te doppen toen moeder dat zei. Hij had doodsangsten uitgestaan bij de gedachte dat Eddy en hij op de een of andere manier konden worden gestolen, net als de jongens in de verhalen die ze hun 's avonds voorlas, de verhalen die ze vertelde. Hij verbeeldde zich dat iemand hen 's nachts uit bed kwam halen. Hij riep tegen haar: Maar wie dan? Wie komt ons dan halen?

Dat wil je niet weten, Tom Stark. Wacht maar af. Er verdwijnen de hele tijd kleine kindertjes. De ene dag zijn ze er nog en dan zijn

ze ineens weg. Luister maar eens. Op de prairie waar ik ben opgegroeid woonde een paar kilometer verderop een gezin op een boerderij. Vijfenzestig bunders waar niets op te telen viel. Die grond bij
Nokomis bestond uit stenen en struiken, een beetje gras en dan
had je het wel gehad. De vader had het niet breed toen hij uit de
States kwam met zijn gezin, en toen hij weer vertrok had hij zo te
zien nog minder. Hij had een baby – een meisje – en een jongetje
dat misschien twee jaar ouder was. Zijn vrouw was bij de bevalling
van het meisje gestorven en na een jaar trouwde hij met de vrouw
die hij had aangenomen om zijn huishouden te doen. De tweede
zomer dat zij er was kregen ze een baby. In januari werd het koud,
vijfenveertig graden onder nul, en die kinderen lieten zich een hele
week niet zien op school. Ik weet nog goed dat ze er op een oud,
doorgezakt paard naartoe kwamen. Ik zag hen op die aftandse
roodbruine knol door de velden naar de weg op de West Line gaan,
waar ons schoollokaal lag. Ze stopten de teugels onder hun deken
zodat hun handen niet zouden bevriezen. Het kon daar zo koud
worden dat de lucht die een paard uitademde in kristallen veranderde. Die kon je op tien meter afstand op de sneeuw horen vallen,
en dat maakte net zo'n geluid als jullie doperwten in die schaal.
Mijn vader zei altijd dat dat paard een valse noot was, maar ik
snapte nooit wat hij daarmee bedoelde. Doet er ook niet toe. Naar
school kwamen ze altijd, hoe hard het ook vroor of sneeuwde, tot
ze op een dag wegbleven.

Wat was er gebeurd?

Ik zag die oude knol nog wel op hun boerderij, maar nooit meer
op de weg bij de West Line. Maar de deken vond ik wel.

Waar?

Op het ijs van een dichtgevroren spaarbekken op anderhalve
kilometer van hun boerderij.

Toen zweeg moeder en Tom was dichter tegen Eddy aan gekropen terwijl hij naar haar opkeek. Ze tuurde terug met zulke smalle
spleetogen dat hij dacht dat hij zich eraan zou snijden als ze te
dichtbij kwam. Hij wou dat haar verhaal afgelopen was, maar kon
het niet laten om nog een beetje meer te vragen. Hoe kwam die
deken daar?

Dat wil jij niet weten, zei ze weer en daarbij keek ze hem pesterig
aan. Nou, de helft van die deken stak uit het ijs en de andere helft
zat eronder. Hij lag erbij alsof hij was achtergelaten, niet verloren.

Ik trok hem uit het ijs en ging ermee naar hun boerderij. Tegen dat ik er was, was hij zo stijf als een plank. De vrouw deed open met haar baby in een draagdoek onder haar arm. Ze zei dat de deken niet van hen was, maar ik wist wel hoe het eigenlijk zat. Ze gaf niet eens antwoord toen ik vroeg waar de kinderen waren. Ze deed gewoon zonder iets te zeggen de deur dicht. Een paar weken later waren ze naar het zuiden vertrokken, naar Fort Yates in South Dakota, waar de man vandaan kwam. Het was nog steeds winter, de meertjes en spaarbekkens waren bevroren. Mijn moeder zei tegen me dat ze dit land achter zich hadden gelaten en dat ze wilde dat zij dat ook had gedaan.

Tom wist nog dat hij was gaan jengelen. Wat was er nou met die kinderen gebeurd?

Dat zou jij wel willen weten, hè, had moeder gezegd en ze had naar Toms angstige gezicht geglimlacht. Ze had om zijn angst gelachen en gezegd: Onthou nou maar gewoon dat er nooit zoveel ijs op een spaarbekken ligt dat een vrouw dat niet kapot krijgt als ze dat wil.

Eddy moest grinniken om haar enge stem en zei tegen Tom dat hij niet op haar moest letten. Ze maakt je graag bang, zei hij.

Ze was veel moeders. Soms liep ze overdag van de ene kamer naar de andere alsof elke deuropening anders was dan die ervoor, maar als ze constateerde dat ze allemaal hetzelfde waren, ging ze van de woonkamer naar de keuken en van de gang naar de slaapkamer, en dan bleef ze af en toe staan om een meubelstuk van de ene muur naar de andere te schuiven, een stoel, een bijzettafeltje, de tweezits of de bank, alsof het leven dat ze had door dat geschuif in een ander, beter leven kon worden veranderd. Maar naar wat voor leven verlangde ze dan, en hoe kon ze dat krijgen?

Boven kwam ze nooit. De overloop met zijn verborgen kast onder de zolder zal voor haar meer nachtmerries hebben bevat dan zij kon verdragen. Voor hem in elk geval wel. Of misschien was ze er niet in geïnteresseerd, in Eddy's slaapkamer bij de overloop en Toms kamer erboven, twee holen waar zijn broer en hij in wegkropen. Ze kwam niet meer in hun kamer nadat de jongens mannen waren geworden.

Hoe ouder zijn broer en hij werden, hoe meer leven ze achter zich opstapelden en hoe minder er in het verschiet leek te liggen. Tom had altijd geweten dat hij geen Eddy was en op de dag dat vader hem uitkoos als beul was hij trots geweest. Eddy maakte het niet uit. Hij zei dat Tom beter met een geweer kon omgaan dan hij. Vader was op een ochtend in het begin van de lente met hem naar buiten gegaan en had hem het geweer in zijn handen gestopt. Tom was tien. Nu ben jij de beul van de familie, zei vader en toen lachte hij.

Hij vertelde de buren langs de weg dat ze zijn zoon Tom konden inhuren als er iets afgemaakt moest worden. Tom ging met zijn geweer naar deze en gene boerderij en schoot er een kreupel paard neer, hielp een boer een varken ophangen voor de slacht, verdronk ratten in een kiepton, schoot in de herfst lammeren dood, wachtte op een kippenerf de komst af van een vos of coyote, een rooflustige lynx of wezel. Eddy, die zag hoe bedrukt Tom van zo'n boerderij of veefokker terug kon komen, zei dat hij er niet over in moest zitten, dat de dood welkom was, maar nadat vader was gestorven, had Tom niet meer gedood.

Sally-Ann stond bij de gootsteen met haar spichtige armen tot aan de ellebogen in het sop en op blote voeten die weggleden over de natte vloer. Ze moest nodig een shot hebben en stond te trillen op haar benen. Naast haar verspreidde Marilyn met een natte thee-doek in haar handen de schuimvlokken en stapelde het vaatwerk op de werkbladen en de onderste planken van de kasten boven haar. De kastdeurtjes waren er lang geleden door vader afgerukt tijdens een van zijn woeste aanvallen op de geheimzinnige plek-ken waar volgens hem gevaar loerde en vergif werd verborgen, een suikerpot vol slaghoedjes en kogels en een la waarin een sla-gersmes ontbrak.

Het leek wel of Marilyn een beetje danste. Ze pakte een bord, krabde met haar nagel het eigeel van de rand en hield het schuin omhoog om het boven op de andere te schuiven die ze al op de stapel op de plank had gezet. Haar armen waren niet lang genoeg om hoger te reiken dan de stapel, en op de bovenste planken stond bijna niets, behalve een samenraapsel van in geen jaren gebruikt serviesgoed, juskommen, schalen waar stukken af waren en over-geschoten onderdelen van keukenapparatuur. Ze pakte een mok met elandenkoppen erop en hield hem voor haar oog. Moeder zei met stemverheffing dat ze wel had helpen afdrogen als ze niet zo'n pijn aan haar borst had gehad en ze niet al die nachten geen oog had dichtgedaan en door had gedronken om af te komen van wat zij de onrust in haar benen noemde.

Ik heb amper geslapen, zei moeder klagerig. Ik heb weer zo'n buikpijn. En je weet hoe zenuwachtig ik word als er te veel mensen zijn. Dat weet je toch, Eddy. Er is te veel herrie en ik met mijn slechte hart dat ook nog eens zo vaak gebroken is dat het een wonder is dat het nog klopt. Haar stem stokte. Dat gebeurde altijd als ze te veel whiskey ophad.

En dan kwamen de tranen.

Tom stond erop te wachten, het gejammer, de klachten en tot slot het gesnotter over haar trieste leven. Sally-Ann haalde haar armen uit het afwaswater en sloeg ze nat en wel om moeder heen. Het zweet stond op Sally-Anns voorhoofd, de haren plakten tegen haar schedel en er zat een scheur in de schouder van haar rode bloesje. Stil maar, stil maar, moeder Stark, zei ze. Het is al goed, het is al goed. Alsjeblieft niet huilen. Alsjeblieft.

Tom vroeg waarom vrouwen altijd alles twee keer zeggen als ze troosten en maar één keer als ze kwaad zijn, maar niemand besteedde er aandacht aan. Eddy stak een nieuwe Export in zijn mond, pakte het luciferboekje, stak de sigaret aan en legde het luciferboekje naast het groene kartonnen pakje sigaretten rechts van hem op tafel, heel precies en exact in die volgorde, altijd hetzelfde. De rook kroop langs zijn gezicht omhoog en kringelde door zijn haar. Het enige geluid in de kamer kwam van het gekletter van de afwas en het omdraaien van de kaarten.

Marilyn liep heen en weer bij het aanrecht en in haar grijze rok bewogen haar kleine billen. Tom zag hoe zich onder de stof gladde schepsels verroerden zoals dieren dat doen, zonder vertoon van schaamte of schijn, met springlevende spieren en huid en botten. Marilyn had alleen aandacht voor de afwas, de stapels borden en glazen en alles wat er verder nog was overgebleven van het feest en van het ontbijt dat Tom al uren geleden had gemaakt. Het was net of Marilyn al jaren hier in huis woonde.

O, Marilyn, fluisterde hij. Wat voor een vrouw ben je?

Telefoon, zei Eddy ineens vanuit zijn eenzaamheid, en even later rinkelde het toestel op de hoektafel in de woonkamer. Tom keek er niet van op dat Eddy de oproep had voorspeld, hoewel hij Marilyn zag verstijven en Sally-Ann haar hand voor haar mond zag slaan. Toen lachte Marilyn met haar hoofd in de nek, zo verrukt leek ze te zijn over deze nieuwe wereld waarin ze zich bevond. Ze wachtten, benieuwd of Eddy zou opnemen, terwijl de telefoon maar bleef rinkelen en Tom en moeder allebei wisten dat het voor Eddy was. Moeder werd van het gerinkel alleen al ongerust, want ze wist dat de beller, wie het ook mocht zijn, Eddy hoe dan ook zou weghalen. Ze draaide zich om en liep door de gang naar haar kamer. Tom wist dat haar hart een kleine vuist was die zijn broer omklemde, maar die elke dag wat meer grip verloor.

De telefoon zweeg.

Die Joe is een stuk verdriet, zei Marilyn plompverloren, terwijl ze nog een bord op de wankele stapel legde. Hou hem in de gaten, Tom.

Niemand zei wat. Je moeder is een rare, voegde Marilyn eraan toe. Er bungelde een natte theedoek aan haar hand. Ik ken niemand zoals zij.

Niemand weet wat moeder weet, zei Tom.

Sally-Ann ging op een stoel zitten en kruiste haar armen voor haar borst alsof ze een klap wilde afweren.

De telefoon rinkelde weer. Tom vond het net als *brénnnng* klinken, alsof de stem van het toestel vroeg of er iets naartoe gebracht kon worden. Eddy schudde van nee, maar Tom nam toch op. Hij pakte de hoorn, luisterde en riep: Het is Harry.

Zijn broer, die aan de keukentafel onophoudelijk zijn spelletje patience speelde, bewoog niet.

Harry was buiten adem, hij fluisterde.

Waar ben je? vroeg Tom aan hem.

In de telefooncel van de benzinepomp bij Priest Valley Road.

Tom keek de keuken in, maar Eddy schudde alleen nogmaals van nee.

Zeg tegen hem dat hij hierheen komt. Ik sta met mijn wagen in de oude grindgroeve bij het huis van Garofalo, zei Harry. Ik moet hem spreken over iets wat hij moet weten. O ja, zei hij toen, er is nog een akkefietje. Ik heb Crystal ook hier.

Ik zal het hem zeggen, zei Tom. Hij hing op en ging weer naar de keuken. Eddy keek niet op; hij had een brandende sigaret tussen zijn vingers.

Hij zegt dat het belangrijk is, zei Tom.

Eddy legde zijn kaarten op tafel naast zijn pakje Exports en stak zijn sigaret in het zand van de asbak. Tom boog voorover met zijn arm om de schouder van zijn broer. Eddy's adem was donker en zoet als gebrande suiker. Wat is er aan de hand, Eddy?

Waar zei Harry dat hij was?

In de oude grindgroeve. Crystal is er ook. Volgens mij wil hij dat je hem van haar verlost.

Oké, zei Eddy.

Tom zag Harry en Crystal daar tussen de stapels stenen en gruis geparkeerd staan, terwijl Harry op Eddy's komst wachtte. Er ging iets gebeuren, Harry's bericht leek de voorbode van een of ander snood plan. Simpel waren de dingen nooit. Hij keek naar Eddy. Zijn broer was aan het eind van zijn Latijn, daar kon Tom weinig aan veranderen.

Eddy pakte de kaarten die tussen een zwarte korst geroosterd brood en een dof geworden keukenmes lagen dat bij een cassette hoorde waarmee vader thuisgekomen was toen hij een schuld was gaan innen bij een man die in het dorre bergland in de buurt van Omak in de staat Washington een kersenboomgaard had. Alleen vader zou een gezin zijn eetgerei afnemen ter compensatie van het geld dat hij van ze kreeg, had moeder gezegd toen ze de messen en vorken telde en zich er even aan ergerde dat er geen opscheplepels bij zaten. Vader zei dat hij met zijn geweer bij de man naar binnen was gelopen en de cederhouten kist met hun Joan of Arc-tafelzilver had gepakt. Vader vertelde met plezier dat hij tegen het gezin had gezegd dat ze hun eten wel met kersenbast naar binnen konden lepelen als ze honger kregen.

Tom wist dat zowat iedereen in de vallei ervan overtuigd was dat Elmer Stark iemands arm zou breken vanwege een zak rotte piepers of een kist gekneusde perziken. Ze hoefden alleen maar op Jack Perrault te wijzen, de monteur van Eston Motors. Jack zat met een verbrijzelde hand nadat vader hem met een moersleutel een klap had verkocht toen hij vanwege een slechte vrachtwagenband door het lint ging. Of Marge Perslock. Zij had bij hem in zijn vrachtwagen moeten stappen en toen was hij met haar de bergen in gereden om haar man te treiteren, die hem had opgelicht met een vracht boomstammen. Vader had haar de stuipen op het lijf gejaagd. Ze had het haar man nooit verteld, maar vader wist het. Hij vertelde het tegen Tom en Eddy toen ze klein waren, zodat ze er iets van konden opsteken. Wanneer hij Marge en haar man samen zag, hoefde hij alleen maar naar haar te grijnzen, zei hij. Hij zag haar graag sidderen, zei hij. Hij vertelde Tom en Eddy dat het soms beter is om iets te weten wat je vijand niet weet.

Plotseling duwde Eddy de kaarten die nog voor hem lagen in de stapel en het *klak klak* van de complete stok waarmee hij nu op tafel tikte, galmde door het vertrek. Toen stond hij op. Zijn gulp stond open en dat zei Tom tegen hem. Eddy ging naar Sally-Ann, die hem dichtritste; haar gezicht glom en het vel op haar handen was rimpelig van het afwaswater. Ze keek stuurs om zich heen om hen te laten zien dat zij nu met Eddy ging. Daarna haalde ze haar schouders op. Ze maakte haar lichaam klein. Eddy, zei ze, kun je me helpen?

Ga je spullen maar halen, zei Eddy. Hij ging met zijn hand door haar dikke bos bruin haar. Je gaat naar huis, zei hij. Sally-Ann bedelde om heroïne, een heel klein beetje maar, maar hij zei dat ze moest wachten. Nadat ze de rest van haar spullen boven in Eddy's kamer was gaan halen, nam Eddy haar bij de arm, ging met haar de badkamer in en deed de deur dicht. Toen ze eruit kwamen, was haar pad geëffend en zweefde ze zoetjes op het beetje heroïne dat hij haar had gegund. Tussen de hengsels van het tasje dat aan haar pols bungelde, hing een vuile trui waarvan een mouw over de vloer sleepte. Ik weet niet waarom ik naar huis moet, mompelde ze. Wat moet ik daar?

Je bedenkt wel wat, zei Eddy. Over de tafel gebogen deed hij sigaretten en lucifers in zijn jasje en klopte toen op zijn kontzak met zijn portemonnee die met een roestvrijstalen ketting aan een lusje van zijn riem zat en daarna aan de voorkant op de zak waarin de autosleutels tegen zijn knipmes aan schuurden. Tevreden pakte hij het leren bomberjack dat bij de deur hing en trok het aan. Vader had het tot op de draad versleten jack altijd gedragen als hij naar de vleesverloting van het oud-strijderslegioen ging. Tom ging een beetje opzij. Als hij te dichtbij stond wanneer Eddy het jack aanhad, rook hij vader weer, die lucht van zweet, tabak, kruitdamp en alcohol die in het leer was gaan zitten.

Tom?

Ja.

Jij gaat met je vrachtwagen naar de grindgroeve. Ik zie je daar. Jij brengt Crystal naar waar ze maar heen wil. Ik breng Sally-Ann naar huis.

Tom vroeg Marilyn of ze er zou zijn als hij terugkwam. Met haar rug naar hem toe knikte ze; er viel een plukje haar over haar wang. Vera heeft me gebracht, zei ze. Dus jij zult me naar huis moeten brengen.

Tom haalde zijn spijkerjack en liep achter Eddy en Sally-Ann aan naar buiten. Eddy startte de auto; het tikken, kraken en zuchten van de motor was een taal voor hem. Hij liet de motor op toeren komen en de Hollywood-knaldempers bulderden door de avond. Vervolgens reed de auto achteruit de glooiing op en sloeg na de oprit rechts af om achterlangs via de landerijen en boomgaarden naar het oosten te rijden.

Met zijn hand op het portier van zijn vrachtwagen keek Tom naar Eddy's stofwolk die over de velden uitwaaierde. Moeder zei altijd dat ze een gezin waren, en daarmee bedoelde ze dat de Starks voor zichzelf zorgden. Wat er binnen het gezin gebeurde, bleef binnen het gezin.

Tom stapte in, ging zitten en staarde door de gebarsten voorruit. Hij veegde het stof van het door de zon gebladderde dashboard. Zijn vader had de vrachtwagen een jaar na Toms geboorte gekocht, in 1939, van het geld dat hij had gevangen met het aansteken van bosbranden voor zagerijen die hun machines moesten laten draaien.

De bergen in de verte waren schaduwen tussen bleke schaduwen geworden. Aan de bossen op hun hellingen leek geen einde te komen. Hij herinnerde zich de jaren dat zijn vader 's morgens vroeg wegreed om pas in de schemering terug te komen en soms ook dan niet. Vader was gek geweest op die vrachtwagen, het vlakke dashboard met zijn ronde meetinstrumenten, de versnellingspook met de zwarte knop, en de motor, vooral de motor. Hij zei altijd dat de V8 de beste motor was die Henry Ford ooit had gemaakt. Na de oorlog wisten ze niet meer hoe dat moest. De vrachtwagen was een driekwarttonner met een ovale grille en opzij bij de treeplank een leeg rek waar de band allang uit weg was, die was er door een boomtak af getrokken, grapte vader dan, toen hij een eland had opgejaagd om te zien hoe lang die op een pad door de rimboe kon rennen voordat zijn hart het begaf.

Tom draaide het sleuteltje om en de motor sputterde een paar keer tot hij aansloeg. Hij hield het gaspedaal lichtjes ingetrapt terwijl hij wachtte tot het gemompel van de motor gelijkmatig klonk. Daarna schakelde hij naar zijn één en reed op de bijna kale banden de oprit af, waar hij de langere route naar Priest Valley Road nam, door het oostelijke deel van het stadje. Hij dacht aan toen Eddy en hij nog klein waren en op zondag om beurten in de vrachtwagen reden. Ze waren amper groot genoeg geweest om boven het dashboard uit te kijken, en reden van de put langs de beek de boomgaard in, waar ze keerden en nog eens keerden terwijl de wagen op de harde onderlaag weggleed of in de zachte grond bij de beek diepe voren trok. Week in, week uit was vader er voor zijn werk mee de bergen in gereden en in de loop der jaren was de carrosserie van glimmend zwart streperig, gebutst en roestig geworden, de grille was gebarsten en de koplampen zaten met ijzerdraad aan de bumpers vast om ze overeind te houden, maar de motor was onverminderd blijven ronken, want vader had steeds de olie ververst, de bougies vernieuwd, de remmen bijgesteld en elke keer als de versnellingsbak en de carburateur moesten worden nagekeken eraan gesleuteld. Zo ontdekte Tom hoe belangrijk machines waren voor zijn vader, net als voor Eddy. Als er iets haperde, sleutelde Eddy aan de auto en de vrachtwagen, en ook aan de tractor toen die zijn nut nog bewees. Nu stond hij tegen de omheining weg te roesten; muizen hadden er hun holletje in gemaakt en er zaten eksters op de in de zon hard geworden banden.

Tom was destijds in de zomer als plukker aan de slag gegaan bij de boeren in de vallei en had thuis zijn schamele loontje aan moeder afgestaan, maar Eddy had dat nooit willen doen, tenzij hij op een machine aan de slag kon, de fruitsproeier of de tractor rijden. Tom plukte bonen, erwten en tomaten, en een paar jaar later plukte hij appels in de boomgaarden. Daarna werd het de zagerij, waar hij nu vijf jaar aan de transportband stond. Nu vader al een paar jaar dood was, bracht het geld dat Tom verdiende eten op tafel, zijn broer droeg in het beste geval een paar centen bij.

Het was donker nu, de koplampen schenen over de lege tuinen van de Hundred Homes. De huizen waren na de oorlog gebouwd voor gedemobiliseerde soldaten en hun jonge gezinnen. Ze waren allemaal hetzelfde, bij de meeste was de verf aan het bladderen en in de ondoordringbare grond probeerden een paar boompjes te groeien.

Hij sneed de noordhelling af naar het begin van Priest Valley Road. Voor hem doemde de Silver Star Mountain op. Als jongens waren Eddy en hij elk voorjaar de berg op geklommen om op de wereld waar ze vandaan kwamen neer te kijken, en ze hadden er in de weiden gelegen waar de bloemen zo schitterden dat het pijn deed aan hun ogen. In die periode trokken ze als dieren door het ruige bergland, gelijk aan de coyote, havik of lynx. Bij het aanbreken van de dag glipten ze het huis uit met in een rugzak een paar stukken brood en worst. Tom droeg het jachtgeweer en Eddy had vaders jachtmes. Ze bleven de hele dag weg en waren te laat voor het avondeten, vader duwde zijn bord al van zich af en moeder schepte wat ze gekookt had op voor haar jongens, plakken te gaar geworden herten- of schapenvlees met bloemkoolsaus en uit hun schil gebarsten zomeraardappels. Wanneer ze aan tafel zaten te eten, deed ze haar beklag over hen, dat er in de kist bij het fornuis niet genoeg hout lag, dat de tuin niet was gewied, altijd was er wel iets, en vader gaf de zoon die toevallig het dichtstbij zat een draai om zijn oren. De dag erna waren ze er weer bij zonsopgang vandoor, naar Coldstream Valley in het oosten om in de boomgaarden op grondeekhoorntjes te schieten, of verderop naar de meren of naar een naamloze beek om bergforellen te vangen. De brokkelige, steile rotswanden hoog boven de vallei omvatten iedereen die hij kende, al die mensen die net als hij waren geboren in de vallei onder deze blauwe verheffingen van steen en sneeuw, ijs en wolk, die boven de woestijnbodem standhielden met in hun flanken geulen en arroyos die op oude snijwonden leken.

De duisternis strekte zich voor hem uit, bergplooi na bergplooi; zijn broer en hij leefden in een land zonder geschiedenis. De bomen en stenen hadden geen verhalen, de heuvels waren lege ruimten, de beken en rivieren een kolkend gedruis waarvan hij wist dat de indianen er altijd naar hadden geluisterd. De indianen waren vreemdelingen die het stadje bezochten. Ze arriveerden in lichte karretjes en wagens en lieten hun paarden kort aangebonden aan de bomen aan het einde van Main Street achter, zonder ze te drenken, in de zon, en terwijl de ouders naar de kroeg gingen, sliepen hun kinderen in de schaduw onder de paardenbuiken. Hij herinnerde zich dat hij water voor die paarden was gaan halen, emmers vol had hij erheen gebracht van de kraan achter het New Dawn Café, en hoe de paarden hun neus in de koelte hadden gestoken. Soms had hij om een halve zak gesneden haver gebedeld bij Winning Chow, die ten slotte met beide handen de gebutste wieldop die hij had meegebracht volschepte, en dan duwde een paard met alleen

een bruin wachten in zijn ogen er onder een dode boom zijn lippen in. Hij wist dat rechter Smythe sommige van die mensen uiteindelijk op de Indian List zette en dat die dan de kroeg niet meer in kwamen. En dat ze dan bij de taxistandplaats bier gingen halen dat ze onder de seringen en iepen in het park bij het spoor opdronken.

Hij slingerde tussen de landerijen door waar hier en daar een buitenlamp brandde of een raam matgeel oplichtte. Vlak voor de grote heuvel op Priest Valley Road was de grindgroeve. Het stadje had die jarenlang geëxploiteerd; ze hadden de heuvel afgegraven tot hij helemaal was opgebruikt en van de grond waren afbrokkelende trottoirs en gebarsten funderingen, opritten en muren gemaakt. Hier waren nu alleen nog hopen losse steen over, brokstukken die te groot waren om ergens voor te dienen. De overal in het gat verspreid liggende steenhopen leken net grafheuvels.

Tom draaide het terrein op en toen hij over de kapotte ketting reed die ooit de toegang had belet, zag hij de auto's. Hij reed tot achter Harry's coupé. Bij het portier stond Crystal; de gedeukte spatborden en de barst in de voorruit getuigden van Harry's stuurmanskunst. De Studebaker stond ernaast. Eddy en Harry zaten ieder in hun eigen auto, twee silhouetten in de doffe gloed van hun parkeerlichten. Verderop stonden een achtergelaten weggeroeste auto en een kaalgestripte kiepwagen, afgedankt, vergeten, weggezet tussen de steenhopen. Hij keek om naar waar hij vandaan kwam. Het was stil, achter hem lag de weg er verlaten bij. Er was verder niemand in de buurt, in het braakliggende veld aan de ene kant stonden hoog opgeschoten pollen tussen het zwenkgras, aan de andere kant lag een zieltogende boomgaard met onder de bomen een bouwvallige blokhut met kapotte ramen en een deur die aan één hengsel hing. Niemand kon hen hier zien. Hij zag Harry zijn arm uit het zijraampje steken en zijn sigaret aftikken, de op de grond vallende askegel, het opgloeien dat even licht verspreidde. Eddy en Harry bleven in hun auto's zitten.

Crystal knikte naar Tom, maar ze zei niets. Haar ene arm hield ze gebogen tegen haar borst, de andere tikte een sigaret af waarvan het roodgloeiende puntje striemen trok. Het zag er niet naar uit dat ze binnen afzienbare tijd weer bij Harry zou instappen. Eddy leunde met zijn hoofd tegen zijn stoel en zijn hand lag boven op het met leren vlechtwerk beklede stuur.

97

Tom had dit al zo vaak gezien: Harry en Eddy die alleen of samen in de auto ergens over nadachten terwijl een of ander meisje erbij stond te wachten om te zien wat ze gingen doen. Tom wist dat er niets zou gebeuren totdat Eddy dat zei.

Ze waren een tableau vivant, met z'n drieën. Hij had foto's gezien van de crisistijd in de jaren dertig, die moeder in een schoenendoos in de kinderkamer bewaarde. Net als de mensen op die foto's gingen ze eraan of eraan onderdoor, ieder voor zich, alleen in een afgegraven grindgroeve, hun wereld begrensd door de blauwe woestijnheuvels en de bergen.

Crystal liep op Toms vrachtwagen af, deed het portier open en stapte in. Jij moet me naar huis brengen, zei ze, terwijl ze haar rok over haar knieën trok. Ze zeiden dat jij dat zou doen. Ze schikte de slagen in haar blonde haar en zei: Nou?

Zo meteen, antwoordde Tom. Hij stapte uit, liep naar Eddy's auto en leunde naar binnen.

Wat doen we hier, Eddy?

Eddy rekte zich uit, deed zijn portier open, stapte uit en liep naar de voorkant van zijn auto. Harry deed hetzelfde. Er flakkerden schaduwen over hun wangen en kin. Eddy haalde zijn Exports tevoorschijn en wipte een sigaret tussen zijn lippen. Met afhangende schouders nam Harry er een uit het voorgehouden pakje en ze staken ze op.

Vlak nadat je de heuvel over bent, staat er een huis achter in een oude boomgaard, zei Harry. Tegenover de slagerij van Garofalo.

Niet zo hard praten, zei Eddy. Crystal hoeft niet te weten wat je zegt.

Ze zit in de vrachtwagen met de ramen dicht, zei Harry. Die kan niets horen. Maar goed, er woont een oude man. Ze zeggen dat hij er geld heeft verstopt.

Wie zegt dat? vroeg Tom.

Wayne.

Wanneer heeft hij je dat verteld? zei Eddy.

In het poolcafé, een paar uur geleden, voordat ik met Crystal ben weggegaan.

Eddy en Harry rookten en de gloeiende uiteinden van hun sigaretten sneden op dezelfde manier door de lucht. Eddy knipte zijn peuk tegen een gespleten zwerfkei die uit een steenhoop stak. Hij stuiterde een wirwar van wilde rozen in.

Wayne zegt dat hij heeft gehoord dat de oude man naar Kamloops is, zei Harry, om zijn zus in het ziekenhuis op te zoeken. Hij keek kregelig zijn peuk na, die de zwerfkei die Eddy had geraakt miste. Ik ben er net nog even langsgereden. Er was geen licht aan. Ik zeg het je, daar is geld te halen.

Hoe weet Wayne dat allemaal? vroeg Tom.

Van Joe, zei Harry en hij rolde met zijn schouders en duwde zijn kin in zijn jack.

Wayne, Joe, wat zou het? zei Eddy tegen zijn broer.

Tom deed zijn handen in zijn zakken en staarde naar de nachtlucht boven zich. Ik vind het maar niks. Er klopt iets niet. Waarom zou Joe zoiets uitgerekend aan Wayne vertellen?

Eddy boorde zijn hak in het grind.

Daar is toch niks mis mee, zei Harry en hij haalde een Sweet Marie-reep uit de zak van zijn jack en trok de wikkel los. Hij nam een hap en begon te kauwen. Waar maak je je eigenlijk druk om?

Ik vind het gek dat Joe zoiets aan Wayne vertelt en niet aan Billy, zei Tom. Als er daar in huis geld ligt, vertelt Joe dat aan hem en dan gaan ze inbreken om het te halen. Tegen Wayne zou hij daar echt niks over zeggen.

Harry stond een beetje voorovergebogen naar zijn laarzen te kijken alsof hij er diep over nadacht. Hij stak het laatste stuk chocola in zijn mond en terwijl zijn kaken gestaag maalden, veegde hij met de rug van zijn hand over zijn lippen. Volgens Wayne was Joe dronken, zei hij.

Dat slaat nergens op, zei Tom. Joe drinkt niet. Hij wendde zich tot zijn broer. Wat vind jij ervan, Eddy?

Ik denk dat die lul van een Wayne er niet over zou liegen. Dat durft hij niet. Niet tegen ons.

Er is geen licht aan, zei Harry weer en hij wreef over de bolle neus van Eddy's auto. Rij er maar langs, dan zie je het zelf.

Mij zie je daar echt niet naar binnen gaan, zei Tom.

Dat vraagt toch ook niemand, zei Eddy, terwijl hij met een schuin hoofd naar de vrachtwagen knikte. Hij glimlachte. En geld kan ik altijd gebruiken, hoor, zei hij.

Toen Tom niet bewoog, keek Eddy hem alleen maar aan. Tom schopte naar een steen en zei: Laat maar. Ik weet verdomme ook wel dat jij alleen doet wat jij wilt.

Kijk, zei Eddy. Jij brengt Crystal naar huis. Daarna zie ik je in het café, en terwijl hij dat zei, liep hij om de auto's heen naar de achterkant van de coupé, met Harry achter zich aan. Ze gingen samen staan fluisteren.

Tom staarde naar de grindgroeve, naar de roestige oude vrachtwagen en de vergeten machineonderdeeltjes. Volgens hem had hij het huis waar ze het over hadden gezien. Bij Garofalo was hij vroeger weleens geweest. Als er thuis toen hij klein was geld over was, werd hij op zijn fiets om vlees gestuurd. In de vallei was Jim Garofalo beroemd omdat hij zijn tenen eraf had laten vriezen toen hij een keer 's winters was gaan jagen in de Cariboo. Tom had hem ernaar gevraagd en Jim vertelde dat hij zonder erbij na te denken een hele ochtend op de loer had gestaan met zijn voeten in de sneeuwprut. Jim had zijn laars uitgedaan om Tom te laten zien dat er aan zijn linkervoet nog maar twee tenen zaten. Tom zag de versleten canvas luifel en de uit rode triplex gezaagde zij rundvlees die aan de ijzeren stang bij de deur hing nog zo voor zich. Met witte verf was de omtrek van de verschillende delen aangegeven, een plattegrond van het dier die aangaf waar je je mes of zaag moest plaatsen. Destijds was hij ervan overtuigd dat het iets te betekenen moest hebben.

Hij liep naar zijn vrachtwagen en kroop achter het stuur. Crystal tikte met haar nagels op de portierklink met een blik die hem duidelijk maakte wat er voor zijn komst was gebeurd; Harry had zich vermoedelijk laten aftrekken in ruil voor een paar pillen en voor zover hij Harry en zijn manier van doen kende, voelde Crystal zich vast behoorlijk bekocht.

Tom startte de vrachtwagen, reed de groeve uit en nam dezelfde weg terug. Aan de andere kant van de greppels zigzagden kapotte afrasteringen en wilde rozen over de lange helling naar beneden. Toen hij voor een haarspeldbocht vaart minderde, dwarrelden de vleermuizen als sintels door de lucht. Motten vluchtten met onophoudelijk fladderende vleugeltjes bij hen weg en gingen op het maanlicht af. Ergens ver weg tussen de alsemstruiken krijste een roofdier, waarop een ander reageerde. De dieren klonken moegestreden; met brede nek slopen de mannetjes door de greppels terwijl een krols wijfje met verwondingen aan haar nek zich verborgen hield en haar paringskreet in haar keel reutelde. In het door de maan beschenen veld zag hij een fiets met een achterwiel zonder band waarvan de voorvork in de grond stak en de handvatten als hoorns omhoog priemden.

Crystal zweeg. Tom hanteerde het stuur met de muis van zijn hand terwijl de wagen om de gaten in het wegdek slingerde. Gaat het een beetje?

Breng me nou maar naar huis, zei ze. Toen Tom geen antwoord gaf, zei ze: Ik ben niet bang van jou. Het klonk alsof ze het eigenlijk wel was. Ze pakte een sigaret uit het pakje in haar tas en stak hem op. De radio die vader er twee jaar voor zijn dood in had gezet, stond afgestemd op Spokane en speelde *Peggy-Sue*. Tom bedacht dat Crystal net als ieder meisje in de vallei vond dat Buddy Holly alleen voor haar zong. Ze tikte met haar voet op de vloer van de wagen en hij nam aan dat ze van die ene, ware liefde droomde. Ze verzette de achteruitkijkspiegel en bracht geroutineerd haar kapsel in model. Toen ze hem uit zijn ooghoeken zag kijken, zei ze dat ze straks na thuiskomst weer uitging. Op zijn vraag met wie, zei ze met een zelfvoldaan lachje dat hem dat niets aanging. Iemand die heel wat specialer is dan Harry, zei ze.

Daarna deed Crystal haar mond niet meer open. Hij had die wat eksterachtige blik waarmee ze hem aankeek toen hij haar afzette eerder gezien, alsof ze lucht had gekregen van iets wat diep in zijn binnenste zat. Langzaam reed hij van de stoeprand weg. De straat kronkelde onder kale acacia's door waarnaast esdoorns hun dorre bladerdek torsten. De plaatselijke begraafplaats was met al zijn zerken in een onrustige slaap gedompeld toen de vrachtwagen langsdenderde. Achter het afgesloten ijzeren hek streden dennen en ceders in het grind van de droge heuvel, scheve witte kruisen en mottige engelen wachtten op een teken en op de zerken sprankelden zilte sterretjes, terwijl plastic bloemen die met geknakte stengels in de grond staken dof opgloeiden op de graven.

De weg voerde langs de hoge hekken van de rijken op de heuvel en het plaveisel ging schuin naar beneden naar het stadje waar iedereen zijn bed opzocht of al sliep: de gordijnen waren dicht, de deuren op slot, de luiken gesloten. Zelfs de tuinen aan de straatkant zagen er afgemat uit.

Eenmaal in de stad werden de huizen kleiner en armoediger. De vrachtwagen stak de grens over tussen de oude rijken en de oude armen; nieuwe kwamen in beide categorieën eigenlijk nauwelijks voor en ertussenin was er niets. In deze straten waren de bomen met bijl en zaag geknot, met het mes ontschorst. Hij had gezien hoe kinderen jachtmessen en hakbijlen naar de stammen gooiden om zich de techniek van de filmdood eigen te maken en de oorlog te imiteren waar hun vaders nooit over praatten. Met elke worp sneuvelden er nazi's en jappen, John Wayne strompelde over de zandvlakten van Iwo Jima of galoppeerde door de uitgestrekte woestijn naar Fort Apache, terwijl Henry Fonda hem ergens onderweg opwachtte. Iepen staken de lucht in, met een kroon op hun kruin en langwerpige littekens in de stam. De seringen onder de ramen waren kronkelige, bloesemloze takkenbossen. De vrachtwagen naderde de stadskern, waar de aftakeling een feit was. Hier woonden de laatste armen. In de schots en scheef staande, ongeverfde omheiningen ontbraken palen alsof het de tanden waren van de veteranen op de stoep van het postkantoor, tuinhekjes stonden op een kier waar katten op hun nachtelijke zwerftocht doorheen glipten.

Hij zag Eddy voor zich die in het donkere huis aan het inbreken was, Harry liep ergens voor hem uit en Eddy mompelde stoned tegen zijn vriend dat hij wat rustiger aan moest toen. Tom had Eddy zijn shots zien nemen. Hij had elke keer machteloos staan toekijken hoe Eddy zijn arm afbond, een ader zocht en de naald erin stak, waarop zijn hoofd op zijn borst viel als de heroïne hem te pakken kreeg. Geknield bij de zitzak staarde hij naar Eddy's trillende oogleden en probeerde zich in zijn broer te verplaatsen, maar verder dan de huid kwam hij nooit. Volgens Eddy was het op het moment dat de heroïne aansloeg net alsof er in zijn schedel iets warms ontplofte, zachte armen zijn hersenen omhelsden, een dikke deken zijn hart toedekte. Daar kan niemand aan me komen, zei hij. Dan zakte zijn lichaam in omdat er niets meer in de spieren of botten zat.

Hij dacht aan ongeveer een maand geleden, toen Eddy naar de stad was gegaan om bij Billy te scoren. Nadat hij op de wc van het poolcafé een shot had gezet, was Eddy toen hij op zoek was naar zijn auto door brigadier Stanley aangehouden. Hij was bleek en boos thuisgekomen met een verstarde grijns op zijn gezicht. Even later ging hij weer naar buiten en Tom, die hem niet meer binnen had horen komen, was hem gaan zoeken en had hem in de aardappelkelder gevonden. De riem zat losjes om zijn arm en de naald stond schuin tegen een bloeduitstorting aan, als een van de dakgoot gevallen ijspegel. Met zijn oor bij de borst van zijn broer hoorde hij Eddy's trage hartslag en de naar lucht snakkende longen. Met de lucht die Tom in de mond van zijn broer blies, bestookte hij de holten achter diens ribben tot Eddy's mond murmelend reageerde. Tom had Eddy, die zo slap als een vaatdoek was, overeind gezet en was met hem de boomgaard in gelopen. Struikelend over gras en stenen had hij Eddy verteld hoe hij in het wiegje van zijn moeders buik was gegroeid waar hij naar het zingen van het bloed had geluisterd dat tegen hem zei: *Want jij bent de zoon van je vader, teder en enig voor het aangezicht van je moeder.*

Hij wist nog hoe modderig het bij de beek was geweest en dat er achter een paar graspollen een mannetjesfazant had staan gluren. De vogel was in de war gebracht door het afnemende maanlicht dat blauw boven hem en zijn broer brak, en had in het beschaduwde gras rond zijn nest naar voedsel gezocht. Toms ogen waren nat van het zout. Hij ploeterde naast Eddy voort in de grote cirkel die het veld voor hen was geworden en probeerde tegen hem te praten in de hoop dat woorden genoeg waren om zijn broer in leven te houden.

Toms handen trilden op het stuur. Hij reed naar de kant en zette de vrachtwagen onder een kromme iep halverwege de helling. Als hij zo aan Eddy moest denken, hield hij bitter weinig houvast over. Hij haalde een paar keer diep adem en vulde zijn longen alsof hij uit de diepte opdook. Hij had lucht nodig.

De gazons waren kurkdroog en het was koel toen hij aan zijn wandelingetje langs de huizen begon en alleen af en toe zijn pas inhield om ergens naar binnen te kijken voor hij verder liep. In het donker was hij onzichtbaar. Bij het laatste huis van de straat bleef hij staan en schoof een wirwar van takken uiteen. Er zat een vrouw in het gedempte licht van de keuken, geen kop koffie in haar hand, geen bord voor zich. De tafel was leeg, op een omgevallen zoutvaatje na. Ze staarde erlangs naar een koude houtkachel die voor zover hij kon zien niet aan was. Hij keek een hele poos naar haar, maar ze bewoog niet, haar handen lagen gevouwen in haar schoot en in haar lege, onverstoorbare blik kon hij niets vinden. De wind bewoog in de bladeren toen hij zich onder de bomen door zijn knieën liet zakken en zich als een bleke misdadiger uit de voeten maakte.

Hij stapte weer in de vrachtwagen, schakelde en reed de helling af. Toen hij onder aan het spoor overstak, denderden de banden over de rails en hij kwam bij de stoeprand tot stilstand. Voor hem lag het station met zijn rode bakstenen muren, waarop de zwarte rook van de oude stoomlocomotieven strepen had getrokken. De oude klok in de toren boven de stationsdeuren gaf geen minuten aan en de kleine wijzer stond permanent halverwege tien en elf uur. Hij keek naar het lege perron en dacht aan de mensen die naar de vallei waren gekomen. Je had de mannen uit de oorlog, degenen die de opmars naar de kanonnen hadden gemist en degenen die eraan waren ontkomen. Je had ook de immigranten uit Europa die de oorlog achter zich wilden laten en in de vallei wilden werken, de gezinnen die vanuit de States naar het noorden waren getrokken, naar het westen vanaf de prairie en vanuit de overbevolkte steden in het oosten. Tom had ze zien komen toen hij klein was, ze spraken talen die Tom niet verstond en ze kwamen beduusd tevoorschijn, vreemd uitgedost en met breekbare bezittingen of in aftandse vrachtwagens volgestouwd met matrassen en kinderen, en dan stonden ze alleen maar verbijsterd naar hun droom te staren, naar de hoge heuvels, de vallei met haar meren, haar groene boomgaarden en velden.

Aan de overkant van de straat stond het vervallen Mission Hotel met zijn kapotte ruiten en zijn nu leegstaande kamers die er alleen maar waren om aan de eisen te voldoen voor de vergunning van het bierlokaal eronder, waar dakloze arbeiders en oud-soldaten hun opgespaarde dubbeltjes en stuivers spendeerden en uren over hun twintigcentsbiertje deden tot ze eruit werden gezet en beverig op de stoep gingen zitten.

Tom stapte uit en ging op de knisperende spoorsintels staan. Een straat verderop hoorde je het geroezemoes van de mannen en vrouwen die buiten voor het Okanagan Hotel in Main Street stonden. Ze hadden nog maar een paar uur tot sluitingstijd. Daarna zou Main Street grotendeels verlaten zijn, een paar schuin geparkeerde wagens daargelaten. Hij had ze er zien staan, met her en der op de stoelen papiertjes en kleren alsof iemand het weinige wat hun leven nog voorstelde had doorzocht en toen hij niets had gevonden wat het bewaren, meenemen of aantrekken waard was, merkwaardige voorwerpen had achtergelaten: een babyschoentje dat met een veter aan de achteruitkijkspiegel hing, een gescheurd damesbloesje op de achterbank, een paar houthakkerslaarzen, een handschoen.

9

Strepen gedempt licht vielen op de kaalgesleten vloer van de kroeg van het Okanagan Hotel, waar de tafels in groepjes bij elkaar geschoven stonden en de asbakken smeulden, terwijl er boven de wirwar van glaswerk een grauwe rookwolk hing. Rondom de tafels bewogen gezichten in en uit de schaduwen en er werd hier en daar een hand in de fletse gloed gestoken om te midden van de discussies en het geschreeuw een bierglas te pakken of weg te zetten. Uit de jukebox tegen de muur schalde *Don't Be Cruel*, Elvis' smeekbede aan zijn tegenstribbelende geliefde, met een gitaar die aan ieders denkbeeldige gebroken hart vrat. De muur die de gelagkamer ooit in tweeën had gedeeld om de vrijgezelle mannen te scheiden van de vrouwen was lang geleden afgebroken, maar je kon nog zien waar de muurplaat had gezeten. De spijkers die hem op zijn plaats hadden gehouden waren omgebogen en platgeslagen, en op de vloer glommen de koppen en de afgesleten ijzeren uiteinden drongen schoenen en laarzen binnen.

Het was druk; een achterdochtig man verloor zijn vrouw hier niet uit het oog. Met hun dienblad op schouderhoogte manoeuvreerden de serveersters omzichtig tussen de stoelen door en stopten bij de ene tafel na de andere om de bestelde glazen bier neer te zetten. Als de lege op het blad stonden, pakten ze papiergeld of munten uit de stapel midden op tafel en gaven geld terug, terwijl de mannen hun snelle handen in de gaten hielden en de vrouwen op hun mannen letten. Met het rammelende lege glaswerk ging de serveerster weer verder, het kwartje fooi liet ze in het zijzakje van haar schort glijden en om haar pink zat de dollar gevouwen die ze achterover had gedrukt.

Tom zat op het puntje van de kruk voor het personeel aan het uiteinde van de bar. Naast de knie van de barman stond de stompe honkbalknuppel waarmee hij ruzies beslechtte, met zwarte tape om het handvat voor de grip. Op de klok boven de bar was het tien voor halfelf. Waar bleef die verrekte Eddy? Tom keek om zich heen;

hij kende iedereen in de gelagkamer, de mannen en vrouwen uit de wildernis, de bergen en de vallei die hier de uren tot sluitingstijd doorbrachten om daarna naar buiten te zwalken en op straat en op het parkeerterrein hun auto of vrachtwagen te zoeken. De mannen onderhandelden over een mogelijke baan bij de fruitverpakkingsfabriek, bij een wegwerkersploeg of in een van de zagerijen. Er werd werk toegezegd, besproken, beoordeeld en verworpen. Verderop werd er een onmogelijke echtgenote, moeder, geliefde of nakomeling zwartgemaakt, betreurd of vervloekt, er werden vrienden belogen, gevonden en verloren. Loze ogenblikken die een paar uur bleven hangen, maar bij het legen van het volgende glas waren vergeten. De mannen kwamen alleen overeind voor een potje poolbiljart of om naar de wc te gaan. De vrouwen gingen er met zijn tweeën naartoe en leken eindeloos weg te blijven om hun haar te borstelen en hun gezicht bij te werken, terwijl roddel en achterklap tussen de hokjes dreven. Tom zag hoe Deb McVittie en Irene Scutts, twee stevige brunettes met getoupeerd haar, een ingewikkelde route door de doolhof aflegden tussen mannen die hen in het voorbijgaan aanstootten en knipoogjes gaven. Het 'hij zei' en 'toen zei zij' klonk als glasscherven waar met een vork in werd geroerd.

Aan de andere kant van de gelagkamer zag hij Billy met iemand anders voor vijf dollar eightball spelen; de inzet, twee blauwe dollarbiljetten, lagen onder een groen krijtje op het doekje dat op de rand van de pooltafel lag. Afgaande op het chagrijnige gezicht van de andere speler, die een doodskopring met gekruiste beenderen droeg, en de manier waarop hij zijn keu vastklemde, was Billy aan het winnen. Om hen heen had zich dezelfde meute verzameld als altijd: Weiner Reeves die een toost uitbracht op het lijk dat in het souterrain van zijn vaders begrafenisonderneming lag, Vera met naast haar Norman die, met de hele zijkant van zijn gezicht in het verband en zijn bruine haar dat over zijn kraag krulde, tegen iedereen die wilde luisteren zijn woordenbrij uitkraamde. Wayne stond zoals gewoonlijk een beetje apart en grijnsde gretig naar Joe aan een tafeltje verderop, die hem negeerde. Terwijl hij aandachtig naar hen keek, verbaasde Tom zich er weer over dat Wayne Harry over het huis had verteld en dat Eddy zo'n risico nam en dat hem dat niets kon schelen. Nancy zat bij Billy, die haar met zijn keu naast zich iets in het oor fluisterde. Lester Coombs was nergens te bekennen. Degenen die er wel waren keken telkens vlug even naar Tom bij de bar. Ze wisten dat hij hier alleen kwam om Eddy te zoeken.

Tom keek naar Nancy, die sloom in de spiegel aan de muur staarde. Met een vol glas bier voor zich zat hij op een achterovergewipte stoel tegen de muur achter de pooltafels te kijken hoe Billy won. Om de zoveel minuten draaide hij zijn grauwe gezicht naar Tom, met een blik die niets prijsgaf. Tom keek lange tijd naar hem. Hij wist precies hoe lang Joe al bij zijn leven en dat van Eddy betrokken was.

Jaren geleden had hij op school met Joe gevochten, maar Joe was dat niet vergeten en had in de tussenliggende jaren zijn wrok gekoesterd. Joe staarde tussen de menigte door met een blik die de blauwe rooksluier aan stukken sneed. Tom wist dat Joe vanwege vroeger op wraak uit was, maar niet alleen omdat hij destijds op school het onderspit had gedolven. Hij vond het onverdraaglijk dat iemand zijn zwakheid en angst had gezien, en dat had hij Tom nooit vergeven.

Joe was in 1949 hiernaartoe gekomen met zijn vader en moeder die na de oorlog uit Oekraïne waren weggegaan, en zijn naam was toen veranderd in Joseph. Hij droeg rubberlaarzen en rare kleren toen hij op school kwam, en de grotere jongens hadden tegen hem aan geduwd zodat hij struikelde en hem uitgelachen om zijn bloempotkapsel, en in het warme klaslokaal hadden zijn in rubber gestoken blote voeten naar zweet gestonken. Tom bleef bij hem uit de buurt, behalve die ene keer toen hij Joe overeind had willen helpen nadat ze hem van de brandtrap hadden gegooid. Joe had tegen hem gegild dat hij hem met rust moest laten, maar Tom wilde daar niets van weten en toen Joe zich op hem wierp, waren ze gaan vechten. Tom herinnerde zich dat hij uiteindelijk met een steen op Joe's hoofd had getimmerd en wel had willen stoppen maar niet wist hoe, en dat Joe bloedend bij zijn verbolgen vader thuis was afgeleverd. Tom werd onder handen genomen door meneer Bruno, de hoofdonderwijzer, bij wie naar verluidt in de oorlog een zilveren plaat in zijn schedel was gezet. Hij had woedend in Toms gezicht staan schreeuwen en met een leren riem op Toms handen en polsen geslagen. Hij kon Eddy noch Tom lijden en Tom had nooit begrepen waarom, behalve omdat ze Elmer Starks zonen waren, uit Ranch Road.

Eddy had Tom indertijd verteld hoe Joe door zijn vader was gestraft. Harry en hij hadden gezien dat Joe's vader hem na de mis in de schuur op gedroogde erwten liet knielen en dan boven hem uittorenend uit de Bijbel voorlas. Op een zondagochtend had Tom op het paadje achter de huizen stiekem tussen de planken van de schutting door gegluurd en hem op zijn blote knieën zien zitten. Alsof Joe wist waar Tom aan dacht, keek hij hem nu even aan en wendde zich toen af. Hij zei zachtjes iets tegen Billy, stond op, gleed als een vlijmscherp mes tussen de tafeltjes door en ging door de hoteldeuren de straat op.

Vlak bij Tom waren een paar mannen hard aan het lachen en hij zag een vrouw op handen en knieën onder een tafel zoeken naar een kwartje dat ze had laten vallen, een oorbel die ze kwijt was, een onvindbaar of gevallen tasje. Haar metgezel had zijn laarzen op haar rug geplant en twee andere mannen lachten met hem mee om haar woedende uitval tegen degene die haar tegen de grond drukte. Het veranderde ook nooit. De kroeg doorbrak de verveling en bood een armzalig soort schoonheid. Hij stond op en ging naar de deur terwijl de mensen hem nakeken, het broertje van Eddy Stark, en buiten liep hij langs de gebruikelijke zwerm indianen en kinderen op het trottoir, stak de straat over en ging op de stoep van het postkantoor zitten.

Daar hoorde hij de neonlichten van het hotel zoemen en sputteren, terwijl de motten zich machteloos tegen de koude gloed van de glazen buizen aan wierpen. Waar Eddy ook mocht zijn, in het huis van die oude man of in een doodlopend straatje om een shot te nemen, dit liep niet goed af. Hij had ooit weleens meegedaan aan Eddy's fratsen, ze hadden toen pakjes sigaretten en repen chocola buitgemaakt die Eddy in de steeg achter de kroeg voor de helft van de prijs verkocht, maar daar was het bij gebleven. Toen Eddy vertelde dat hij vorige week Stanleys hond had afgemaakt, zei Tom dat hij er niets over wilde horen.

Aan de overkant bedelden indianen die op de zwarte lijst stonden en zwervers zonder geld bij passanten om bier. Naast de hotelingang stonden tieners met perzikdons op hun wangen in het knipperende lamplicht, met magere lijven die een voorafspiegeling waren van de mannen die ze moesten worden. Ze wachtten op iemand die ze kenden, iemand die ouder was en binnen voor hen een doos bier kon gaan kopen zonder dat er vragen werden gesteld. Op het achterterrein stonden de auto's en vrachtwagens die ze de afgelopen zomer hadden opgekalefaterd of nieuwere wagens die ze van hun vader hadden geleend, met op de voorbank het meisje met wie ze naar de stad waren gekomen, dat turend in het achteruitkijkspiegeltje haar make-up bijwerkte, en op de achterbank haar vriendin, die zich met over elkaar geslagen nylon benen en verdedigende ellebogen voor haar borsten teweerstelde tegen de jongen naast haar die onvermoeibaar oprukte naar wat volgens hem liefde was.

En toen zag hij Joe uit de steeg achter de kroeg komen en voor het hotel langs lopen tot waar het felle neonlicht ophield. In het flakkerende donker leunde hij met zijn slanke rug tegen de muur, in zijn gestreken broek, zijn knie gebogen, een voet tegen de bakstenen, de zwarte laarzen gepoetst. Tom dacht aan Joe in de keuken op het feest, toen ze waren opgehouden met kaarten, Toms knie in zijn rug. Daar dacht hij aan, en aan de wetenschap dat Joe daarvandaan helemaal naar de bevroren grond van de speelplaats op school en naar zijn vaders schuur zou gaan, waar hij op zijn knieën naar Jesaja's toorn had geluisterd. Joe keek dwars door iedereen die langskwam heen. Zijn blik richtte zich blijkbaar strak op de granieten muur tegenover hem. Josie Cameron, de lagereschooljuf met de moedervlek in haar hals, kwam naar buiten en liep de nacht in. Met verwarde haren en daas als ze was, vorderde ze langzaam over het trottoir, terwijl ze met één hand de muur van de kroeg volgde en aan de andere haar zwarte tasje liet bungelen, dat tegen haar enkel stootte. Joe gaf haar toen ze langskwam een zetje en ze ging met een ruime boog om hem heen, waarna ze zichzelf weer met uitgestoken hand in evenwicht moest brengen. Waar de muur ophield leunde ze met een wuivende hand tegen de leegte aan, ze wankelde naar opzij en was even weg tot ze weer opdook, de straat overstak en tussen de erwtenstruiken in het park verdween.

De kroegdeur vloog open en de gebroeders Cruikshank, die Tom van de zagerij kende, wrongen zich naar buiten en liepen lachend met een fles bier in de hand Main Street in. Hij vroeg zich af hoe laat het was.

Het graniet was koel tegen zijn bovenbenen. Steunend op zijn ellebogen zag hij Joe bij de muur weggaan om na een snelle blik op hem de straat in te slenteren. De kroegdeur ging open en een blote vrouwenarm hield hem tegen terwijl de klanken van *Heartbreak Hotel*, een jammerende, klaaglijke Elvis, naar buiten dreven, en toen werd de arm teruggetrokken en ging de deur dicht, alsof degene die hem open had gehouden het lied eruit had willen zetten.

Er schreeuwde iemand in het park. Tom dacht even dat het Joe was, maar toen waren er twee paar rennende voetstappen te horen en kwam Josie Cameron in haar eentje de straat in. Het geluid van haar schoenen werd steeds zachter tot het in het donker wegstierf. Hij keek Main Street af waar late auto's met ronkende motoren en bulderende Hollywood-knaldempers bumper aan bumper reden. Door de open raampjes praatten meisjes met elkaar, terwijl hun vriendjes de andere automobilisten richting zuidweg stuurden om naar de kliffen boven Kalamalka Lake te racen.

Tom luisterde naar de auto's die de straat uit denderden en toen ze weg waren, hing er een merkwaardige stilte. Hij keek naar het station en zag Eddy en Harry over de stoep aankomen. Op de hoek tegenover hem gingen ze het hotel in en de deuren sloten zich achter hen. Hij kwam van de stenen trap af en liep achter zijn broer aan de bar in. Binnen zag hij hen naar de pooltafels gaan. Tom merkte dat de mensen naar hen keken en fluisterden. De lichtjes dansten om zijn broer heen, er flakkerde iets elektrisch over zijn schouders. Het deed hem denken aan de dwaallichtjes die hij op wegrottende stronken in het moeras had gezien. Aan de manier waarop Eddy zich bewoog was te zien dat hij een shot moest hebben. En Harry leek over zijn toeren. Met een krampachtig loopje boog hij zich telkens over de tafeltjes, rad pratend, hier fluisterend, daar handen schuddend. Eddy liep door de gelagkamer naar waar Billy aan het poolen was en Harry vatte post bij Billy's tafeltje tegen de muur en pakte een glas bier dat hij in één teug leegdronk. Hij zette het lege glas neer, haalde weer een Sweet Marie-reep uit de wikkel en nam een hap, terwijl hij voortdurend nerveus met zijn hoofd bewoog. Tom was er niet eens zeker van of Eddy wist dat hij er was of dat het hem, als hij het wel wist, überhaupt iets kon schelen.

Billy keek Eddy doordringend aan, stak zijn keu in het rek en ging naar de hoek, en Eddy kwam naast hem staan alsof hij wist waar hij mee bezig was. Ze stonden met hun rug naar de gelagkamer toe en hun schouders waren gebogen. Er werd geld overhandigd en Eddy kreeg een papiertje toegeschoven, waarop hij met Harry in zijn kielzog naar de wc's ging.

Tom liep door de gelagkamer en had de deur naar de herentoiletten nog net voor die dichtviel te pakken. Hij volgde hen naar het laatste hokje.

Wat is er nou gebeurd? zei Tom.

Eddy stond in een donker stuk tegen de muur en schudde zijn hoofd. Ik kan nu niet praten, Tom. Eerst een shot.

Door zijn broers aarzeling wist hij wat hij wilde weten. Ik zei toch dat er iets niet klopte, zei hij.

Eddy zoog zonder te inhaleren aan een sigaret en er kringelde rook uit zijn neus. Even niet, Tom, zei hij. Ik verrek van de pijn. Eddy balde zijn handen langs zijn lichaam tot vochtige vuisten en op zijn voorhoofd parelden zweetdruppeltjes.

Tom draaide zich om en begon weg te lopen.

Oké, oké, zei Eddy. Jezus. We zijn achterlangs naar binnen gegaan, ja, maar er was dus wel iemand thuis. Die hufter had zich in de huiskamer verstopt. We zagen hem pas toen hij ons godverdomme met een jachtgeweer probeerde neer te knallen. Twéé keer maar liefst.

Ik zal maar niet vragen waarom je het huis niet eerst hebt gecheckt, zei Tom.

Er was godverdomme nergens licht aan, oké? zei Eddy.

We wisten niet dat hij binnen zat, zei Harry, niet ter verdediging, maar in een poging om het simpel te houden.

Ik heb die lul neergeschoten, zei Eddy. Tom schudde alleen maar zijn hoofd. Ja, met het pistool dat ik van Lester Coombs had afgepakt.

Harry propte zijn handen in zijn zakken. Shit, Tom, zei hij, wat had je dan verwacht dat we zouden doen? Wayne had trouwens gelijk. Er was geld.

Eddy keek over Toms schouder. Opzouten, Joe, zei hij.

Tom draaide zich om en bij de pisbak stond Joe die zijn hand door zijn haar haalde. Even vroeg Tom zich af hoe hij zo snel terug kon zijn van waar hij buiten had gezeten. Je hoort wat hij zegt, Joe. Wegwezen.

Joe stond gewoon te pissen. Hij glimlachte.

Tom legde zijn hand op Eddy's arm en boog zich naar hem toe toen Joe uitdruppelend achteruitliep en zijn pik in zijn broek wegborg.

Ik zei oprotten, verdomme, zei Tom. Zie je niet dat we hier staan te praten?

Met een zelfgenoegzaam lachje op zijn lippen wees Joe naar Tom. Krijg jij ook de tering, zei hij, toen hij zich omdraaide en de deur uit liep. Hij keek niet om.

Je zit in de stront, zei Tom tegen zijn broer.

Eddy negeerde hem en wendde zich tot zijn vriend. Harry?

Harry trok de deur van het wc-hokje open en Eddy glipte naar binnen terwijl Harry en Tom de doorgang blokkeerden. Een zwakke lamp scheen als een modderige maan op hen neer. Tom zag het huis voor zich waar ze ingebroken hadden, die oude man met een kogel in zijn lijf op de grond, terwijl zij tweeën wegliepen zonder ergens op te letten.

Hoe zit het met het lijk, Harry?

Uit de weg, zei Harry. Tom leunde met zijn rug tegen de deur, machteloos terwijl Eddy moeizaam zijn leren jack afpelde, het op de grond liet vallen en als een plumpudding in elkaar zakte. Komt allemaal goed, zei Harry, die tussen Eddy's knieën knielde, zijn manchet losknoopte en de mouw opstroopte. Littekens van messneden kwamen als gladde slakkensporen tevoorschijn toen Harry Eddy's mouw tot de schouder oprolde. Eddy kwam smachtend naar zijn shot overeind, tilde zijn heupen een stukje op en tastte in zijn ondergoed naar het katoenen zakje met zijn spullen dat hij er met trillende handen uit haalde. Hij trok de smalle leren riem uit de lusjes van zijn broek en probeerde hem om zijn biceps te slaan, maar door het zweet gleed de riem telkens weg. De holte van Eddy's elleboog zag blauw van de bloeduitstortingen. Hoe dichter hij zijn shot naderde, hoe wanhopiger hij leek.

Eddy legde zijn spullen op zijn tegen elkaar geklemde knieën. Zijn handen trilden. Hij keek op en Tom staarde hem aan en wou dat hij zijn broer kon terugroepen uit de bodemloze put waar hij in was gevallen. Ik niet, zei Tom. Je weet dat ik dat niet kan.

Harry pakte het papiertje dat Billy had gegeven uit Eddy's hand en vouwde het voorzichtig open. Doe maar de helft, zei Eddy gretig en Harry nam de lepel en lucifers uit Eddy's dunne vingers.

Harry veegde de lepel af met zijn duim, schepte wat water uit het spoelgat van de wc en schudde er toen een kwart van de bruine heroïne in, terwijl hij tegen Tom fluisterde: Hij pakt altijd te veel.

Tom keek hoe Harry de lepel boven een lucifer hield, maar de lucifer brandde tot aan Harry's vingers, sputterde en ging toen uit, terwijl Eddy, die de vlam in Harry's vingers zag doven, indringend zoemde. Harry streek er nog een af, de heroïne in de lepel begon te borrelen en in het kolkende sopje bruiste het poeder. Eddy's ogen leken net vingers die zich naar de naald uitstrekten toen Harry de heroïne door een minuscuul laagje wc-papier in de injectiespuit zoog.

Met drie gestrekte vingers en vervolgens met zijn knokkels sloeg Eddy op wat er van de aders in de kromming van zijn elleboog over was en probeerde er een op te laten komen, maar zijn bloed hield zich verborgen en gloeide koud onder de korstjes. Hij jammerde tegen zijn arm.

Daar is er een, zei Harry, toen er een klein adertje tevoorschijn kwam halverwege zijn pols en de vouw van zijn elleboog. Harry pakte de injectiespuit en liet er na een poging of twee de naald in glijden.

Vooruit, zei Eddy, vooruit, en Harry trok het zuigertje omhoog en liet de spuit een minimale hoeveelheid van Eddy's bloed opnemen. Hij wachtte niet meer dan één seconde voor hij de zuiger zachtjes omlaag duwde en de heroïnebel als een minuscule zwelling onder Eddy's sproetenhuid verscheen.

Het is oké, Tom, zei Eddy met smekende ogen.

Hij liet de adem die hij had ingehouden ontsnappen. Harry legde de spuit op de achterkant van de wc en ving Eddy's opzij vallende hoofd met een hand op. Met een glimlach streek hij over de wang van zijn vriend.

We gaan naar mijn hut, zei hij tegen Tom. Tot de boel rustig is.

Tom raapte Eddy's jack van de grond en gaf het aan Harry.

Doen jullie dat, zei Tom. Wel contact houden, hè.

10

De doden dromden naar binnen en allemaal hadden ze een verhaal, wat er gebeurde en wanneer, wie erbij was en waarom. Meestal vervaagde dat tot fragmenten, zwak gemompel en geprevel. De verhalen leken uit nauwe kerkers op te stijgen, met verwrongen klanken, tot echo's opgerekte klinkers en zwiepende medeklinkers die het staccato geratel voortbrachten van de slangenstaart die bij wijze van waarschuwing door de alsemstruiken slaat, en de doden vertelden me dingen die ik volgens hen moest weten, verhalen van zo lang geleden dat ze alleen nog betekenis hadden voor degenen die ze vertelden. Ik hoorde ze, ik hoorde ze niet.

Het huis waar ik was geboren en gestorven lag onopvallend tegen Ranch Road aan. Er kwam geen sliertje rook uit de schoorsteen. Na een warme dag met de ramen en deuren potdicht zat moeder in haar eentje aan de keukentafel te wachten, starend naar de berg. Van de meren en heuvels kwam een flauw briesje door het open raam naar binnen. Voor mij was er geen warmte, geen slaap, geen avondkoelte. Zwaluwen vlogen door me heen; luzernevlinders fladderden mijn ogen in en mijn mond uit.

Ik zei tegen Nettie dat ze moest bedaren. Haar geest ging nog zo tekeer. Ze was moeders moeder en ze had me voor de zoveelste keer verteld hoe Elmer Stark in Saskatchewan achter haar dochter aan naar de boerderij was gekomen nadat zij, dat flirtgrage meisje dat bij de afrastering langs de weg op een man had staan wachten, hem op het meetpad staande had gehouden en hem had gevraagd of hij niet bij hen wilde komen eten die avond. Nettie vertelde me hoe ze die man die jonger was dan zij en ouder dan haar dochter, had bekeken, zijn handen die op de keukentafel lagen, de grote knokkels en de gloed van het haar op zijn vingers en handen, zijn rode krullen die nat van het zweet over de kraag piepten van het blauwe hemd dat ze hem gaf nadat hij zich aan de gootsteen had gewassen, een van de twee hemden van haar man die ze diep in de chiffonnière op de slaapkamer had weggeborgen.

Ze vertelde hoe ze er met haar handen om de rugleuning van een keukenstoel geklemd bij had gestaan terwijl hij zich waste, zijn blote schouders, de glans op zijn huid en de randen van geschroeid brons waar de zon zijn nek en polsen had verbrand, het tere rode goud van de haren die bij zijn middel boven zijn riem uit kropen. Nettie had zich ertegenaan willen vlijen, haar polsen, haar buik die zachtheid willen laten voelen. In de drie jaren nadat haar echtgenoot zich had verhangen en haar en haar jonge dochter Lillian alleen achterliet op de boerderij, had ze geen man aangeraakt, noch had een man háár aangeraakt. Haar dochter was nu zeventien en bracht haar voorjaars- en zomermiddagen aan het raam of bij de afrastering door met het meetpad af kijken dat van Prince Albert in het noorden naar Fort Qu'Appelle in het zuiden liep. Nettie had met haar rug naar dat raam gestaan, waaraan gordijntjes hingen van meelzakken die ze met wilgenbast en vogelkers oranje had geverfd. Ze vertelde hoe haar dochter aan de keukentafel naar de man zat te staren die ze mee naar binnen had gebracht. Nettie zei dat ze wist dat haar dochter vond dat zijzelf in die keuken de enige vrouw was, voor haar was haar moeder een dor blad, een vergeten steen. Allebei keken ze naar zijn blote rug en het haar dat als een pijl van nazomerse tarwe onder zijn bruine, doorgezwete leren riem door naar beneden wees.

Toen ze daar stond, zag ze haar dochter plotseling vrouw worden. Haar eigen behoefte broeide tussen haar benen.

Terwijl Nettie kalmeert en weer in gepeins verzinkt, schreeuwt Elmer tegen de grond, waardoor zijn verhaal tegen de wortels op botst. Hij begint weer over de zus die hij ten zuiden van het land waar de bomen niet groot worden achterliet, de moeder die hem nastaarde toen hij wegliep, wetend wat er zou gebeuren wanneer zijn vader wakker werd. Elmer zei niets toen ze hem een tas gaf met een homp brood van een dag oud, een knolraap, een pot met vijf eieren in het zuur en plakken gerookt hertenvlees dat ze had verborgen. In een voddige deken rolde hij een reservehemd en deed er drie vishaken bij, een op een stok gewonden hengelsnoer en het korte mes dat hij bij zijn slapende vader uit de riem had gehaald. De schede zat vol zweetplekken en de zoutlijn op het leer leek wel een meeroever. Wat viel er nog te zeggen, behalve dat hij weg moest? Op zijn wang prijkte in alle schakeringen blauw een bloeduitstorting van de onderhandse vuistslag die zijn vader hem had verkocht omdat hij was vergeten de hond vast te binden. Toen zijn vader het vee aan het ophokken was, had de hond de kudde opgejaagd en de helft van de stierkalveren was er in het schemerdonker vandoor gegaan en zou pas de volgende dag weer gevonden worden, en toen had die vuist nog eens keihard tegen de zijkant van zijn hoofd gebeukt, en Elmer maar tegen de hond roepen dat hij moest komen, alsof dat wat uithaalde.

De vuist was niets vergeleken met wat zijn vader drie uur later deed nadat hij een kruik zelfgestookte jajem achterover had geslagen, toen hij zijn zoon de stierenwei in sleurde en hem terwijl hij hem verrot schold een pak slaag gaf. Zijn zus Alice, naar wie ik genoemd ben, was de keukendeur uit gestoven en het stoppelveld over gerend. Ze smeekte haar vader om op te houden, maar hij wilde niet luisteren. Elmer ontdekte dat Alice weg was toen hij op zijn bed in de aanbouw achter het huis bijkwam. Zijn moeder was zijn wonden aan het schoonmaken. Zij wist waar Alice was, en Elmer wist het ook. Ze was waar hij haar altijd mee naartoe nam, achter de stal langs naar de lege graanschuur voorbij het spaarbekken.

Elmer had wakker gelegen in de aanbouw tot hij de eerste coyote hoorde huilen. De maan was verdwenen en de uren snelden op de dageraad af. Alice was nog niet terug, maar zijn vader lag te ronken achter het halve muurtje dat hun bed van de keuken afscheidde.

Wanneer laat hij haar gaan?

Hij fluisterde het tegen zijn moeder. Ze hurkte naast hem en zei dat hij zich geen zorgen moest maken, dat zijn zus er later op de ochtend weer zou zijn, als vader haar was gaan halen. Elmer staarde naar haar gekloofde handen toen ze hem zijn vaders oude laarzen gaf en een blikje waarin in de groeven nog een dun laagje leervet zat. Je laarzen goed verzorgen, zei ze. Onderweg zullen ze je voeten beschermen. Ze vertelde hem dat hij naar het noorden moest voordat hij naar het zuiden kon. Ga van de weg af, zei ze. Hij zal je proberen te vinden. Volg de beek. De beek gaat naar de rivier en de rivier gaat naar de mensen. Onthoud dat. Blijf stroomopwaarts gaan. De Saskatchewan River zal een woonplaats voor je vinden.

Hij vond de angst van zijn moeder en zus nog het meest angstaanjagend, hij kon er niet mee leven. Hij was bang dat die vrouwenangst op een dag op hem zou overslaan en hem zou beletten een man te worden. Hij was bang dat de angst in zijn binnenste zou groeien tot hij net als zijn moeder, net als Alice werd. Het kwam geen moment in hem op dat, nu hij de boerderij en zijn familie achter zich liet, zijn vader degene was die in hem zou groeien, als een mottenlarf in een appel die wacht tot het fruit rijp is voordat hij het hart opvreet.

Op de plek waar de afrastering in het noordwesten bij de weg kwam, was hij bijna van zijn pad afgeweken. Hij keek naar het donker waar hij naartoe ging en ving er tussen de westelijke wolken flarden van op, terwijl achter hem in het oosten de eerste, breekbare strook licht tevoorschijn kwam. Hij wist waar zijn zus was en bijna was hij afgeslagen om naar de schuur van elzenstammen bij het spaarbekken te gaan, maar hij kon het niet en hij wilde het niet. Hij wist wat hij er zou aantreffen en hij wist dat hij, als hij haar eenmaal had gevonden, iets zou moeten doen. Maar wat kon hij doen? Hij had het prikkeldraad opgetild en was er gebukt onderdoor gegaan, waarna de afrastering hem scheidde van wat hij wist. Zijn moeder had tegen hem gezegd dat hij maar één uur had om te vluchten voordat zijn vader wakker werd.

Hij zal het je niet vergeven dat je zijn mes hebt gepakt, zei ze.

Hij begon weer te lopen, de oude laarzen van zijn vader ruim om zijn voeten, de dichtgebonden deken over zijn schouder. Hij was dertien jaar en zou zijn leven lang niet omkijken.

Ik weet het, vader, ik weet het.

Vader was nog maar een jongen toen hij die eerste keer over de vlakten zwierf. Die zomer kwam hij in het zuidelijke heuvelland van Pincher Creek terecht, waar hij bijna een jaar in een verlaten plaggenhut woonde met een halfbloed indiaanse en haar baby. De vrouw was een uitheemser soort moeder, haar taal een mengelmoes van Stony, Chippewa en Frans. Toen hij verder trok, stal hij zijn eerste paard op een ranch in de buurt van Fort Macleod en reed onder de lentestormen uit naar het oosten, de Cypress Hills in, waar hij werk vond in het ranch- en graanbouwgebied van Palliser's Triangle. De grens zei hem niets, Saskatchewan en Alberta, de Dakota's, Montana, Idaho en Washington waren in zijn hoofd allemaal één land. Hij vond niet dat hij op één bepaalde plek thuishoorde. Hij was een zwerver die nooit ergens thuis was. Op zijn vijftiende zat hij in de zuidelijke Badlands, waar hij bij de Missouri River in een grot schuilde en met bossen vetbraam en alsem de sneeuwstormen buiten hield. Hij woonde er één winter, joeg er op wolven met een gestolen jachtgeweer en verkocht de huiden in Havre. In de lente trok hij langs de Old Man On His Back naar de Frenchman River bij Eastend, waar hij in de zomer bij het spoor aan de slag kon. Later was hij cowboy op de McKinnon-ranch en werkte hij als dorser bij Medicine Hat en Olds, tot hij ermee kapte en weer de baan op ging. Hij werkte dan hier, dan weer daar een seizoen, ging van boerderij naar ranch, van dorp naar stadje, Sweetgrass, Climax, Wolf Point en Cut Bank; een ongebonden zwerversbestaan voor zo'n jonge jongen. Hij was een 'stopper' die in zijn eentje kwam aanrijden en een dag of een week werkte in ruil voor een schuur om in te slapen en voer voor het paard dat hij met een ruilhandeltje had gekregen of gestolen.

Het jaar erna beulde hij zich van zonsopgang tot zonsondergang af op de velden in een woestijnkamp op de terrassen langs de rivier bij Walla Walla, ten noorden van Grand Coulee. De arbeiders mochten om de vier uur pauzeren en zochten dan in de luwte van de uienwagens het beetje beschikbare schaduw op waar ze hun karige maal aten en onderling een drinkbusje doorgaven dat in een van de emmers was gestoken die de waterdraagster, de oude Albertine One-Time-Song, met haar juk beneden in de rivier was gaan vullen. Vader zat een eindje bij de mannen, vrouwen en hun nieuwsgierige kinderen vandaan. Hij was jong genoeg om op zijn hoede te zijn als ze aardig waren, want hij wist dat de vriendelijkheid waarmee de vrouwen hem op het eerste gezicht bejegenden hooguit een seizoen, een dag of zelfs maar een uurtje meeging, en dat de mannen jaloers waren op iedereen die dicht in de buurt probeerde te komen van wat van hen was. Vader wist genoeg en hield zich afzijdig van het armoedige, opgelapte boeltje van de indianen en daklozen die op de velden werkten voordat ze het jaar afsloten door voor de herfstoogst naar de stroomopwaarts gelegen fruitgebieden te trekken.

Overdag was het goed te doen, maar in het donker was hij een behoedzaam slaper, want je wist maar nooit wie er rondsloop om hem te grazen te nemen. Toen op een nacht de eerste kou uit Canada kwam aangekropen, sjokte hij met zijn deken en plunjezak naar de wagen waarin Albertine en haar man, Seymour Dubois, sliepen. Met tot zijn borst opgetrokken knieën ging hij opgerold in zijn deken bij de kooltjes van hun uitgaande vuur liggen. Klaar-wakker lag hij naar twee schorpioenen te kijken die uit het zand kwamen om op het randje van een gloeiende steen te dansen, toen Dubois uit zijn donkere wagen kwam en tegenover hem ging zitten met een deken om zijn schouders en zijn vettige hoed diep over zijn voorhoofd. Zijn ogen kon Elmer niet goed zien, alleen de licht-jes die erin glinsterden, een mica-achtige glans die onder zijn zware wenkbrauwen flakkerde. Elmer had de afgelopen week naast Dubois uien in zakken staan doen en vertrouwde hem genoeg om niet te verkassen naar waar hij eerst had gelegen, in de kou tussen de alsem. Dubois sprak uit de gloed van zijn baard, met rochelende stem.

Lijkt net of ze dansen, zei Elmer.

Dat is geen dansen, zei Dubois.

De schorpioenen draaiden met opgetilde poten en omhoogge-stoken, gebogen staart om elkaar heen; het licht van het vuur weer-kaatste in hun stekels. Na een hele poos draaien stortten ze zich op elkaar, scharen grepen poten vast en de staarten stootten toe, ter-wijl ze een opening probeerden te vinden in elkaars pantser. Het gevecht duurde maar een paar minuten, toen stak de grootste de kleinste, degene die doodging strekte zijn poten en de opgeheven krul verdween uit zijn stekelige staart. De grote schorpioen wilde de dode naar de beschutting van een platte steen slepen, maar Dubois duwde hem met een stokje opzij, pakte het dode beest en gooide het op de kooltjes van de vuurplaats. Zonder iets te zeggen draaide hij een sigaret en Elmer zag het schorpioenenlijf in de nie-tige vlammetjes openbarsten.

Vader trok naar Montana in het oosten. Het was begin jaren twintig en hij zou zich deze tijd herinneren als de beste jaren die hij had gekend, toen hij de rodeocircuits af ging en in al die stadjes in het westen een paar dollar opstreek door in het zadel te blijven. Als je hem dronken genoeg kreeg, vertelde hij over een paard waar hij op had gereden dat Devil's Child heette. Waar zat hij toen, in Fort Qu'Appelle? *Wie roept daar?* Een stad die een vraag was zonder antwoord. Vader zei dat die rodeo aan alle kanten rammelde, maar wat wilde hij daarmee zeggen? Net zeventien was hij en klaar voor het heldendom, toen hij op een afgetobde merrie die hij buiten de stad had opgepikt uit Chocteau was gekomen. Hij zag uit naar een kans om te schitteren en toen ze hem naar zijn bijnaam bij de rodeo vroegen, kwam hij met The Chocteau Kid op de proppen, want hij wist dat goede rodeorijders zulke namen hadden.

Hij zou zich altijd het paard herinneren waarmee hij de rodeo won, Devil's Child, en zoals die hengst onder hem sidderde, de huivering wanneer hij zijn hand op de paardenhals legde. Hij kon de siddering horen, het paard sprak met zijn vel voor ze het hek opendeden en hen lieten gaan. Met zijn zeventien jaar bleef hij tien seconden in het zadel op het paard dat dat seizoen iedere berijder had afgeworpen, en iedere man op de tribune wilde hem zijn en het net als hij tegen de tijd opnemen.

Tien Amerikaanse zilveren dollars die hij die avond allemaal in de kroeg uitgaf, pakweg twee uur een held terwijl hij rondjes gaf voor de hele zaak en de boerenmeisjes aan zijn armen hingen, en de volgende ochtend het Rambler Café, eieren met spek, aardappels en brood en de kop koffie die hij met zijn trillende handen amper kon vasthouden, en de serveerster die hem gratis bijvulde omdat ze dacht dat hij een cowboy was die het niet meezat. Hij verkocht zijn merrie uit Montana voor een appel en een ei en nam de bus naar Alberta, achter de rodeopaarden aan en werd eerste op de Calgary Stampede toen hij weer Devil's Child trok en hem volledig afreed. Hij logeerde drie nachten in het Palliser Hotel, waar hij in zijn kamer op de bovenste verdieping meisjes bereed wier namen elke ochtend op de bodem van de fles waren achtergebleven.

Elmer kende de kleur van het land in al zijn stemmingen en voelde het drukkende gewicht van de South Saskatchewan River met zijn machtige bruine maalstroom. Hij bivakkeerde een winter in een verlaten hut bij de Qu'Appelle-meren, sloeg zijn kamp op in de ravijnen van de Badlands en in de woestenij aan de rand van de Great Sandhills. Hij hoorde de roep van de duiker en zag de sneeuwganzen op de modderplassen neerdalen, de talloze canadaganzen en wulpen die vanuit de lucht op de verlaten prairiemeren neerstreken. Of de formaties nu noord- of zuidwaarts trokken, V na V kwamen ze roepend omlaag tot al die lijven het water zo belastten dat hij dacht dat de meren boven de aarde uit zouden stijgen en het land voorgoed zouden overspoelen. Hij had het stof over de vlakten zien trekken, een zandwal van een paar honderd meter lang over de velden zien bewegen. Hij maakte de droge jaren mee. Soms leek het of hij alleen over het stof en de wegen praatte.

Begin november was vader opnieuw in Turner Valley. Hij reed op een kreupel paard en zag de sneeuwganzen in het verkeerde seizoen tussen de sneeuwstormen door naar beneden komen. Het kolossale ravijn in Alberta was één gigantische vlam waaruit zwarte wolken opstegen, het was hartje winter in de bergen, maar het land zag groen terwijl in het ravijn zwartgeblakerde mannen de olie affakkelden. Het bordeel van Mary Bellman in het naburige Dogtown werd een halfjaar lang zijn onderkomen. Wanneer hij niet bezig was om van centen en stuivers één dollar te maken, werkte hij er parttime, veegde de vloeren, haalde hout en ging naar deze of gene kroeg om voor de dames whiskey te halen. Zijn lievelingshoer was Eloise, een meisje met lang zwart haar en een gulle lach. Ze had hem in het begin ermee geplaagd dat hij eigenlijk nog geen man was, geen echte, en ze had hem nijdig gekregen met die lach van haar en de andere meisjes waren met de grap mee gaan doen en zeiden: *Wat ben je toch een knappe jongen* en noemden hem Lekkere Rooie en vonden het prachtig dat ze hem met hun losse zeden aan het blozen kregen, hij werd al knettergek van de aanblik, hoe kort ook, van Eloises blanke borsten, hij wilde ze aanraken en had niet genoeg geld om een poging te wagen. Mary werd kwaad op hem omdat hij te veel bij de meisjes rondhing en hij moest van haar weer aan het werk, doen wat ze hem had opgedragen, een vloer vegen, afval naar de vuilstort brengen, flessen bezorgen bij de mannen die in de kamers boven met hun hoer dronken wilden worden voordat ze teruggingen naar hun werk op de gasvelden of naar de pensionkamer, de tent of het teerpapieren krot waar ze woonden. Als ze geen onderdak hadden, liepen ze het hele eind terug naar Turner Valley, waar ze zich in het ravijn zo dicht mogelijk bij de brandende olie op Hell's Half Acre in een deken rolden en winter en zomer wakker werden van de ganzen en eenden die er het hele jaar door waren om het gras te vreten dat niet doodging, al vroor het op de prairie dat het kraakte. Mary Bellman beloonde hem die zomer door hem één zondagavond met de wilde Eloise te gunnen. In de vale dageraad zei ze dat ze er met hem vandoor wilde, maar na een ontbijt van kaantjes en cornedbeef pakte hij zijn bundel en ging weer terug naar Calgary voor de Stampede en omdat hij daar kans maakte om als berijder van ongezadelde paarden geld te verdienen.

Vader, The Chocteau Kid, zat weer in het circuit.

Het duizelt me als ik aan zijn vertelsels terugdenk.

Maar wat betekent de getuigenis van een vader voor een dood kind? Wat school er achter zijn woordenvloed? Zijn verhalen waren avonturen, geen bekentenissen, niet zijn leven.

Door de lucht dwarrelt een blad naar beneden. Het drijft mee op de herfststroom van Cheater Creek. Keien die in de loop van de tijd door het water zijn aangevoerd, liggen overal verspreid onder de kleiwanden voorbij de brug. De weinige regen en de door de vallei heen razende wind vreten de klei weg en de beek knabbelt aan de voet van het klif, en uit de groeven schuift het gletsjergruis naar beneden. Tussen de rotsen volgt het blad de stroom en een bruine golf gooit het in een door stenen omgeven kolk. Het water stroomt er rakelings langs en het rondtollende blad raakt het snellere water, de gerimpelde rand draait terug en kringelt rond, het blad is een bootje dat in de val zit. En zoals dat blad is zijn leven.

Ik heb vaak, veel te vaak aangehoord hoe hij aan de bar in LaBret hoorde praten over de boerenvrouw met haar eenzame dochter. Een dronken zwerver vertelde hem dat haar echtgenoot zich in een schuur had verhangen. Het was het oude liedje, de vrouw die toen ze buiten kwam haar man door de lucht had zien marcheren en bij het lossnijden zijn gewicht tussen haar armen door had laten vallen. Hij had het vaak gehoord indertijd, zo vaak dat hij dacht dat elke schuur, elk huis waar hij langskwam wel een verhangen man had en elke vijftig bunder van de Dakota's tot Alberta een eenzame vrouw. Er was altijd een dochter die 's nachts in een smal bed met haar hand tussen haar benen lag te fantaseren over de man die haar kon verlossen van het varkens voeren en eieren rapen en van het melken van de koeien die ze ooit hoopte te bezitten, een tanige, hongerige knecht die met zijn armen op een omheining geleund naar haar glimlachte wanneer ze voorbijkwam.

Hij hoorde het verhaal en de grappen. Ken je die van de boerendochter? Mannen die bier dronken en lachten. In elke bar was het hetzelfde, iemand die in zijn eentje zat, gezelschap zocht. Na een paar biertjes hadden ze hem verteld over de boerderij bij Nokomis en de vrouwen die daar alleen woonden.

Waarom had hij het verhaal geloofd? Waarom was hij met een langskomende vrachtwagen meegelift, en waarom was hij uitgestapt op het punt waar de weg in oostelijke richting naar Nokomis afboog? Waarom reed hij niet het hele eind mee naar Prince Albert? Of naar Saskatoon? Daar had hij naartoe willen gaan. Hij had gehoord dat hij daar werk kon krijgen op de bruggen. Waarom was hij daar dan niet naartoe gegaan? Hij zei dat een man van nature op de misère af gaat en dat dat altijd een vrouw is. Hij zei tegen me dat hij het niet wist.

Wat is er gebeurd, Elmer?

Ze heeft me behekst, zei hij. De dag dat ik haar daar zag, heb ik mijn verstand verloren.

Ze stond bij de bocht van het meetpad, precies zoals de zuiplap in de bar in LaBret had gezegd. Ze stond bijna naakt in een flodderjurkje naast de prikkeldraadafrastering met haar dat alle kanten op waaide en hij liep achter haar aan naar het huis. Soms liep ze achterstevoren en vroeg hem waar hij was geweest en wat hij had gedaan. Ze zei dat ze ooit een danseres zou zijn. Een keer draaide ze op haar blote bruine voeten om haar as, terwijl ze tussen hem en de zon in stond. Hij zag haar lichaam in de witte katoenen jurk, de lijn van haar jonge borsten, de donkere plek bij haar kruis. Lillian wist wat hij zag toen ze daar op haar tenen ronddraaide.

Nettie, haar moeder, was binnen brood aan het bakken. Toen hij hen allebei in de keuken zag, wist hij dat ze naar een man snakten en hij wist dat hij hen allebei goeddeed, tot de dochter hem op een dwaalspoor bracht met haar gepraat over dat de boerderij van hem zou zijn en met haar kruis dat net zo rijkelijk geurde als geplet, pas gemaaid hooi. Nettie en de boerderij had hij zo kunnen krijgen, maar niet hen allebei. Uiteindelijk niet.

Lillian wist dat, jong als ze was. Ze wachtte op hem in het veld achter de schuur en deed onverschrokken en ongeremd haar jurk omhoog. Hij zegt dat zijn hersens indertijd tussen zijn benen zaten. Hadden ze ooit ergens anders gezeten? Maar hoe had hij indertijd iets verrukkelijks als zij kunnen afwijzen? En het was een goede boerderij. Hij wist dat hij er ongeacht de droogte een mooi bedrag voor kon krijgen.

Het touw dat haar vader had gebruikt, hing nog altijd aan de balk. Het mocht er niet af van Nettie. Aan de kant waar ze haar man had losgesneden, hing het er uitgerafeld bij als een dot antilopehaar die aan het prikkeldraad was blijven zitten. Nettie vertelde hem dat haar man dezelfde kleur haar had gehad. Elmer dacht dat ze het daarom had laten hangen. Hij zag het bewegen in het briesje dat door de open deuren kwam. Het schommelde daar alsof het op de volgende man wachtte die zich kwam verhangen. Hij vertelde me dat hij de nacht dat het touw in het blauwe vuur danste had moeten vertrekken, toen er een onweer overtrok en de bliksem op spinnenpoten over het land liep en de donder rusteloos rommelde.

11

Tom ging vlak na halftwaalf weg bij de bar, reed terug naar Priest Valley Road en nam de met bomen omzoomde afslag naar de open plek en het huis van de oude man. Hij reed er met gedoofde lichten heen. Voor het huis stond een gehavende houttransporttruck met de voorkant op blokken en met oude kabels die in roestige spiralen van de opstaande staken naar beneden hingen; hij leek in geen jaren van zijn plaats te zijn geweest. Tom parkeerde tussen de truck en het huis. Boven de luifel bij de winkeldeur van Jim Garofalo brandde één zwak lampje, verder was alles donker toen hij erlangs reed.

Tom staarde door de voorruit naar het huis van de oude man, één woonlaag met alleen een vliering onder het lage dak. In een van die kamers lag een lijk. Hij luisterde, maar behalve de krekels hoorde hij niets. Hij zag in gedachten Harry de koffer van de Coupe opendoen en een hamer uit zijn gereedschapskist halen, met naast hem Eddy die Lester Coombs' pistool vasthad. Hij kende het gevoel van macht dat zijn broer moest hebben gehad toen hij dat pistool vasthield. Het was er een voor de korte afstand, een werktuig om een verminkt dier, een mens mee te doden. Vader had hem en Eddy bij Cheater Creek weleens een Enfield laten proberen toen ze klein waren. Hij leerde hen schieten en ze hadden het wapen met twee handen moeten vasthouden, zo zwaar was het geweest. Toen hij het enorme pistool afschoot, wist hij meteen waar zo'n wapen voor diende. Hij richtte het op de cirkel die vader met krijt op een verlaten keet had getekend en de stalen greep lag als een vuist in zijn handen. Toen de terugslag hem achteruitwierp, voelde hij wat John Wayne moest hebben gevoeld toen die een vijand uitschakelde. Hij wist nog hoe graag Eddy ermee had geschoten en hoe kwaad zijn broer was geweest toen vader het in de bar van het oud-strijderslegioen bij een potje kaarten was kwijtgeraakt.

Zachtjes opende Tom het portier. Hij wist dat Eddy Harry als eerste naar binnen had gestuurd om de boel te verkennen en de risico's in te schatten. Wat er daarna was gebeurd, was giswerk, en terwijl hij naar de bekraste voordeur staarde, kon hij het schot van de oude man horen, een krakend geluid van zo dichtbij dat het de nacht aan stukken reet. Hij staarde naar het huis en meende dat hij iets hoorde vallen, iets hoorde breken, en uit een van de kamers klonk de stem van zijn broer, zijn uitroep: Eikel dat je bent! Eikel!

Er liep een vos door het hoge gras bij de hoek van het huis. Tom rook de rauwe geur van het dier en zag de bronzen staart achter een warrige bos alsemtakken verdwijnen. Hij pakte de zaklamp uit het handschoenenvakje en knipte hem aan, een zwak schijnsel, de batterijen waren bijna leeg. Hij liep bij de vrachtwagen vandaan, keek tussen de bomen door naar de verlaten weg en ging naar de achterkant van het huis. Op de trap struikelde hij over een kromgetrokken plank en in zijn val schoof hij met zijn linkerhand over de vloer, waarbij hij zijn handpalm aan een kopspijker openhaalde. Kut, mompelde hij en hij balde vlug zijn vuist.

De deur stond op een kier en Tom haalde diep adem. Maar hij was niet bang voor wat hij zou aantreffen. Hij had wel vaker lijken gezien, paarden, beren, elanden en herten. Hij had zijn eigen vader gezien. Hij ging naar binnen en deed de deur achter zich dicht. De keuken rook naar een oud boek dat te lang in een vochtige ruimte had gelegen, de schimmelgeur bleef in zijn keel steken en hij kreeg een verstopte neus. Zijn voeten tastten over het gebarsten linoleum in de schuine stroken maanlicht die door de ruiten naar binnen vielen. Op tafel stond een bord met twee afgekloven koteletten, een uitgeschraapte aardappelschil en drie zwarte erwten in een plasje gestold vet. Naast het bord stond een flesje Old Style waarin op de bodem een paar verdronken vliegen dreven. Hij pakte een theedoek, wikkelde die stevig om zijn hand en legde er met zijn tanden een knoop in. Hij keek naar de grond. Overal spinrag en stof. Tom liet zijn lamp over de vloer schijnen en merkte bij de deur een koperen glinstering op. Hij raapte het ding, een patroonhuls uit een jachtgeweer, op en stak het in zijn zak. Eén kogel dus, afgevuurd toen Eddy en Harry in de gang hadden gestaan.

Zijn ogen volgden de zwakke lichtbundel door het vertrek. Hier waren Eddy en Harry binnengekomen. Hij keek door de gang naar waar de slaapkamer moest zijn. Ze waren naar de plek toe gegaan waar volgens hen het geld was. Hij zag zijn broer met het pistool gebaren en ermee naar het donker wijzen.

Hij liet het lamplicht over het roestige fornuis en het aanrecht glijden, waar de zwakke bundel de vuile vaat verlichtte, en liep om de ijskast heen naar een deur waardoor hij naar binnen ging. Zijn zaklamp scheen op een fauteuil bij een raam in wat blijkbaar de woonkamer was. Als Tom hier had gewoond, zou hij daar hebben gezeten, met vrij uitzicht op de oprit zodat hij iedereen vanaf de weg kon zien aankomen. Misschien had de oude man hier zitten dutten toen hij de auto's hoorde, of misschien was hij wakker geworden toen hij iets bij de achterdeur hoorde. Toen had hij het geweer gepakt, tenzij hij het al bij zich had. Maar waarom had hij niet geroepen toen hij hen hoorde? Misschien had hij zich wel opgelucht gevoeld toen ze binnenkwamen. Misschien had hij deze inbreuk wel gewild, de droom van een oude man die wraak wil nemen op een wereld die zich niets van zijn sores aantrekt.

Tegen de muur aan de andere kant van de kamer stond een groene bank met kale plekken op de pluchen armleuningen en een houten tafel waar een geschilferde luipaardlamp op stond. De robijnen roofdierogen flitsten rood op toen de zaklamp langskwam. Om de fauteuil heen lagen stapels oude tijdschriften en op het bijzettafeltje stond naast een verfrommeld pakje Sportsman een asbak vol peuken. De kamer stonk naar vader, dezelfde ongewassen, ranzige walm, goedkope tabak, bedorven lucht uit slechte longen, een rokersadem. Er stond een ijzeren kachel met voor het luchtrooster een askegel op de bodem. As die er sinds het voorjaar moest hebben gelegen, toen de kachel voor het laatst had gebrand.

De kamer leek in geen jaren te zijn schoongemaakt. De oude man had er dag en nacht in zijn eentje gezeten, zijn huis als een lijkwade om hem heen. Tom kneep zijn ogen dicht, deed ze langzaam weer open en liep door de keuken terug naar de gang, achter de zaklamp aan die telkens even de kamers verlichtte. Een ervan was volgestouwd met vergane kartonnen dozen, weggegooide kleren en stapels oude kranten en tijdschriften, een andere was leeg afgezien van een stapel serviesgoed in de hoek, naast een beschadigde kast waarvan de laden onder een raam boven op elkaar stonden. Aan de bovenste la hing een grijze werksok met een gat in de teen. Daarna volgde een badkamer met een gore wc, een gebarsten wastafel en een druppende kraan. In de kast halverwege de gang hing alleen een dameswinterjas op een verbogen hangertje. Motten fladderden in de lichtbundel.

In de kamer achterin stond een bed met verkreukelde lakens en een kussen dat tegen het hoofdeinde steunde. Een versleten deken lag deels onder het bed op de vloer. Iemand had het bed naar voren getrokken, waardoor het scheef tegen de achtermuur stond. De oudemannenlucht was alomtegenwoordig. Vader kwam erdoor tot leven, en hem wilde Tom al net zomin hier hebben als zijn broer.

Aan de muur hing een foto in een bewerkte houten lijst. De afdruk was achter het glas naar beneden geschoven. Een man en een vrouw poseerden naast een A-Ford. De vrouw droeg een jurk waarop kraaltjes geborduurd leken en in haar haar, dat aan de zijkanten naar achteren gekamd was, leek olie te zitten. Ze droeg een halsketting met in de schakeltjes glinsterende juwelen en één steen was groter dan de rest en hing als een traan boven de aanzet van haar borsten. Haar flirterige oogopslag pretendeerde een wildheid die alleen voor hem was bedoeld. De pose van de man, met de armen gekruist voor de borst, gaf aan dat het allemaal zijn eigendom was: de vrouw, de auto, het grind onder zijn voeten, zijn knuisten, zijn achterdochtig toegeknepen ogen. Achter hen strekte het vlakke land zich uit in de richting van een hevige stofstorm die zich als een rafelrand over de zon liet vallen. Moeder had van haar ouders net zo'n foto. Ze was nog maar een kind op die opname, een klein meisje naast haar moeders lange jurk, het wijkende land, de lege of vrijwel lege blikken. Ze stonden met zijn drieën op de boerderij bij Nokomis, ver benoorden de onherbergzame woestheid van Dakota en Montana, achter hen stak het houten huis waar moeder was geboren nietig af tegen de lucht. De foto aan de muur stelde ongetwijfeld de oude man voor, maar dan jonger, en de vrouw naast hem was vast zijn echtgenote, die toen nog leefde en nu dood was of gewoon weggegaan. De man en de vrouw op de foto waren voorgoed verdwenen. Het enige wat er overbleef was deze foto aan de muur of andere foto's in een of ander boek, in een weggestopt album, het verleden teruggebracht tot stukjes in beslag genomen geheugen, niets dan starre beelden die aan andere tijden deden denken en de oude man des te bitterder stemden wanneer hij zag wie hij ooit was geweest en wat hij was geworden.

Hier heb je gedroomd, dacht hij en hij deed de zaklamp uit en ging op het bed liggen, met zijn hoofd in de holte die in het kussen was blijven zitten. Tom keek met de waterige ogen van de oude man en haalde zich een andere foto voor de geest, twee kinderen en een vrouw die tussen de lage heuvels op een kleed op het strand van een modderige zoutpoel zaten. De kinderen, jongens, droegen gebreide badpakken die met een katoenen ceintuur om hun middel waren geknoopt; Eddy en hij hadden als kind precies dezelfde gehad. De jongens hadden blote benen en blote vogelborstjes. Ze glommen van het schuimende zout. Ze lachten opgewonden omdat ze op de foto gingen. De ogen van de vrouw leken op hun hoede terwijl ze naar de camera keek. Toen Tom daar zo lag, had hij het gevoel dat hij een zaadje was dat rondzwom in de oude man, de woede die hij had gekoesterd jegens een wereld die hem naar zijn idee onrecht had aangedaan. De razernij woedde in zijn binnenste om wat die man hen allemaal had aangedaan, zijn vrouw, die jongens, hem.

Hij vroeg zich af wie de foto had gemaakt, van dat kale keienstrand zonder struik of boom en nergens een sterveling te bekennen behalve zij. Maar iemand had hem gemaakt, een onbekende misschien, een jongen die op oude laarzen en sjofel gekleed kwam aanlopen met onder in zijn vormeloze plunjezak alleen wat bultige aardappelen en een half opgeknaagde knolraap die tegen zijn magere rug bonkten. Een jongen zoals zijn vader was geweest, eentje die voor een paar centen de boxcamera vasthield en in de zoeker keek, die met zijn vinger in een oogwenk de knop indrukte en daarna weer verderging, zoals zijn vader dat moest hebben gedaan toen hij over de uitgestrekte vlakten zwierf.

Hij herinnerde zich een van de weinige verhalen die zijn vader hem had verteld. Het was er een over een vrouw met een klein meisje, iemand die een paar maanden een oogje op hem had gehouden toen hij een jonge jongen was. Had hij met hen in de buurt van Drumheller of in Medicine Hat gezeten? Of hadden ze nergens gewoond, alleen over de wegen rondgezworven en gebedeld bij passerende vrachtwagens en boerenkarren of aan de achterdeur van de boerderijen? Hij wist niet meer of zijn vader daar iets over had gezegd. Hij had wel gezegd dat ze hem rammelend van de honger had gevonden toen hij in elkaar gedoken naast de taaie twijgen van een alsemstruik aan de Old Man River zat, een vrouw met mannenlaarzen aan en een kind dat achter haar aan sjokte. Eenmaal bij haar vuur onder de richel van een sneeuwgeul had ze hem gedroogd paardenvlees te eten gegeven en de helft van een enorme wortel en twee rauwe sneeuwhoeneieren die hij door de gaten die ze er met haar pinknagel in had gemaakt uitzoog. Het was voor het eerst in lange tijd dat hij vlees of eieren at. Hoe oud was vader toen? Tom wist het niet en hij wist al evenmin hoe lang vader met haar had gereisd, alleen dat hij op een nacht de paar munten had gepikt die de vrouw heimelijk in haar leren tasje had weggeborgen en er toen in het donker vandoor was gegaan om pas in Fort Macleod weer op te duiken, waar hij de rodeostallen schoonmaakte en een dollar verdiende door een ingevet varken te vangen, en de mensen om hem moesten lachen toen hij het gillende beest naar de jury bij het hek in de omheining droeg. Verhalen die alleen betekenis hadden zolang ze werden verteld, en dan nam vader nog een paar slokken uit zijn fles zonder het verhaal verder af te maken, terwijl Tom erbij zat, zijn vingers verstrengeld en een en al oor.

Tom veerde op van het kussen en toen hij met een zwaai zijn voeten op de grond liet neerkomen, voelde hij niet meer alleen de dunne wol van de deken onder zijn schoen. Hij schoof de deken met zijn voet opzij en zag een hand met gekromde vingers. Hij kwam overeind en duwde het bed helemaal tegen de muur aan. De oude man lag op zijn zij met een vuist tegen zijn borst en de andere arm gestrekt. Het bloed dat over de zijkant van zijn hoofd was gestroomd vormde een plasje waar hij met zijn wang in lag.

Toen werd er nog een keer geschoten, het daverde door de kamer en Tom hoorde blote voeten bewegen, het geluid van een pal die werd verzet, geolied staal dat *snik-snak* naar achteren werd getrokken om een gebruikte huls uit te werpen en een andere in de sleuf te duwen. Hij zag Harry in de hoek wegduiken, terwijl de man de gang door liep en vanaf de drempel blindelings de kamer in schoot. Daar had hij gestaan toen zijn broer hem neerschoot.

Nee, zei Tom, niet bij machte iets te verhinderen.

De man stond daar als verdoofd met het omlaag gezakte geweer ter hoogte van zijn middel, terwijl zijn hand nog steeds bewoog, de gebruikte huls uitwierp. Tom zag hoe de versleten hand van de kromme vingers tot de pols beefde. Zijn bloed bubbelde in de grijze stoppels naast zijn oor en zijn verkrampte kaak.

Vader.

Moeder had niets tegen Tom gezegd toen ze naar de put was gekomen nadat zijn hond die herfstnacht was gedood. Ze was niet kwaad, ze gaf geen straf. Waar het haar om ging was dat hij vader moest verbergen. Er mocht niets meer van hem te zien zijn. Ze zei dat hij een graf voor hem moest graven en ze sleepten hem naar de boomgaard. Hoe gruwelijk was het toen Eddy en hij dat lichaam met zoveel moeite door het gras zeulden? Vaders dodelijk vermoeide hakken trokken twee voren in de grond terwijl Eddy aan de ene pols sjorde en hij aan de andere. Bij de appelboom waar de graven van zijn zusjes lagen, liet Tom zich op handen en knieën zakken en staarde in vaders schedel. Vaders gedachten, als hij die had, lagen te diep verborgen om wie dan ook te redden.

Ze zeggen dat de hersenen langer leven dan de tong, zei Tom nu hardop. Net alsof hij aan zichzelf een mysterie uitlegde. Net als haren, dacht hij. Moeder zegt dat na het doodgaan de haren blijven groeien. En toen zag hij vader in zijn graf liggen met haren die als dunne wortels de grond in groeiden en de mieren en kevers verzamelden de stukjes hersenen waar het gras bij de put vol mee lag en ze namen zijn gedachten mee naar hun gangen waar zijn vaders dromen de regenwormen voedden.

Hij sprak tegen zijn vader. Hij had hem vast en zeker gehoord, hoewel zijn woorden louter trillende uitademingen waren, een verhaal dat werd verteld tegen het deel van vader dat zijn rechterarm bewoog, een ander tegen het deel dat zijn ogen, zijn handen, zijn longen bewoog. Eddy had met zijn rug tegen een appelboom gezeten en de manchetten van zijn overhemd opgerold. Tom had het graf gegraven. Het was geen schaamte die hem voortdreef, maar angst. Hij wilde hem weg hebben. Hij wilde niet dat hij terugkwam.

Waar was moeder? Was ze weer naar binnen gegaan of was ze in de tuin, tussen de stengels en ranken van de pronkbonen die tegen de zomermais op klommen? Hij hoorde het praten van de groeiende mais, het knarsen van het natte zand in de bladeren. Of schonk ze wachtend op hun terugkeer aan de keukentafel een glas whiskey in? Waar dacht ze aan, vader dood, de stilte om haar heen, haar hand op een jonge maiskolf, de rooksmaak van de whiskey in haar mond. Of lag ze op bed in haar kamer, het eerste uur van een volgend, ander leven?

Stilte is soms een heel universum. Het is iets kolossaals dat je zonder pijn binnenhoudt. Tom herinnerde zich dat hij naast zijn vader op het droge gras zat. Eddy was naar buiten gekomen en had Tom aangeraakt. Het was het liefkozende gebaar dat een meisje zou maken als ze benieuwd is naar wat een jongen denkt, een aanraking die hem vraagt de verte waar hij zich bevindt te verlaten en weer op de wereld terug te komen. En toen hij er weer was, zei Eddy tegen hem dat hij moest vergeten wat hij had gedaan.

De oude man staarde met wijd open blik naar het raam. Hij keek naar wat van hem was, een verwilderde boomgaard, een oprit met diepe voren, een onbekende auto onder de appelboom, de zijkant van zijn truck, de streep roest op het rechterportier, die ene kapotte koplamp die hij al twee jaar had willen repareren, en in het stoffige gras er vlakbij de ribbenkast, wervelkolom, hoeven en het gewei van een hert dat hij in de lente had geschoten, en aan de andere kant van de vallei reikten de bruine heuvels naar een afnemende maan waar ze nog net niet bij konden.

Tom zag Eddy zich met het pistool in de hand over het lichaam van de oude man buigen, terwijl de geweer- en pistoolschoten wegstierven tot een nagalmend gejammer. Wedden dat Eddy dacht dat het niet opviel, wat geknal aan de rand van de stad? Een in een lichtbundel gevangen hert dat zich aan de op de grond gevallen appels te goed deed, een coyote die op rattenjacht het huis te dicht was genaderd, nachtelijke voltreffers waren dat. Iedereen die 's nachts in de verte hoorde schieten, draaide zich nog eens lekker om in bed. En Harry bedekte het lichaam met een deken, trok het bed van de muur om het te verbergen en doorzocht daarna sissend van opwinding de ladekast, met een witte pil tussen zijn tanden geklemd.

Tom knielde op de grond naast de oude man. Er zat een houtsplinter in zijn neusgat, een klein, perfect voorwerp, een minuscuul achtergebleven boompje dat rechtop op de kale vloer stond. Om de stam van de houten naald zat een pluk neushaar gedraaid. In het gat waar de kogel de slaap van de man was binnengedrongen welde een klodder bloed op. Hij lag met een voet op de andere en Tom zag het harde oranje van de voetzool. Er zat een maanlandschap van scherpomlijnde eeltknobbels onder zijn voet en in het gegroefde hoorn van de kromgegroeide groteteennagel zaten kliffen en dalen vol vuil.

Hij stond op en zocht naar het geweer, dat hij noch in de slaapkamer, noch in een van de andere kamers vond. Het licht van de zaklamp danste over de vloer terwijl hij naar de andere huls speurde. Er moest er nog een zijn. Op handen en knieën vond hij hem eindelijk in een hoek. Hij deed hem bij de andere in zijn zak en het koper tinkelde als een belletje. Hij wist niet of het pistool dat Eddy had gebruikt hulzen uitwierp. Hoe goed hij ook keek, hij vond er geen.

Hij hoorde buiten een vrachtwagen langsrijden. Ineens kreeg hij haast en holde de gang op om met trillende handen een handdoek uit de badkamer te grissen. Toen hij het hoofd optilde, welde er in het gat een klodder bloed op, die daar stolde. Hij wikkelde het hoofd in de handdoek en trok een kussensloop over het gezicht. Daarna rolde hij het lichaam in de lakens en de deken, en bond de boel bij elkaar met slagerstouw dat hij in een keukenla had gevonden. Hij trok het strak aan rond de enkels en liet de voetzolen onder de knoop uitsteken. Hij wilde het achter de rug hebben. Hij ging naar de keuken en kwam terug met een paar natte lappen, waarmee hij de vloer zo goed en zo kwaad als het ging schoonmaakte en die hij daarna vuil en wel in de lijkwade propte. Toen sleepte hij het lichaam door de gang naar de veranda aan de voorkant. Voorovergebukt liep hij met de zaklamp terug om zich ervan te vergewissen dat er in de gang geen bloed meer lag, en daarna liep hij de veranda op en deed de voordeur achter zich dicht.

Hij reed de vrachtwagen achteruit naar de verandatrap, zette de motor af en bonkte met het lichaam de treden af naar de laadruimte. Nadat hij het hoofd en de schouders op de achterklep had getild, worstelde hij onhandig met de heupen en benen tot hij ze er eindelijk in gesjord kreeg. Het lichaam was zwaarder dan hij had gedacht. Hij sloot de laadklep, bedekte het lichaam met het afdekzeil dat achter de achterbank lag en stapelde daarbovenop een berg takken van het sprokkelhout dat hij bij de hoek van het huis had zien liggen. Met zijn bonzende gewonde hand stevig gebald stapte hij weer in de vrachtwagen.

Hij reed zonder licht over de glooiende weg langs de grindafgraving, en navigerend op de maan passeerde hij omheiningen die het terrein afbakenden en de gapende kelder van een uitgebrand leeg huis. Zijn handen roken naar het lichaam van de oude man. Hij kwam langs gemaaide velden die vol balen late alfalfa lagen. De lucht floot tussen de opgestapelde takken in de laadbak. Op de kruising ging hij naar links om via het weggetje naar Black Rock naar huis te gaan, toen hij op de weg waar hij vandaan kwam koplampen zag. Hij vroeg zich af wie er zo laat nog die kant op ging. Ongerust zette hij de vrachtwagen aan de kant. Door het achterraam en het traliewerk van takken waren de zwart-witte markeringen van een politieauto te zien die de hoek omsloeg, in de richting van de heuvel waar Tom net vandaan kwam. Plotseling brak het zweet hem uit.

Hij moest met eigen ogen zien waar hij bang voor was. Tom maakte snel een U-bocht en reed bij het licht van de maan de weg terug waarlangs hij gekomen was, afgaand op de grip van zijn banden op het wegdek, onkruid en greppels links van hem, daarna de grindafgraving met de spookvoertuigen, terwijl ver voor hem uit de rode achterlichten van de politieauto hem de weg wezen naar de plek waar hij was geweest. Boven op de heuvel minderde hij vaart en zag de auto de oprit van het huis van de oude man op rijden, waar hij door de bomen werd opgeslokt.

Met de motor in zijn vrij reed hij tot halverwege de heuvel en ging een paar honderd meter voor de slagerij bij een gat in de omheining van een landbouwbedrijf van de weg af, rolde door het hoge gras en kwam achter een stapel kapotte appelkisten tot stilstand. Hij stapte zachtjes uit de vrachtwagen en klauterde over de omheining die aan het land van de oude man grensde. Hij sloop tussen de bomen aan de zijkant door en ging achter een hoop losjes gestapeld hakhout liggen, waar de geur van de vos die hij eerder had gezien nog op de ronde splijtblokken hing en in zijn neusgaten prikte. Zijn maag speelde op en zijn hart bonkte tegen zijn ribben.

Voor de truck stond de politieauto en brigadier Stanley stond bij de voorbumper. Tom staarde naar de man die zoveel ellende over zijn broer had uitgestort. Overal waar hij kwam, bracht hij kwaadwilligheid met zich mee en Tom vroeg zich af waar zijn aanwezigheid hier toe zou leiden.

Stanley keek naar het huis; hij was niet in uniform en de gesp van zijn burgerriem glansde. Hij stond daar als privépersoon met zijn blote armen, zijn spijkerbroek en cowboylaarzen, zijn zwarte gemillimeterde kapsel en het potloodstreepje snor. Toen ging in de auto het plafondlichtje aan en Tom zag Crystal die op de voorbank met een verveeld gezicht haar blonde haar in model bracht. Had Crystal Stanley hierheen gebracht? En waarom? Ze had Eddy en Harry bij de grindafgraving met elkaar zien praten, meer niet. Ze had hen niet horen praten. Nee, iemand anders had gezegd dat de politie hierheen moest komen. Zij was gewoon met hem meegegaan voor een nachtelijk ritje door de heuvels. Wat was dat voor droom die ze had, als ze zich door Stanley ergens mee naartoe liet nemen?

De laarzen van de brigadier stommelden de verandatreden op en hij klopte op de voordeur. Hij wachtte even en klopte toen nog eens, met zijn hand op de klink. Even later deed hij de deur open en ging naar binnen. Die laarzen van slangenhuid liepen nu door dezelfde kamers waardoor Tom gelopen had, maar Tom wist dat er niets in huis was waaruit Stanley kon opmaken dat een van hen binnen was geweest. Het enige wat hij te weten kon komen was dat de oude man er om de een of andere reden niet was. Ga je gang, snuffel maar tussen de varkensbotten en verbrande erwten, dacht Tom. Kijk maar onder het bed. Je vindt helemaal niets.

Hij ontspande zijn vuist en de scheur in zijn handpalm ging een beetje open. Stanleys zaklantaarn flitste in het raam van de woonkamer waar de oude man de komst van zijn indringers had afgewacht. En toen verdween het licht. Tom stelde zich voor hoe Stanley naar de keuken ging en door de gang naar de slaapkamer waar de oude man was gestorven. Toen zag hij de brigadier even langs het slaapkamerraam komen, een schijnsel en schaduwen die zich verplaatsten. Een paar minuten later ging de voordeur open en Stanley kwam de veranda op.

De krekels verstomden. Tom wierp een blik op Crystal, die in de vanbinnen verlichte auto in de achteruitkijkspiegel keek terwijl ze lipstick aanbracht. Haar blonde haar viel in lokken om haar gezicht. De brigadier liep de veranda af en kroop achter het stuur. Hij zei iets tegen Crystal, ze lachte en de patrouilleauto reed de weg op en ging weer terug naar de stad.

Toen Tom klaar was met graven, legde hij de spade op de bodem van het graf. Zijn hand was weer gaan bloeden en hij trok het geïmproviseerde verband strakker aan. Aan weerszijden kwamen de hopen aarde boven zijn hoofd en schouders uit, de rand van het graf kwam tot halverwege zijn borst, zijn houweel was deels bedolven onder de laatste grond die hij eruit had gegooid. Hij stak de spade van opzij in de hoop en hees zichzelf omhoog en eruit. De laatste kei was uit het graf gekomen als een tand uit een kaak en wankelde nu op de rand van de kuil onder de zwaar op Tom neerdrukkende hemel. In het donker cirkelde Orion, de grote jager, ruggelings rond alsof hij in de zuidelijke horizon viel.

Nadat hij het lichaam van de oude man de vrachtwagen uit en de kruiwagen in had gesjouwd, duwde hij hem met een knerpend ijzeren wiel over het pad naar de boomgaard. Vader hing net buiten zijn blikveld in de lucht. Hij probeerde hem uit te bannen met gedachten aan van alles en nog wat, de lucht, de sterren, maar bij de waterput gekomen stopte hij en staarde naar de plek waar vader had gelegen. Eddy's woorden kwamen weer bij hem boven, Eddy die telkens opnieuw zei dat Tom het zich niet meer mocht herinneren. Hij deed zijn ogen dicht en dacht aan zijn zusjes. Alice, Roosje en zijn halfzusje, de baby die hij, afgezien van de handdoek en het brandende vuur, nooit had gezien.

Hij was kwaad op zijn broer en de puinhoop waarmee die hen had opgezadeld. Eddy was het beetje controle dat hij nog ter beschikking had gehad, kwijtgeraakt. Hij was een drempel over en waar hij nu terechtgekomen was, was alleen maar vernietiging te vinden. Hij liet de kruiwagen over het hobbelige terrein langs het water van de beek naar de boomgaard rollen. Bij het graf gekomen duwde hij de handvatten helemaal omhoog en de oude man schoof voorover de kuil in.

Tom liet de stenen tand er terug in rollen, schepte er het grind, de klei en de aardkluiten in en legde tot slot het zorgvuldig in vierkanten uitgestoken dorre gras weer volgens hetzelfde patroon terug op zijn plek. Hij drukte het gras licht aan, omdat hij de tere wortels niet wilde beschadigen. De eerste lentebuien zouden het graf groen kleuren.

Hij legde spade en houweel op de kruiwagen en ging weer op huis aan, waar hij bij de put halt hield. Hier had hij gezeten toen vader die nacht was gestorven, een nacht die afgezien van de koelte hetzelfde had aangevoeld als deze. Er stonden dezelfde sterren aan de hemel, dezelfde maan. Tom ademde diep in, alsof er niet genoeg lucht op de wereld was om hem in leven te houden. *Bloed is bloed en soms kan het maar beter weg zijn.* Dat had moeder die nacht gezegd.

Hij keek naar de paar appels die aan zijn voeten lagen te verschrompelen en dacht aan de keer dat vader hem de ster had laten zien die in het vruchtvlees zat verborgen. Hij had van een hoge tak een appel geplukt waar de wormen nog niet aangezeten hadden.

Hij hield hem in de holte van zijn hand, pakte zijn mes en sneed hem overdwars doormidden. Vader brak de helften uiteen, het vlees stak wit af tegen de rode schil en in beide helften zat een ster met in het hart begraven bronzen zaadjes.

Hij liep weer door met de stalen handvatten in zijn handen, het ijzeren wiel knarste. Hij zette de kruiwagen weg tegen de veranda achter het huis en duwde de handvatten onder de aan de wind blootgestelde planken. Hij rechtte zijn rug en keek omhoog naar het donkere raam van Eddy's kamer.

Bij de waterton trok hij zijn hemd uit, hing het over de dorre frambozenstaken vlak bij het huis en maakte de smerige theedoek los die om zijn hand zat. Hij boog zich voorover, schepte het water met handenvol op en plensde het over zijn gezicht, schouders en borst. Op een houten dakspaan naast de ton lag een opgedroogd stuk zeep waar het vuil in strepen op stond. Tom wreef zijn hand ermee in en het aanklevende gruis schuurde in de opengehaalde huid van zijn blessure, die een beetje was gaan bloeden. Hij boog zich diep voorover in de ton en stak zijn hoofd in het brakke water. Een dode kikker dreef met smekend uitgestrekte ledematen door zijn blikveld toen hij kopje-onder ging. Hij keek erlangs en zwierde zijn hoofd van links naar rechts. Plotseling voelde hij twee kleine handen die hem zacht om zijn middel omvatten. Ze streken over het blote vel van zijn buik. Hij kreeg een stijve die tegen het metaal van de ton aan kwam, een natte kou tegen zijn hitte. De handen gingen omhoog, trokken hard aan zijn tepels en gingen toen naar beneden. Hij voelde zijn riem opengaan en toen werd zijn spijkerbroek losgeknoopt en Marilyns vuist sloot zich stevig om hem heen. Ze streelde een, twee keer, en bij de derde keer was Tom vertrokken, zijn hoofd kwam uit de ton omhoog, zijn knieën knikten en van zijn achterovergeworpen haar stortte het water naar beneden.

12

Wie heeft me een naam gegeven?
Dat heb ik gedaan. Luister, ik heb je dit verhaal al zo vaak verteld. Vader kwam de slaapkamer uit met jou losjes in een handdoek gewikkeld. Hij tilde je hoog op terwijl moeder hem de huid vol schold. Haar verontwaardiging vulde de kamer. Er lag een onbekende vrouw in haar bed. Dat was jouw moeder. Haar bruine haar lag in een waaier van dikke strengen over het kussen en haar blanke hand had het laken vast, plukte aan het katoen, kon er niet mee ophouden. In de deuropening staarde Tom naar de twee minuscule voetjes die uit de handdoek staken. Toen vader hem zag, duwde hij Tom met zijn knieën voor zich uit door de gang. Jij was de ingepakte baby boven vaders hoofd, een nat, vliegend ding. Hij schreeuwde tegen Tom: Wegwezen godverdomme! Naar buiten jij!
Was ze knap om te zien?
Je moeder? Ze was mooi en door de pijn werd ze nog mooier.
Wie was ze?
Een vrouw die in een oud blokhutje onder aan de heuvels bij de Silver Star Mountain woonde. Ze was een jaar of twee voor ze vader leerde kennen naar de vallei verhuisd, deze vrouw die uit de puinhopen van Europa kwam. Ze had tijdens de oorlog al omgang gehad met mannen, maar hier hield ze zich van iedereen afzijdig tot vader opdook met zijn glimlach en zijn rode haren. Op een dag kwam hij langs in zijn vrachtwagen en bood haar een lift aan. Ze had twee linnen tasjes met eieren en een veldboeket bij zich om in de stad huis aan huis te verkopen. Joost mocht weten hoe ze aan de kippen was gekomen. Ze vertelde dat ze die acht kilometer elke maandag en vrijdag te voet aflegde. De maandag erna stond vader haar 's ochtends met zijn vrachtwagen in de berm op te wachten met het rechterportier open alsof het een geschenk was. Ze was straatarm, maar dat waren er toen zoveel. Ik geloof niet dat ze hier familie had. Daar zei ze niets over. Het verlaten hutje was een overblijfsel van andere tijden, ooit gebouwd door een prospector die

het niet had meegezeten, of een van die primitieve onderkomens uit de tijd van de veefokkerij, toen de goudgravers die op de velden bij Barkerville zowat hun hele hebben en houden waren kwijtgeraakt, naar het zuiden afzakten om het als runderfokker te proberen. Het was een samenraapsel van dennenstammen en verrotte dakspanen. Ze had het dak opgelapt met latjes die ze met hamer en splijtmes op maat had gemaakt en ze had de kapotte ruitjes vervangen. Ze had er een met hooidraad bijeengehouden tweepitsfornuis op een paar grote stenen staan en daarin stookte ze het sprokkelhout dat ze in de heuvels raapte. De indianen van boven het meer hielpen haar de eerste winter door. Ze gaven haar vlees, vis, zout en meel en gedroogde junibessen en blauwe bessen van het grasland. Ze woonde er al drie jaar toen vader haar leerde kennen.

Hoe zag ze eruit?

Voor een vrouw uit die tijd was ze lang en ze droeg haar lange bruine haar in één vlecht met een uiteinde dat omhoog krulde alsof het liever een vleugel wilde zijn. Diepliggende bruine ogen, donker als wilde kastanjes, en zulke hoge jukbeenderen dat je zou denken dat ze een beetje oosters bloed had. Ze had een soepele tred met haar lange benen in de klokkende wollen rokken, die ze uit stukken legerdeken maakte die ze bij het Leger des Heils op Tronson Avenue had gekregen. Ze was leuk om te zien op een boerenmanier en haar huid was fris als het bronwater waarmee ze zich waste. Sores had ze zeker, ze had god weet wat voor ellende meegemaakt in de oorlog. Wat ze in vader zag wist alleen zij. Misschien dacht ze dat ze op deze voor haar nieuwe plek van een man kon houden.

En vader?

Misschien was ze iemand over wie hij had gefantaseerd toen hij indertijd over de prairie zwierf, zoals ze daarginds in die blokhut onder de berg woonde. Misschien vond hij haar mooi. Maar wat ze was doet er niet toe. Uiteindelijk maakte vader toch alles wat in zijn nabijheid kwam kapot. Mannen worden ongeduldig zodra ze ergens niet omheen kunnen.

Dat wist ik allemaal niet, zei Sterrennacht.

Moeder was de vrouw gaan wassen, ze deed haar dijen af met een handdoek die ze in een kom doopte waar heet water van het fornuis in zat. De nageboorte kwam en moeder wikkelde die in een oude krant. Toen vader de vrouw in haar bed had gelegd, had ze tegen hem geschreeuwd: Hufter die je bent, godvergeten hufter!

Ze had Elmer voortdurend vervloekt terwijl ze bij je geboorte hielp, omdat hij haar en haar huis dit aandeed. Voor vader was het iets akeligs, een onwettig kind, een bastaard, maar om die vrouw dan ook nog eens in moeders bed te leggen en haar om hulp te vragen? Degene die nota bene zijn echtgenote, de moeder van zijn zonen was? Evengoed had ze de vrouw gewassen. Ze herinnerde zich haar eigen bevallingen en hoe woest ze ook was dat hij haar had verraden, dat hij met jouw moeder naar haar huis was geko-men en haar met een van zijn jongen opzadelde, ze kon een vrouw toch niet aan de zorgen van een man overlaten? Niet als het er-opaan kwam. Die nacht zei ze dat Elmer haar al die dagen en nach-ten van hun leven geen enkele keer had geholpen. Het was zo'n aanfluiting, zo'n vernedering voor haar die hen zelf op de wereld had gezet, Tom en Eddy, Roosje en mij. En toch had ze de vrouw gedoogd toen hij van god weet waar ze zat was komen aanrijden omdat ze weeën had. Moeder zei dat ze binnen moesten komen toen vader ineens op de drempel van de keukendeur stond met jouw kreunende moeder in zijn armen. Eddy keek in een hoekje van de keuken toe hoe zijn vader haar naar binnen hielp. Bij haar eerste kreet vloog hij de trap op naar zijn kamer. Tom bleef maar vragen wie ze was en ten einde raad joeg vader hem de slaapkamer uit. Op de gang sloop Tom weer terug om te kijken en te luisteren, terwijl je moeder het op het bed uitgilde en de weeën elkaar snel opvolgden.

Aan het voeteneinde stond vader alleen maar stompzinnig te staren, terwijl hij met zijn pet met de kapotte klep in zijn handen van de ene laars op de andere wipte en wilde dat wat daar gebeurde nooit was gebeurd en dat de bevalling achter de rug was, zodat alles weer bij het oude zou zijn. Niet eens omdat hij de vrijheid wilde om te pierewaaien, maar omdat hij wist dat de vrouw op het bed van hem hield en hij haar behoefte aan hem niet begreep en dat ze ook de baby wilde, zíjn baby, en wat dat met hen allemaal, met hem zou doen. Nee, van hem moest die baby weg. Op de dag dat hij was weggelopen van de zus naar wie ik was vernoemd, had hij geleerd hoe hij iets achter zich moest laten. Ontkennen kon hij goed.

Toen je moeder in de slaapkamer was, kwam Eddy weer naar beneden en ging in de woonkamer op de bank bij de voordeur zit-ten met zijn vingers in een strakke knoop. Hij wilde niets te maken hebben met wat er gebeurde. Jouw geboorte was voor hem het zoveelste krankzinnige gedoe van zijn ouders. Eddy was bang voor zijn eigen angst. Net als Tom kon hij alles horen, je moeders kreten bij het persen, moeders getier terwijl ze tegen vader zei dat hij zodra het kind er was moest zorgen dat hij ervan afkwam. Ik hoef geen bastaard van jou die mij hier in de stad voor schut zet. Je zorgt dat je ervan afkomt of anders!

Bedoelde ze dat hij me naar de boomgaard moest brengen?

Moeder wilde je gewoon weg hebben. Ze was zo kwaad om wat hij had gedaan.

Je moeder lag op het bed en zei tegen hen in haar gebroken Engels dat ze haar baby niet mochten weghalen als hij er eenmaal was, maar wat kon ze zeggen of uitrichten nu moeder haar in bedwang hield, tegen haar zei dat ze moest persen? Toen jij op die bloedgolf haar baarmoeder uit kwam, legde moeder je op een handdoek, bond je met garen af en sneed de streng die jou aan je moeder verbond met een schilmesje door, en toen nam vader wat je moeder had gebaard mee de kamer uit. Je moeder riep nog naar hem, maar vader draaide zich niet om.

Wat zei ze?

Ze zei: Mijn kind, mijn kind!

Dat was ik.

Tom rende vooruit, langs de badkamer en door de achterdeur naar de buitenveranda. Op de houtkist lag de vliegenmepper en in het voorbijgaan griste hij die mee. Er lagen honderdtweeëntachtig dode vliegen op de grond. Je broer had ze allemaal geteld, zoals gewoonlijk. Sla die verrekte vliegen maar dood, had vader die middag tegen hem gezegd. Hij had ze hardop geteld terwijl hij de mepper liet neerkomen, soms had hij er twee, drie of vijf tegelijk. Zijn record was negen in één klap. Hun lijven kraakten onder zijn voeten toen hij met de vliegenmepper in de hand wegrende.

Er stonden heldere sterren aan de hemel. Ga godverdomme in de vrachtwagen zitten, zei vader die achter hem aan kwam, en dat deed Tom. Hij holde naar de vrachtwagen, deed het portier aan de bijrijderkant open en klauterde naar binnen terwijl vader met zijn knie het portier dichtknalde. En daar blijven, nondeju, zei hij.

Je vader liep snel langs de schuur de heuvel af naar de put en verdween met de flapperende lichtblauwe handdoek aan de andere kant van de beek. Zodra hij in de boomgaard was, liet Tom zich uit de vrachtwagen glijden. Het grind onder zijn blote voeten was nog warm, ook nu de zon weg was. Hij haalde met de vliegenmepper uit naar de maan alsof hij die met één zwiep kon doven.

Ik keek hoe hij langzaam over het gras bij de wand van de schuur liep, langs de aardappelkelder en naar de put beneden. Hij was zo klein om te zien wat hij zag.

De kap van de put glansde, de grijze planken waren zilver door de sterren. Daar zat Tom ineengedoken toe te kijken. Vader maakte een stapel van droge takken, verdord gras dat hij uit de grond trok en donker geworden stro dat hij met lussen van binddraad tussen zijn ruwe handen uit een afgedankte baal trok. Toen hij daarmee klaar was, lag er een hele berg waar hij het bundeltje dat hij bij zich had bovenop plaatste. Hij legde er nog wat stro overheen, stak het aan en sprong achteruit toen de vlammen langs de stengels omhoog likten.

Ik weet niet meer of ik moest huilen, zei Sterrennacht.

Dat is niet erg.

Terwijl het vuur oplaaide, ging vader nog een baal halen en sneed het draad door met zijn mes. Hij gooide het beschimmelde stro op het blauwe katoen, dat in de vlammen kromp en brandde en toen werden de vlammen donker en de rook kwam er in kolkende wolken van af, net als een jurk van moeder die in de wind aan de waslijn opbolt. De maan was oranje. Vader liep om het vuur als een dier dat zowel aangetrokken als afgeschrikt werd door het licht. Hij keek hoe het brandde. Om de zoveel tijd haalde hij takken en kapotte stukken goot en omgevallen heiningpalen om op de brandstapel te gooien. Dan brandde het vuur helderder. Vader was de rede voorbij. Door de vlammen heen zag hij er gerimpeld uit.

Tom fluisterde dat woord: Vuur. Hij lag diep in het hoge gras bij de put, een muis die zich voor de hemel verbergt.

Toen kwam Eddy naar buiten. Hij vond Tom en pakte zijn arm en nam hem mee terug. Tom zei dat vader had gezegd dat hij in de vrachtwagen moest blijven, dus daar bracht Eddy hem naartoe. Hij deed het portier dicht, liep om het huis heen en ging ervandoor naar de stad. De banden van zijn fiets maakten een droog sisgeluid op de harde klei van het wegdek.

En wat gebeurde er met mijn moeder?

Nadat het vuur uit was, stond vader bij de as en gloeiende kolen tot hij moeder hem op het erf hoorde roepen. Toen hij uit de boomgaard kwam, vroeg ze waar het kind was. Hij vertelde het en ze sloeg hem met haar vuisten. Wát heb je gedaan? En toen zei ze het nog eens: Wát heb je gedaan? Hij liep langs haar heen naar binnen en haalde de vrouw en bracht haar naar de vrachtwagen, waarbij moeder haar van de achtertrap af hielp. Hij liet haar naast de in elkaar gedoken Tom op de bank zitten. Het laatste wat moeder tegen de vrouw zei was dat ze moest vergeten dat ze een kind had gekregen. Er was geen baby, zei moeder.

Waar gingen ze heen?

Weg. Terug naar waar ze vandaan was gekomen. Jouw moeder was geen meisje, ze was een vrouw, een vreemdelinge, die in haar eentje in een oude blokhut in de heuvels aan de voet van de berg woonde, in het tussengebied waar de grove dennen ophouden en de hemlocksparren beginnen. Waar de weiden zijn. Ze was een vreemdelinge en vader zei dat ze naar een vreemde plek terugging. Tom had geen idee, want hij wist niet waar ze heen gingen, alleen dat ze door de Spallumcheenvallei naar het noorden reden. Het was een nachtrit in een denderende vrachtwagen over de kleine weggetjes door de vallei naar de verderop gelegen heuvels. Hij zat angstig tussen hen in en tikte met de vliegenmepper op het dashboard tot vader het ding uit zijn handen rukte en uit het raampje smeet. Het was nacht en de vrouw zat naast Tom in de vrachtwagen te huilen. Ze zei geen woord en vader vloekte en reed als een woesteling door de bergen. En jouw moeder? Zij wist niet waar haar kindje gebleven was. Ze vroeg het maar één keer, maar vader wilde het niet zeggen. Hoe kon hij haar vertellen wat hij had gedaan?

13

De grote zagen krijsten toen ze hun stalen tanden in de boomstam zetten die door twee nors kijkende, magere mannen met hun kantelhaak op de hoofdzaag werd gerold. Het snerpende gieren van de aandrijfriemen werd vervormd door het gebulder van de dieselmotoren. Dof dreunend gingen de stammen de kanter in, de zagen beten zich door het hout en aan de achterkant spoot er een fontein van zaagsel uit. Wanneer de nieuwe boomstam in positie op de hoofdzaag lag, beukte hij tegen de grote zaag aan die schilferige repen bast van de buitenschaal af haalde. De zaagmeester haalde een hendel naar zich toe, het luik ging open en de buitenschaal viel op een bed van vers zaagsel in de ijzeren goot eronder, terwijl het afval via een kettingband naar de vlammen van de brander werd afgevoerd. Zuigergrepen kantelden de stam, die tot voorbij de zaag werd teruggetrokken, waarna hij nogmaals naar voren werd geduwd. Het gekrijs van de in het hout happende zaagtanden overstemde alle andere geluiden in de zagerij, waar op diverse transportbanden en -kettingen non-stop stammen, balken en planken werden verplaatst. De zagen die de planken op maat moesten maken, jengelden als insecten en terwijl de mannen hun machines bedienden was er achter het gekrijs en gefluit een afschuwelijk, constant bonkend *klang klang klang* te horen. Zwaar van het sap kwam het rauwe groene hout ten slotte in op maat gezaagde planken – van vijf bij tien, vijftien en twintig centimeter en de voor de onverzadigbare Verenigde Staten bestemde spaghettilatten – uit de zaaginrichting tevoorschijn en belandde met een klap op de lange transportbanden die het hout naar buiten brachten, waar in de volle zon de mannen stonden die, zonder hemd en met hun werkschoenen stevig neergeplant in gruis en stof, ieder hun eigen formaat planken van de band haalden en ze aan het groeiende aantal rijen en stapels timmerhout toevoegden. Met zijn brullende vorkheftruck haalde Carl Janek de stapels weg, waarop de rij half ontklede mannen aan een nieuwe begon. De zagerij braakte een stortvloed aan timmerhout uit en de mannen haalden, hetzij met handschoenen aan, hetzij met hun blote, eeltige handen, de planken van de band, een ononderbroken, bijna hopeloos karwei waaraan geen eind leek te komen, maar hun verwensingen waren te midden van het helse kabaal om hen heen, de snerpende kanter en de krijsende hoofdzaag die aan de zoveelste boomstam begon, niet te horen.

Aan de kop van de band legde Chooksa Three-Horns het hout, dat schots en scheef naar beneden kwam, in het gelid. Hortend gleden de planken een voor een over het knarsende, krakende metaal van de transportband, die het hout met zijn gespaakte ijzeren tandwielen over een slee van zevenhalve meter lang naar beneden stuurde. Aan het uiteinde van de band stond Tom tegenover Wlad Kirkowski, die nieuw was, en stapelde planken van vijf bij tien, terwijl voor hen de gebroeders Cruikshank en de andere mannen grotere formaten stapelden en Chooksa hier en daar bijsprong om een stremming op te heffen waardoor ze achterop dreigden te raken.

Het was een niet-overdekte transportband en de ochtendzon boorde zich dwars door de aluminium helm die Tom droeg. De hitte drukte op zijn schedel en het zweet liep in straaltjes langs zijn gezicht en over zijn blote schouders, en terwijl hij de planken naar hun stapels trok, zette zich op zijn borst een dunne laag as en stof af. Massa's planken kwamen op Tom af gerold en om sneller te kunnen werken had hij al een hele poos geleden de leren handschoen van zijn goede hand gehaald, die nu kleverig was van het gelekte sap. Zijn opnieuw verbonden gewonde hand deed pijn, maar met gekromde vingers en zijn leren duim tegen het hout aangedrukt kon hij er best planken mee pakken. Zijn armen trokken de planken van de band en maakten er stapels van ruim een kuub van. Carl voerde op de vorkheftruck met zijn knarsende versnellingen de stapels af die klaar waren. En dan de volgende stapel en de volgende, Tom bleef op snelheid en Wlad, die deze baan kort voor sluitingstijd in de kroeg had bemachtigd, jammerde bij elke ademteug *tering, tering nog an toe*, de verwensingen van iemand die voor het eerst dit zware werk doet.

Toms hoofd tolde zwaar en traag. Aan de transportband maakte zijn lichaam continu dezelfde bewegingen, niet als een machine, maar zoals botten en spieren dat doen, elke beweging was hetzelfde maar toch ook weer niet, elke plank die van de band kwam was een variant op al die andere, of ze nu uit de rand of uit het hart van het blok waren gezaagd, en zijn aandeel bestond uit de hoeveelheid die hij geacht werd weg te werken, een aantal dat het dubbele leek van wat iemand redelijkerwijs aankon. De band eindigde bij een metalen stootblok waar de door hem afgekeurde planken – gespleten, met kwasten, kromgetrokken en kapot – tegen een ijzeren wand op kletterden.

De vorkheftruck tilde een stapel planken op en reed achteruit, en Carls roep ging verloren in het gekrijs van de zagerij toen hij met opgestoken arm grijnzend wegreed. Carl zag er nog net zo uit als die eerste keer, vond Tom. Tom was indertijd nog een jongen. Op jacht met Docker was hij al vaak langs de boerderij gekomen en had er honden horen blaffen. De hooilanden achter de schuur waren vast een goede plek om vogels te vinden, maar hij liep altijd door omdat hij niet op verboden terrein betrapt wilde worden. Toen hij op een zondag op het paadje tussen de bomen boven het erf liep, hoorde hij metaal kletteren en daarna iemand vloeken, en hij was het veld in gelopen om naar beneden te kijken. Een lange man in een overall en met een raar bruin kapsel dat tot over zijn oren kwam, lag op zijn rug onder de motor van een rode tractor met ernaast zijn gereedschap op een stuk zeildoek. Tom had er achter een struik op zijn hurken naar gekeken met zijn hond naast zich. Even later zocht hij het paadje weer op en nam bij de kruising de weg naar huis.

Er snerpte een zorgelijk fluitje door de lucht, de dieselmotoren weifelden een fractie van een seconde en bijna was het stil, maar toen schokte de band voor hem, die amper tot stilstand was gekomen, en begon weer aan zijn metaalgeknars, het timmerhout kwam naar beneden en in de zagerij werd het klaaglijke gegil van de zagen hervat. Hij liet het uiteinde van een nieuwe plank op zijn gehandschoende handpalm steunen en terwijl zijn goede hand hem in één soepele beweging wegtrok, gleed het afgekante hout over zijn handschoen om achter hem in de stapel te verdwijnen. Terwijl de plank nog op zijn plaats kletterde, had zijn gewonde hand zich al om de volgende gesloten, en om die daarna, twee, soms drie tegelijk, allemaal in één beweging weggetrokken in een perfecte dans die hij vanuit een lichte spreidstand alleen zijn heupen en bovenlichaam liet uitvoeren. Zijn werkschoenen stonden in de sleuven die hij in de vier jaar dat hij hier werkte in de vloer had gemaakt. De voorman had tegen hem gezegd dat hij wanneer hij maar wilde kon overstappen van de transportband naar de zagerij, maar hij had dat afgewimpeld zodat hij dit geesteloze werk kon blijven doen, waaraan gedachte noch gevoel te pas kwam.

Terwijl de planken door zijn handen gleden, was hij weer op de boerderij van Carl, waar op een open plek tussen de bomen achterin een begraafplaats was, met zerken die bij kleine grafheuvels waren geplaatst. Op de zerk die Tom het mooist vond stond een woord gebeiteld, DOBRA, met eronder twee jaartallen, 1948-1952. Onder de getallen stond gegraveerd: GEEN DAPPERDER HERT.

Plotseling blafte Docker en Tom hoorde iemand achter zich. Toen hij zich omdraaide, zag hij de man die de week ervoor aan de tractor had gesleuteld. Hij bukte om Docker bij de halsband te pakken en de hond kalmeerde. Hij wist dat hij hier niets te zoeken had, maar de man voer niet tegen hem uit. In plaats daarvan vertelde hij Tom met zachte stem over een hond die hij had grootgebracht en die twee jaar geleden tijdens een gevecht was gestorven. Het klonk alsof hij het evengoed tegen zichzelf had als tegen Tom, en telkens wees hij naar een ander graf, al die begraven dieren hadden een verhaal dat verteld moest worden. Tom stond in de schaduw van een oude ceder toe te kijken toen de man voor een van de graven halt hield en hem riep. Toen Tom er schuchter bij kwam staan, zei de man dat het graf de rustplaats was van Wintered Jim en hij vertelde dat de hond, een gevlekte pitbull die een jaar geleden tijdens een gevecht in Kamloops was gestorven, zijn naam te danken had aan het zadel van sneeuwwitte beharing op zijn schouders.

Hij praatte zachtjes en Tom kwam weifelend dichterbij. De man klopte op het graf en bijna leek het alsof hij de hond een klopje gaf, als die nog had geleefd. Heel even dacht Tom dat Wintered Jim misschien weer levend zou worden en uit de grond zou komen om de hand van de man te likken. Naast Tom wrong Docker zijn kleine lijf in allerlei bochten om zich te bevrijden. En toen keek de man even naar de vier vette blauwhoenders die Tom aan zijn schouder had hangen en hij zei dat het vast goed was gegaan met het jagen en terwijl hij praatte sprong Docker speels blaffend om hen heen. Zijn hond vertrouwde deze man. Hij stelde zich voor en vroeg Tom naar zijn naam. Tom zei hoe hij heette en vertelde toen wat hij die dag in de heuvels en op de berg had gezien: sporen van een zwarte beer in de modder boven een irrigatiegreppel, uitwerpselen van een coyote, de duikvlucht van een havik die een zakrat buitmaakte. Hij vertelde ook over zijn familie en waar hij woonde, maar dat deed hij pas later die herfst.

Elke zondag klom hij omhoog om op de bergweiden te jagen en op de terugweg ging hij zonder iets te zeggen op de heuvel zitten met een reikhalzende Docker naast zich, die stapelgek was op Carl omdat die de spaniël altijd iets lekkers gaf, een paar reepjes of brokjes gedroogd hertenvlees dat hij in huis had om er zijn vechthonden in de kennel achter de schuur mee te belonen. Carl en Tom praatten wel, maar hun gesprekken gingen meestal over het weer of over een gewas, een kapotte machine of een hond die het volgens Carl binnenkort goed zou doen in een gevecht. Carl liet hem zien waar de kwartelkoppels hun stofbad namen en de fazanten op torren en insecten joegen, een open plek aan het begin van een vlakbij gelegen geul waar de sneeuwhoenders zich aan afgevallen zaadjes en bessen te goed deden. Als Tom kwam, vroeg Carl hem steeds hoe het ermee ging en dan vertelde Tom hem altijd over iets wat hij had gezien of gedaan.

Op zondag sleutelde Carl bij de schuur aan de tractor of de vrachtwagen; naast zijn gereedschapskist lagen zijn moersleutels in het gelid en op zijn schoot lag het onderdeel waar hij mee bezig was, een dynamo of starter, een deel van de motor of de cardanas. Tom liet Docker los wanneer hij tussen de bomen uit kwam en bij het zien van de hond stopte Carl met zijn werk. Hij gaf Docker zijn stukje gedroogd vlees en Tom liep op hem af met over zijn schouder de hoenders of fazanten die hij Carl en zijn vrouw Irma altijd cadeau gaf. Carl pakte de hem toegestoken vogels aan, zei tegen Tom dat hij een goede jager was en dan gingen ze samen naar het woonhuis, terwijl Carl de vogels droeg en Docker, die naar de kennel achter de schuur toe wilde waar de andere honden blaften, hen jankend volgde.

Het leven van Carl en Irma werd bepaald door eenvoud en hun absolute vertrouwen in alles wat ze konden aanraken, ruiken en proeven. Ze woonden met zijn tweeën op de boerderij, hun kinderen waren volwassen en het huis uit, maar ze maakten geen eenzame indruk. Het werden mensen die hij bijna leerde te vertrouwen.

Later tijdens die eerste herfst ging Tom bij het aanbreken van de dag langs op de boerderij voordat hij op de berg ging jagen. Hij kwam bij zonsopgang de keuken in waar Carl de fornuiskachel aanmaakte met proppen papier en aanmaakhoutjes die hij aanstak met een lange lucifer uit het rood met witte blik aan de muur waarop roosjes waren geschilderd en waarvan Irma hem had toevertrouwd dat ze het bij Mac & Mac IJzerwaren had gekocht omdat ze het zo'n leuk, vrolijk blik had gevonden.

Carl zette een ketel water voor de koffie op de kookplaat en was in de weer met kopjes en een kannetje verse room uit de nieuwe koelkast die hij had gekocht toen het geld van de laatste hooioogst binnen was. Daarna haalde hij de zilveren suikerpot die nog van Irma's moeder was geweest uit de kast en opende hij de houten kist van het zilveren South Seas-bestek dat hij naar eigen zeggen had gewonnen bij de regionale clubkampioenschappen curling in 1949. Hij zei tegen Tom dat ze de zondag graag met hun beste lepeltjes begonnen.

Daarna ging Tom de berg op en kwam pas laat in de middag terug met zijn vogelgift. Hij kon de rook uit de schoorsteen al van verre zien en dan wist hij dat Irma in de keuken was en dat er op de vensterbank versgebakken broden stonden af te koelen. Als hij op de veranda zat, gaf ze hem warme boterhammen met aardbeienjam.

De pauzefluit legde de zagen abrupt het zwijgen op, de transportband kwam sidderend tot stilstand en het werd stil in de zagerij, de ijle weeklacht die nog in de lucht hing nam af tot hij in het niets oploste en plotseling snerpte er bij Toms oor een zwarte horzel. Hij rechtte zijn rug om zijn botten weer hun oorspronkelijke stand te laten aannemen. Met zijn vuisten duwde hij op zijn heupen en pakte toen de canvas watertas van de spijker aan de schaduwkant van een paal. Hij nam een grote teug, legde zijn helm op een stapel timmerhout en hield toen de zak boven zijn hoofd: het koele water stroomde op zijn hersenpan en stortte over zijn schouders en bovenlijf omlaag. Het water trok strepen in de laag stof en as op zijn huid en vormde vieze beekjes die zijn broek onder de riem doorweekten en een donkere vlek maakten die zich naar zijn kruis uitbreidde.

Tom droogde zijn gezicht met de mouw van het hemd dat hij aan een spijker aan de paal had laten hangen. Een kwartier pauze. Zijn hand klopte nu, het verband in zijn handschoen was nat. Hij keek op toen Chooksa met een zwaai van zijn thermosfles naar de schaduw achter een stapel timmerhout wees, maar Tom ging niet op het aanbod in. In plaats daarvan stak hij het buitenterrein van de zagerij over naar het meer, waarbij zijn huid bedekt raakte met door de lucht dwarrelend verkoold zaagsel en as. Hij hoorde de laatste buitenschaal in de brander vallen, de harde dreun toen de lange strook bast en schors in het vuur terechtkwam. Voor de vlammen in de brander was het nooit pauze; er was altijd zaagafval dat op de verzamelband onderweg was naar de vierkante opening in het metaal boven in de ijzeren overkapping. Alles wat niet werd verteerd, steeg met de hitte- en rookpluimen op door de barsten in het beschadigde afdekscherm. Verschroeide houtsnippers dreven mee op de wind en kwamen neer op de rondom de zagerij gelegen velden. Deze kant van het meer dreef er vol mee. Een bont, onsamenhangend plakkaat van deels verbrand hout dobberde daar net zo lang rond tot het hout ten slotte zoveel water had opgezogen dat het naar de bodem zonk. Ertegenover mondde Carson's Creek in het meer uit.

In hun jeugd hadden Eddy en hij daar gevist. Ze klauterden stroomopwaarts tussen de pijnbomen door. Hun kunstvliegen zaten aan de kraag van hun hemd, hun onderlijn hadden ze om een pijnboomtak gerold. Hij wist nog goed dat Eddy zijn hengel altijd in de poelen onder het dode hout uitwierp. Tom liet zijn arm weleens in de stroming bij de oever hangen en wachtte dan tot de forellen in de luwte tegen zijn pols aan kwamen liggen. Zijn vingers streelden hun buik en de regenboog- en bergforellen rustten in zijn handen. Tom staarde naar het troebele water, terwijl verwarde gedachten over zijn broer zijn hoofd vulden.

Hij herinnerde zich de nacht dat Eddy thuiskwam van de kust, hoe een jaar daarvoor vader en moeder en hij zonder iets te zeggen thuis waren gekomen van het station en moeder als versteend bij de gootsteen in de keuken stond en vader buiten bleef en de motorkap van de vrachtwagen opendeed waar in de schaduw achter de bumper een krat bier koel stond, terwijl er overal op het grind vettige moersleutels en schroevendraaiers slingerden. Het was net of zijn broer een geest was geworden, iemand die hij had verzonnen, een verloren broer over wie Tom had gedroomd. Hij herinnerde zich de gespannen stilte in de daaropvolgende maanden, er werd geen woord gezegd, de stilte was zo zwaar dat die hen allemaal bedolf. En toen was hij de zomer erna in het holst van een warme nacht wakker geworden omdat hij wist dat Eddy op weg was naar huis. Het was een gewaarwording die zo diep in zijn bloed zat dat Tom meende dat hij zijn broers huid kon aanraken als hij in het donker van zijn kamer zijn arm uitstak.

Hij herinnerde zich dat hij in zijn blootje zijn bed uit kwam en de trap af sloop op voeten die langs de muur waar het niet kraakte hun weg vonden, zodat niets zijn vader kon waarschuwen dat hij wakker was. Eenmaal door de hordeur holde hij de oprit af en klom in de oude spar, zijn handen en blote voeten gingen van tak naar tak en brachten zijn lichaam steeds hoger tot hij de laatste grote niet-geknakte tak bereikte en erop ging liggen.

In de verte waren de heuvels donkerblauw en de sparren in de arroyo waren zulke diepgroene schaduwen dat het leek of ze onder water stonden. Hij zag de heuvels en aan de voet ervan de ineengedoken gloed van het stadje. Hij lag daar een hele tijd op die boomtak en toen, net voor zonsopgang, kwam Eddy op de weg een halve kilometer verderop de heuvel over. Zijn broer was terug en het leven dat een jaar geleden was opgehouden kwam weer op gang.

Tom knarsetandde nu, boos alsof zulke gedachten een zwakte van hem waren. Hij deed zijn gulp open om te pissen en het geloosde water schuimde bij zijn schoenen. Aan de overkant van het meer zag hij een troep wilde eenden tussen de kattenstaarten in het ondiepe gedeelte. De vogels waren aan hun laatste voederdagen bezig, nog maar een dag of veertien en ze zouden de sterren volgen op hun nachtelijke reis door de plooidalen en over de uitgestrekte woestijnen naar de kust van Texas en Mexico. Ga nu maar, mompelde hij. De eenden negeerden hem, ze staken hun staart omhoog en trokken aan de zachte, onder de modder bedolven biezenscheuten. Hij knoopte zijn broek dicht en staarde naar de geblakerde bruine heuvels in het zuiden en westen.

De waarschuwingsfluit klonk en Tom keerde het meer de rug toe en liep terug naar de zagerij. De transportband kwam met een ruk tot leven en begon aan zijn langgerekte, gestage gedreun. Het was halverwege de ochtend, nog zes uur voor de boeg voordat hij eindelijk naar huis kon. Het timmerhout dat bij de afscheiding lag opgestapeld begon te klapperen, een grote kluwen van gebarsten en kapotte planken van vijf bij tien. Hij nam zijn plaats in, zette zich schrap en hoorde achter zich Carl aankomen op de vorkheftruck.

Hé Tom, riep hij.

Tom schoof wat dwarse planken in de stapel naast hem in het gelid en zwaaide. Carl was zwaarder dan toen hij hem jaren geleden voor het eerst bij de boerderij had gezien.

Hij keek naar Carl die van zijn wagen kwam en zijn helm afzette terwijl hij naar de band liep.

Carl haalde zijn handen door het vochtige haar op zijn hoofd. Je kijkt zo moeilijk, zei hij. Gaat het?

Niks aan de hand, zei Tom, terwijl hij planken pakte en opstapelde.

In de stad praten ze over dat feest bij jullie, zei Carl.

Het was wel een beetje een gekkenhuis, zei Tom en hij pakte een dwarsligger.

Dat heb ik gehoord, ja, zei Carl. Hij vertelde Tom dat de mensen zeiden dat er op iemand was geschoten.

Tom trok weer twee planken van de band en schoof ze op de stapel. Dat stelde niet zoveel voor, hoor, zei hij. Over de band hotsten nog veel meer planken zijn kant op.

Carl ging met een somber gezicht weer op de vorkheftruck zitten. Kalm aan, hè, riep hij en Tom knikte voor hij zich weer naar de transportband toe keerde.

Niks aan de hand, zei hij tegen zichzelf en hij geloofde het nog bijna ook, terwijl Carl met zijn helm achter op zijn hoofd naar hem zwaaide en een hele stapel vijf bij tien wegreed.

14

Marilyn duwde de emmer zeepsop vooruit, steunde met haar hele gewicht op de dweil die ze in haar handen klemde en boende de vloer naast het fornuis. Het schaafmes dat ze in een la had gevonden om het vettige vuil uit de barsten in het oude linoleum te schrapen, stak uit de zak van het schort dat ze in de kast in de kinderkamer had gevonden. Het schort lag er waarschijnlijk al jaren en was mettertijd op de vouwen vergeeld. Aan weerszijden waren er twee blauwe zangvogeltjes op geborduurd, met elk een krullende klimoptak in hun snavel en blaadjes die onder hun vleugels door kronkelden. Toen ze het vanmorgen voorbond, was het schoon geweest.

Ze had het serviesgoed al uit de kasten gehaald en de planken afgedaan, en daarna het vloertje onder de gootsteen aangepakt, dat zacht was op de plek waar de afvoer de grond in ging en waar het erg naar vocht rook. Ze had er zo goed als ze kon geschuurd en de deurtjes opengelaten zodat het hout een beetje kon opdrogen, en was daarna aan de vloer begonnen. Ze negeerde Toms moeder, die gehuld in een vormeloze jurk haar kamer uit gekomen was. Ze leek veel ouder dan haar eigen moeder, het vel op de handen en het gezicht van de vrouw was gerimpeld en verweerd en ze had erg veel grijs in haar haren. Nu zat ze op een keukenstoel met een mok koffie in haar handen te kijken hoe Marilyn de vloer met de dweil bewerkte.

Die vogels heb ik op dat schort gezet toen ik een stuk jonger was dan jij, meisje, zei ze. Ze sprak luid. Ik heb het geknipt en genaaid en gezoomd en toen heb ik die vogels geborduurd.

Moeder praatte verder alsof ze het tegen zichzelf had, met onvaste stem. Het was een vogel die ik al eens gezien had, zei ze, niet zoals die in *Ladies Home Companion*. Mijn moeder leende dat blad altijd van een boerin die een eindje verderop woonde. De zangvogeltjes die erin stonden leken voor geen meter op de vogels die we bij ons thuis hadden.

Ze zweeg even terwijl ze een trek van haar sigaret nam.

Ze zijn best mooi, zei Marilyn.

Ze had het idee dat moeder even aarzelde, alsof ze zich afvroeg waarom dit meisje iets zei, en dan nog wel tegen haar. Marilyn keek hoe ze een trekje nam van de sigarettenpeuk die in haar mondhoek zat. Vroeger kon ik goed met naald en draad overweg, zei moeder. Ze pakte haar mok en liet de koffie ronddraaien. Wat een slappe koffie, en hij is niet eens echt warm. Zet die pot eens wat verder naar voren op het fornuis. Waar jij hem hebt gezet wordt hij niet warm.

Marilyn wrong haar dweil uit in de teil naast haar en begon weer te schuren terwijl ze de vrouw probeerde te negeren, maar moeder ging gewoon door.

Ik wilde dat het een mooi schortje werd. Marilyn keek op en knikte, maar moeders blik was van haar naar het raam gegaan alsof ze het tegen de berg had die zich daar dreigend aftekende. Als mijn meisjes in leven waren gebleven, had ik dat schort aan een van hen gegeven, zei ze. Mijn meisjes zijn dood, weet je. Na een aarzeling voegde ze eraan toe: Ik werd het donker in gezogen toen ze geboren waren. Dus kon ik niets zien.

Het grove weefsel van de dweil draaide eindeloos rondjes voor Marilyn, de vrouw op de stoel ging maar door, met iets vagelijk terugblikkends in haar stem dat Marilyn kende van toen haar grootmoeder nog leefde en over vroeger praatte. Marilyn keek naar haar schrobbende handen en uit het grijze schuim kwam een patroon op het linoleum tevoorschijn, bloemen die zich telkens herhaalden, rode rozen leken het, waarvan de omtrekken weggesleten waren door de laarzen en schoenen en voeten die in de loop der jaren bij de gootsteen en het fornuis hadden gestaan. Hier en daar dook er een bloem op, alleen een omtrek, de kleur was bijna helemaal weg.

Moeder tilde haar mok op en keek alsof ze de vlucht van de bruine ganzen rondom het aardewerk probeerde te volgen. Stomme vogels, zei ze. Er klopt niks van. Van deze ganzen niet en van die zangvogels al evenmin. Bij ons op de prairie waren ze echt blauw, niet met zo'n roze borst. Ze keek weer naar de velden buiten.

Ik kan me mijn meisjes niet echt herinneren. Ik lag in bed en ik wilde alleen maar met rust gelaten worden. Volgens mij was het vader die me vertelde dat ze overleden waren, of was het Tom? Hij moet het wel geweten hebben. Hij zat dag en nacht bij Alice in dat kamertje. Tom heeft altijd al bij dingen willen zijn die niet gemaakt kunnen worden. Net als die hond die hij destijds had. Hij was zo gek op die hond, zei ze en ze frutte aan haar jurk.

Marilyn staarde naar haar met de dweil in haar hand.

Wat kijk je nou naar me? Die hond van hem is allang dood. Ze gaf een duw tegen haar mok en er klotste wat koffie op tafel. Het ging gewoon mis, zei ze, geen mens die hielp.

Marilyn pakte het mes uit haar schortzak en schraapte ermee over de vloer.

O, laat toch, zei moeder scherp. Ze wachtte even en wapperde met haar handen voor haar gezicht. Ik vond de veldleeuweriken het leukst. Toen ik nog een meisje was, slopen de jongens altijd naar hun nest toe en schoten er met de katapult op. Die ene jongen die verderop woonde deed dat altijd. Dat waren buitenlanders. Die zijn zo.

Hier heb je bijna geen zangvogeltjes, zei moeder. Ze zijn allemaal ergens aan gestorven. De stadsmensen blijven maar nestkastjes neerzetten op de heiningpalen langs de weg, maar daar haal je ze niet mee terug. Die jongen hè, die herinner ik me wel. Hij had iets gemeens in zijn blik. Volgens mij kwamen ze uit Duitsland. Na de oorlog zaten er een hoop Duitsers in de buurt, maar zeker weten deed je het niet.

Marilyn ging op haar hurken zitten en keek naar de tot spleetjes geknepen blauwe ogen van moeder. Wat leek ze sluw nu, ze had iets doortrapts.

Moeder wreef met de onderkant van haar pols over haar wang en deed het tabaksblik open om het zoveelste shagje te rollen.

Marilyn boog weer voorover en ging verder met het schrobben van de vloer.

Als je zo blijft schrobben, zei moeder, ga je nog dwars door de vloer heen de viezigheid in, en dan komen de wolfsspinnen en god mag weten wat nog meer uit de kruipruimte onder het huis tevoorschijn om je te bijten. En slangen, reken maar.

Marilyn stond op en gooide nog twee houtblokken in de kachel. Toen ze even opkeek, zag ze moeder weer uit het raam staren. Buiten was er niets veranderd sinds de vorige keer dat ze keek, dacht Marilyn. De berg was er nog en hij was er altijd al geweest. Wie wist wat ze dacht? Ze liep met de emmer naar achteren en gooide het vuile water op het grind. Er huiverde een briesje door de naalden van de oude spar voor aan de oprit. De berg hield het ochtendlicht tegen, de opgaande zon scheen nog niet op de zijkant van het huis en de oprit lag in de schaduw. Het komt helemaal goed met Tom en mij, dacht ze. Het wordt hier anders. Ik kom hier wonen. Ze zal dat gewoon moeten pikken. Ze keek even om naar Toms moeder, die daar met een nieuwe, smeulende sigaret in haar mondhoek zat.

Ik weet niet waarom die berg geen naam heeft, zei moeder verstrooid. Dat is het probleem met de dingen hier. Niemand weet hoe iets heet.

Marilyn deed alsof ze haar niet hoorde, bukte zich en raapte een steenscherf op die op de rand van de tree lag en draaide hem om tussen haar vingers. Ze herinnerde zich dat ze een klein meisje was en haar moeder poetsvrouw bij de rijkelui op de heuvel. Die ene keer dat ze een truitje had gehad van de moeder van een van haar klasgenootjes. De dochter had het op de grond gegooid en de moeder van het meisje zei dat ze het niet verdiende om het truitje te hebben als ze er zo mee omging, en Marilyn had het aangedaan toen ze de volgende dag naar school ging. Het was een leuk truitje, lichtblauw met korte pofmouwtjes. Het was haar te groot, maar ze droeg het toch. En toen had het meisje in de kantine tegen iedereen gezegd dat het van haar was en dat Marilyns moeder het had gestolen. Marilyn had het truitje nooit meer aangedaan, ook thuis niet. Ze gooide de scherf op het grind en na twee keer ketsen verdween hij tussen de andere keitjes, niet te onderscheiden van de kiezels eromheen.

Ze ging weer naar binnen en liet de emmer vollopen met warm water uit de kraan dat ze heet maakte door het aan te vullen met kokend water uit de ketel op het fornuis.

Een whiskeytje zou fijn zijn, zei moeder. Gewoon een paar slokjes om mijn maag te kalmeren en mijn zenuwen tot bedaren te brengen. Ik ben aldoor zo moe. En ik maak me zorgen. Waar is Eddy? Hij is vannacht niet thuisgekomen.

Ik weet het niet, zei Marilyn.

Het is akelig heet, zei moeder. Moet je onderhand niet eens ophouden die kachel te stoken?

Marilyn negeerde haar nu, ze had met gestrekte armen de aanval met de dweil hervat, de klus was bijna geklaard. Ze had de vloer voor het fornuis afgewerkt en was nu bezig met wat er van het linoleum bij de kasten over was. Dat was gebarsten en kapot en in de vurenhouten planken die je erdoorheen kon zien, waren de etensresten ingelopen. Ze schraapte met het lemmet van haar mes in de naden. Langs het lemmet kronkelde een zwarte, stugge krul vet omhoog als een rank van de zwaluwtong. Ze deponeerde de krullen in de emmer naast haar. Dit huis is vuil, zei Marilyn. Met een vluchtige blik omhoog velde ze een oordeel over Toms moeder en haar nalatigheden.

Wat kan ik daaraan doen? vroeg moeder en ze zette de koffie aan haar lippen en nam weer een slok. Alsof ik nog in staat ben om op mijn knieën te zitten en dat soort werk te doen. Ik heb Tom gezegd dat hij moest helpen om de boel hier schoon te houden, maar komt hij er ooit toe dat hij wat doet? O, hij gooit weleens wat afwaswater op de grond dat hij met een bezem naar buiten veegt, maar of dat zoveel uitmaakt?

Marilyn reageerde niet en moeder schamperde terwijl ze met haar vingertoppen een haar van haar wang veegde. Waarom stook je dat vuur zo op? Een mens wordt hier zowat gekookt. Je verspilt goed hout.

Ik heb hier heet water bij nodig, zei Marilyn en ze duwde de emmer voorzichtig een stukje verder.

Marilyn had bijna het gevoel dat het huis van haar was. Een likje verf op de kasten zou wonderen doen, dacht ze. Kijk eens, zei ze en ze hield de dweil voor moeder op. Dit vuil hier is van een maaltijd die je vast nog hebt staan klaarmaken toen Tom klein was.

Tom had 's morgens altijd graag havermoutpap, zei moeder. Die maakte ik voor hem. Dan zat hij daar in zijn kinderstoel, zei ze met een vaag handgebaar. Hij was niet zoals Eddy. Tom zei geen woord totdat hij ruim drie was. Eddy praatte voor hem. Ze zette haar mok neer en priemde haar peuk in de met zand gevulde asbak. Ze vouwde haar handen. Eddy at nooit pap, zei moeder. Hij at alleen maar zachtgekookte eitjes en fabrieksbrood. Net als zijn vader. Ik weet niet wat er met die kinderstoel is gebeurd. Elmer heeft er op een nacht vast kachelhout van gemaakt. Dat is typisch iets voor hem. Ze keek Marilyn hatelijk aan. Je moet dat haar van je vastbinden, weet je dat, zei moeder. Het valt over je gezicht bij het schrobben.

Marilyn keek met gefronste wenkbrauwen toe hoe moeder onhandig een verkreukeld rood hoofddoekje uit haar zak haalde. De vrouw stond op en leek even naar haar evenwicht te zoeken voordat ze naar het meisje toe kwam. Zit stil, zei ze. Marilyn voelde hoe ze het doekje strak over haar voorhoofd trok en het onder haar haren bij de nek vastbond.

Kijk, zei moeder en ze rechtte haar rug. Dat noemen ze nou een baboesjka. Een vrouw uit Oekraïne heeft me laten zien hoe je dat moet doen. Haar gezin zat daarginds in een hut, voorbij Black Rock. Ze kwam hier altijd op het veldje achter het huis de overgebleven frambozen plukken. Ze was een ontheemde, net als al die anderen die na de oorlog hierheen waren gekomen. Je kon haar amper verstaan. Moeder deed een stap terug, plotseling opgelaten.

Dat schort dat je draagt heb ik gemaakt, zei ze. Ik was nog maar een meisje. Toen Marilyn wegkeek, zei moeder: Je denkt misschien dat je iets bijzonders bent nu je wat met Tom hebt, maar wat weet jij daar nou van? Je bent het eerste grietje dat hij hier ooit mee naartoe heeft gebracht. Ik dacht dat je met Eddy was toen ik je zag. Eddy gaat met meisjes om, Tom niet.

Nou, Tom vindt míj leuk, zei Marilyn.

Moeder tuitte haar lippen alsof ze moeite deed om iets te begrijpen wat haar was ontgaan. Ze hield op met het friemelen aan de knopen van haar jurk. Je ziet er niet oud genoeg uit om het meisje van wie dan ook te zijn, zei moeder. Je zou thuis moeten zitten en een quilt moeten naaien voor wanneer je gaat trouwen. Een wittebroodsquilt, die zou je moeten naaien.

Maar Marilyn ging niet in op de volgens haar valse opmerkingen. Ze was moe en zei dat moeder uit de weg moest gaan. Moeder wreef met de muis van haar hand over een verdwaalde haarlok bij haar oor. Ga toch naar buiten, het zonnetje in, zei Marilyn.

Moeder ging de achterdeur uit en stond op de cementen stoep. Marilyn kon door de open deur de vrouw, de grindstrook en de schuur zien. Ze dacht aan Tom. Ze glimlachte toen ze terugdacht aan wat ze bij het wakker worden bij hem had gedaan. Ze was verlegen geweest, alsof wat ze 's nachts met hem had gedaan op de een of andere manier verkeerd was geweest, haar onstuimigheid, hoe ze zich daarginds bij de waterton had gedragen en daarna in zijn bed. Ze vond het fijn om voor hem te zorgen. Ze had van haar moeder afgekeken hoe ze wonden moest verzorgen. Ze had een rolletje verbandgaas en een fles jodiumtinctuur in een la in de badkamer gevonden. Ze had een stevig verband om zijn gewonde hand gedaan.

Het wordt winter, zei moeder alsof ze aan het dromen was. Daarop draaide ze zich om op de stoep, kwam weer naar binnen en ging op de drempel staan met haar gezicht in de schaduw. Het kan nu elke dag gaan stormen, zei moeder, en koud wordt het ook. Wanneer komt Eddy naar huis?

Marilyn schudde haar hoofd, duwde de tafel en de stoelen terug over de schone vloer en ging op haar knieën zitten.

Die jongen, zei moeder met krachteloos neerhangende handen. Wat doet een mens eraan?

Toen Marilyn niets zei, kwam moeder terug naar de tafel en keek op haar neer. Wat doe jij hier trouwens? Wie heeft jou gevraagd hier de boel overhoop te halen?

Marilyn ging op haar hurken zitten, trok het hoofddoekje af en veegde met haar blote arm over haar voorhoofd. Zo'n toon kun je tegen Tom aanslaan, zei ze, maar niet tegen mij. Ik wil het niet horen. Ga maar opzij, dan kan ik die vloer hier afmaken.

Moeder keek haar weer woedend aan, terwijl ze naar het fornuis ging om nog wat koffie in te schenken en ze liet de hard geworden klont bruine suiker die ze uit de pot op het aanrecht had gebikt in haar mok vallen. Nadat ze in het voorbijlopen even aan de melkfles had geroken, liep ze op haar afgetrapte slippers over de natte vloer langs de badkamer.

Marilyn hoorde haar achter in de gang haar deur dichtdoen. Ze dacht aan Toms moeder en aan de hare en aan wat de jaren hun ieder op hun manier hadden aangedaan, wat ze zichzelf hadden aangedaan. Het was niet goed dat ze dat hadden laten gebeuren.

Tom en zij konden in dit huis een leven opbouwen, dacht ze. Hij wist het nog niet, maar dat kwam nog wel. Misschien kon ze wel kippen houden en eieren verkopen in een kraampje op Ranch Road, en even zag ze zichzelf al graan uitstrooien voor een groepje kippen, met pikkende hennetjes bij haar voeten. Eieren, en dan zouden ze verse groenten en fruit telen en die ook verkopen. Tom kon op dat veld daar zelfs een paar schapen houden. Mensen genoeg die graag lamsvlees aten. Ze konden ook best een paar varkens vetmesten. En misschien konden ze die oude appelbomen in de tuin opkalefateren. Ze had langs de weg boven de stad fruitstalletjes gezien. Tom en zij konden wat opzijleggen en een rol nieuw linoleum en verf kopen en hier een echte keuken van maken. Er kwam een briesje door het open zijraam met zijn geborstelde, schone hor. Dat is beter, zei ze en ze droogde haar handen af aan haar schort.

Aan een stervend kindje van haarzelf wilde ze niet denken. Als zij een dochtertje kreeg, zou ze als geen ander voor haar zorgen.

Ze ging naar de veranda. Daar lagen geen vliegen meer. Na het ontbijt had ze hun lijkjes met de bezem weggeveegd. Toen ze haar geroosterde boterham ophad, had ze een stuk karton aan het deurkozijn bevestigd dat groot genoeg was om de scheur in de hor te bedekken. Ze liet de hordeur zachtjes achter zich dichtvallen zodat moeder niet wakker zou worden als ze nu sliep, pakte een lege emmer die naast de paal van de waslijn stond en ging naar de tuin.

Ik ben nu een vrouw, geen meisje, zei ze tegen een specht die op de grond in het fruit pikte en flintertjes rood vruchtvlees in zijn lange snavel liet verdwijnen. We moeten allemaal eten, zei ze tegen de vogel. Ze keek naar de pronkbonen die in hun droge peulen aan de geel geworden maisstengels hingen. Ze knielde in een greppel vol dode prinsessenbonen en plukte de slanke peulen. De droge bonen rammelden in de doppen. Ze hield een peul tussen haar duimen en brak hem open. De witte bonen klikten in haar gesloten hand.

Tom.

Ze zei zijn naam in het kleine holletje van haar vuist, haar adem was warm en de bonen in haar hand waren koel als kiezelstenen uit de beek. Ze deed haar hand open boven de zinken emmer en de bonen druppelden tussen haar vingers door naar beneden. Daarop verdwenen haar handen tussen de dorre planten, terwijl ze de peulen afriste en openbrak en de droge bonen een voor een in de emmer liet vallen.

15

Ik ben Marilyn Bly maar, zei ze en de vallei ontvouwde zich als een snel uitgetrokken jurk. Dat ben ik.

Toms hoofd rustte met gesloten ogen op haar bovenbeen. Marilyns zachte stem was iets waar je van op aan kon.

Ik woon boven aan het meer. We zijn mijn hele leven al arm. Soms kwam mijn moeder thuis met kleren uit de huizen waar ze schoonmaakte, spullen die ze van de rijke vrouwen kreeg omdat hun dochters ze niet meer hoefden, truitjes en jurken en zo. Ik was niet zoals die meisjes. Als zij gingen zwemmen, werkte ik in de conservenfabriek. Ik was twaalf toen ik daar via mijn moeder een baantje kreeg. Ik veegde de vloeren en hielp de oude meneer Gondor de lijm mengen van de etiketteermachine voor de dozen. Ik werkte ook op de velden en in de boomgaarden, en van mijn moeder mocht ik een deel van wat ik verdiende zelf houden.

Op de meren die als heldere spiegels tussen de heuvels in de verte lagen schitterde het vroege avondlicht, dat telkens wanneer de wind opstak, trilde als bewegend glas. Marilyn haalde diep adem. Niemand had me ooit gezien, zei ze. Niet zoals jij me hebt gezien. Ik ben niet knap, niet zoals andere meisjes, en toen Tom naar haar keek, haalde ze haar hand van zijn wang en sloeg er zachtjes mee op zijn borst. Lach me niet uit, zei ze. Ik weet dat ik klein ben en dat ik maar één oog heb, maar ik zie de dingen net zo duidelijk als jij. Ik ben heel gewoon, hoor. Ze leunde tegen de steenlaag achter zich. Ik denk dat ik heb gewacht, zei ze, maar Tom wist niet of ze het tegen hem of tegen zichzelf zei.

Hij staarde langs haar kalme aanwezigheid en verbaasde zich erover hoe ze zijn leven binnen leek te zijn gekomen. Hij zag haar weer met een blos op haar wangen naar Norman kijken die achter het huis op de grond lag. Hij herinnerde zich vooral dat ze niet bang leek en dat hij wist dat iemand haar onbevreesdheid moest bewaken. Van de velden in de diepte ging de wind langs de rots omhoog en een buizerd cirkelde op de opwaartse luchtstromingen.

Hij dacht aan Eddy die de slaapkamer aan het einde van de gang in was gesprongen toen de oude man op hem schoot, terwijl de kogel door de lucht ging die hij net had uitgeademd.

Hij deed zijn ogen weer dicht en staarde naar het bloed in zijn oogleden. Sinds wanneer ging Joe trouwens met Wayne om? vroeg hij zich af. Na het werk was hij naar het stadje gereden. Hij had boodschappen gedaan bij Olafson en wilde net weggaan toen hij zich weer omdraaide en tegen Olafson zei dat hij er voor moeder een blikje tabak bij moest doen, en toen zag hij Joe door het raam van het Venice Café, waar hij aan de bar met Lucky Johnson stond te praten. Naast Joe stond Wayne gretig te lachen. Tom stapte weer in de vrachtwagen en zag Joe zijn portemonnee trekken en er een bankbiljet uit vissen terwijl Lucky knikte als reactie op wat hij zei. Toen kwamen ze met zijn tweeën naar buiten en Joe stak zijn portemonnee in zijn kontzak. Ze liepen weg van waar Tom geparkeerd stond in de richting van het Okanagan Hotel en Wayne veranderde telkens van positie, alsof hij niet helemaal zeker wist waar hij mocht lopen. Joe's kraag stond overeind onder zijn elviskapsel en hij liep met opgetrokken schouders. Hij schoot steentjes weg die langs autobumpers scheerden en versplinterd in de goot belandden. Tom zag de woede in Joe's binnenste en vroeg zich af hoe ver die reikte.

Toen Tom thuiskwam, was Marilyn al aan het koken. Terwijl de koteletten in de braadpan spetterden, ging ze met hem naar de badkamer om zijn hand schoon te maken en opnieuw te verbinden. Daarna had hij zich aan tafel koortsig en wazig gevoeld. Na het eten had hij moeder een bord gebracht, maar ze zei dat ze zich niet goed genoeg voelde om te eten. Ze stuurde hem haar kamer uit en zei dat haar maag van streek was.

Toen hij weer in de keuken kwam, had Marilyn de afwas al in de gootsteen gezet.

Ik moet even naar buiten, zei hij en dus waren ze de weg af gelopen naar de velden en gestopt bij de plek waar het beekje een bocht maakte en grillige bandensporen naar de berg gingen. Hij klom over een lage omheining en draaide zich om om Marilyn, die vlak achter hem stond, onder haar armen te pakken en over het prikkeldraad te tillen, en ze lachte en zwierde met haar benen door de lucht en Tom wilde haar niet loslaten, ook niet toen hij vertraagde en zij zich liet zakken en met haar voeten over een droge graspol streek tot haar tenen ten slotte de grond vonden.

De dag glipte weg. Het was volop herfst, de appels vielen van de bomen, de meeste tuinen en velden die ze passeerden waren leeggeplukt of -gemaaid, en de vlinders en libellen waren verdwenen nadat ze hun eitjes hadden weggestopt in een beek of in een wigvormige spleet van een boom en waren toen verdwenen. Over een maand zouden de laatste kikkers zich in de modder ingraven om de kou te doorstaan. Marilyn en hij waren verder gelopen, dieper het land in, hun spoor door het gras een gestaag vorderende trektocht. Hier en daar stopten ze om te kijken naar een konijntje dat het struikgewas in schoot, het afgeworpen vel van een ratelslang, het verlaten nest van een fazant, frisse groene eierschalen die op gebarsten aardewerk leken. Ze waadden door een verwaarloosd veld. De boer die hier woonde was al een paar maanden ziek; hij had Tom de afgelopen jaren op zijn land laten jagen. In een schommelstoel op de veranda zat zijn vrouw, Elsie, geduldig te wachten zoals ze dat al sinds het vroege voorjaar deed. Marilyn zwaaide naar haar en Elsie stak haar hand op alsof ze terug wilde zwaaien en liet hem toen op haar schoot vallen, terwijl de stoel langzaam op de planken van de veranda schommelde.

Het gras had zijn laatste zaadjes laten vallen, het zomerse stuifmeel was allang weg en alle bladeren en stengels waren verwelkt en verdord. Luister naar het gras, zei Marilyn en Toms arm maaide door de gebogen halmen en ze waren omringd door licht gedruis dat klonk als brekend glas van een ongeluk in de verte. Herefordkoeien staarden hen aan in de schaduw van een Virginische kers en een paard hinnikte toen ze langskwamen.

Ze liepen tussen een rij populieren door die twee velden scheidde met bomen waaraan de laatste appels glommen. De roodgestreepte Foxwhelps en Northern Spies. Overrijpe Gideons en Redchiefs hingen zwaar aan een aantal niet leeggeplukte bomen in herfsttooi. Het waren oude bomen die de strenge vorst van enkele jaren na de oorlog blijkbaar hadden overleefd, toen er zoveel boomgaarden waren verwoest, waaronder de fruitbomen thuis die dat voorjaar in ijs verpakte bloesems hadden gehad. Bij een paal op een boerenerf blafte een hond en Tom hield Marilyn tegen in afwachting van zijn uitval. De gevlekte brak met zijn ingevallen maag en brede borstkas ging aan het uiteinde van een strakgetrokken ketting tegen hen tekeer. Ik hou van honden, zei

Marilyn. Ja, zei Tom, en deze blijft een jaar rennen als je hem loslaat.

Je moeder vertelde dat je er vroeger zelf een hebt gehad, zei Marilyn.

Ja. Docker, zei Tom. Zo heette hij. Ik heb hem op de vuilstort gevonden.

Waarom noemde je hem zo?

Eddy noemde hem zo. En vader had hem gecoupeerd. Met een bijl, omdat hij er zonder staart pas als een echte spaniël uitzag.

Wat akelig, zei Marilyn.

Met zijn handen diep in zijn zakken trapte Tom naar een graspol en begon toen te lopen, terwijl Marilyn bijna moest hollen om hem bij te houden. Aan de rand van het hooiveld waar ze langskwamen groeiden lage struiken onder een rij bomen uit in een poging het licht te vangen. Hij stapte over een afgevallen tak van een populier en zei tegen Marilyn dat ze voorzichtig moest zijn en dat was ze ook, toen er ineens een mannetjesfazant uit zijn schuilplaats stormde en hen met zijn geklapwiek aan het schrikken maakte. Marilyn ging op een kei zitten die boven het gras uitstak, strikte haar veter en plukte de klissen van haar sokken. Zijn blik volgde de vlucht van de fazant, die over het veld naar beneden fladderde en toen de bomen in zwenkte.

Vader vond het onverdraaglijk om een fazant te doden. Tom herinnerde zich een winterochtend waarop zijn vader en hij ze buiten gingen voeren en vader graankorrels op de hard geworden sneeuwlaag strooide. De fazanten kwamen aarzelend en kwetsbaar uit het struikgewas bij de beek tevoorschijn. De haantjes hadden om hun ogen een krans van rode veertjes en bewogen zich als juwelen over het ijs, met vlak achter ze aan de goudkleurige hennetjes, die zenuwachtig klokkend en kwetterend op het voer af gingen. Ze zijn heel bijzonder, had hij gezegd. Dat had Tom altijd onthouden, net als zijn vaders enorme handen die het zaad op de witte sneeuw strooiden. Zijn vader had hem maar één keer aangeraakt met iets van genegenheid en toen was het al te laat. Die vroege winterochtend, terwijl de fazanten de tarwe van het ijs en de sneeuw bij de dichtgevroren beek pikten, was vader achter Tom gaan staan en had hij zijn handen op Toms schouders gelegd. Zie die vogels eens, had hij gezegd. Ze zijn zeldzaam mooi.

Zeldzaam mooi!

Wat zeg je? vroeg Marilyn.

Mijn vader zei dat ooit. Het doet er nu niet toe, en hij pakte haar hand en hielp haar overeind en ze gingen samen verder.

Bij de kliffen aan de voet van de berg bracht hij haar naar een schoorsteenrots die ze via de stenen treden beklommen. Op de richel waar ze uitkwamen keken ze naar de vallei, waar de uitgestoken vingers van de bomen de velden en boerderijen als puzzelstukjes in elkaar lieten passen, met ertussen smalle streepjes weg die op gehechte wonden leken. Verderop lag het stadje diep begraven op de bodem van de vallei, bij de drie meren die met hun noordkant naar dat verborgen plekje wezen.

De havik zweefde nu boven hen uit, zijn kleine schaduw gleed als een wimper over het grastapijt op de velden. Ze tuurden omhoog naar zijn zachte, grijze buik die bijna niet te zien was tegen de lucht. De heuvels in de verte verdwenen achter een afgedwaalde wolk waarvan de schaduw over het meer wegdreef. De wind blies Marilyns haar terug zodat het als een kluwen op haar voorhoofd lag. Hij keek naar haar, terwijl ze boven hem tegen de rots leunde en hem haar kleine gezicht toekeerde. Je hebt nog steeds niet verteld hoe het komt dat je aan één oog blind bent.

Marilyn legde haar hand over die kant van haar gezicht. Wat valt er te zeggen? Mijn vader werd altijd kwaad op me als hij een sombere bui had. Ik weet niet wat ik die keer had gedaan waardoor hij zo kwaad werd, maar hij reed zijn stoel de gang in met zijn stok op schoot. Ik herinner me dat mijn moeder riep dat hij me niet moest slaan. Maar hij ging staan en terwijl hij zijn best deed om zijn evenwicht te bewaren, probeerde hij me met die stok te raken. Toen hij ermee uithaalde, gleed hij weg en de stok kwam tegen mijn oog aan. Hij deed het niet met opzet. Daarna was ik anders dan andere meisjes.

Tom stak zijn arm naar haar uit.

Je hoeft geen medelijden met me te hebben, hoor.

Bijna iedereen heeft wel iets ergs, zei Tom langzaam. Maar wat doe je eraan?

Ze wees naar de rook die van de vuilstort op de heuvel ten noorden van de stad opsteeg. Ik heb al bijna mijn hele leven aan de weg boven die rook gewoond, zei ze. Ik dacht even dat ik het licht zag weerkaatsen op de zijkant van onze caravan.

Hij volgde haar wijzende vinger, maar zag niet waar ze naar

keek. Beter kijken, zei ze en hij kneep zijn ogen tot spleetjes, maar zag nog steeds niet wat Marilyn hem wilde laten zien.

Midden in de nacht schrok hij wakker toen er een geluid zijn droom binnendrong waarin hij in de donkere aardappelkelder tussen oude jutezakken en kisten vergeefs naar zijn hond zocht. Het was een terugkerende droom waar Tom telkens weer bezweet uit wakker werd. Door het muggengaas voor het raam drongen nachtgeluiden naar binnen, het geronk van een vrachtwagen in de verte, de zachte dubbele roep van een dwerguil. Daarna was het weer stil. Hij hoorde het zachte gekrabbel van de wespen die tussen de muren over hun stoffige paadjes kropen en de kamer in kwamen. Het oude huis zat vol kieren, opgelapte gaten en versplinterd hout. Het stucwerk en de spantplanken waren gebarsten en de dakspanen kierden. Toen de nachten koeler werden hadden de grote wespenzwermen in de populieren het lange slapen voelen aankomen en de insecten waren in de zuidmuur gaan zitten, waar het stucwerk de warmte vasthield. Nu waren de wespen traag, hongerig en doodmoe nadat ze de hele zomer het hout van de grijze heiningpalen hadden afgeschraapt, om het te vermalen tot de natte brij waarmee ze hun nest bouwden.

Hij herinnerde zich dat hij eerder die zomer op de putrand zat en met zijn hand over het houten deksel had gewreven. De gloeiend hete planken waren door de wind en de zon in een zacht bontlaagje veranderd dat de wespen verzamelden om er papier van te maken. Hoe vaak had hij niet zitten kijken naar de kaken die slanke alfabetten uit het hout schraapten, insectenwoorden die ze mee naar huis namen. In de appelboom boven de put was het nest nu leeg. Het was een verlaten nonnenklooster dat in de wind schommelde, terwijl de laatste, verwaarloosde larven in hun dichtgemetselde cel verschrompelden.

Nu de wespen vrijwel zonder voedsel zaten, stierven ze in hun pantser een langzame dood. Er was niet veel meer waarop ze konden jagen, er moesten te veel wespen worden gevoed en ze hadden hun nest verlaten. Toen Tom en Marilyn sliepen, waren de wespen tussen de isolatieplaten door de slaapkamer in gekropen en nu hingen ze in trosjes en ingewikkeld aaneengeschakelde kettingen langs de muren, een breekbaar web van zusterlijk met elkaar verbonden wespen dat hij al sinds zijn jeugd elk jaar had zien ontstaan. Nog een paar dagen en dan zouden ze massaal sterven, maar voorlopig kropen ze op stramme pootjes naar alles wat warmte verspreidde.

Het maanlicht stroomde de kamer in. Naast hem sliep Marilyn, het laken rustte licht op haar sleutelbeenderen. Haar ene arm lag op het versleten katoen en haar hand klampte zich eraan vast alsof ze zich daarmee tegen dreigende nachtmerries kon beschermen. Er had nog nooit een meisje in zijn bed gelegen en nu lag zij er. Ze mocht een poosje blijven, besloot hij. Dat leek ze wel te kunnen gebruiken. Ze zag er zo kwetsbaar uit, wie weet wat ze droomde.

Ze lagen onder een van moeders quilts. Marilyn zei dat ze hem achter in de kast in de kinderkamer in een houten kist had gevonden. Het was de quilt met de Bijbelmotieven, de Hemelpuzzel. Die quilt had hij lang niet gezien. Moeder had hem gemaakt toen ze een jong meisje was. Hij had geprobeerd zich die tijd voor te stellen, de keukentafel met een brandende olielamp, zijn grootmoeder Nettie die zijn moeder leerde hoe je de verschillende steken deed en de volgorde waarin je de vierkante en driehoekige lapjes neerlegde, de radio die 's avonds zijn blikkerige liedjes speelde.

Als vader niet thuis was en moeder ervoor in de stemming was, wilde ze Eddy en hem nog weleens een van haar prairieverhalen vertellen. Een keer was ze met hen in de kinderkamer gaan zitten en had toen haar kist van knoestig vurenhout uit de kast gehaald. Ze vertelde hun dat ze er jaren over had gedaan om de kist vol te krijgen, haar geschenk aan haar toekomstige thuis en de man met wie ze op zekere dag zou trouwen. Ze zei dat ze de kist was gaan vullen toen ze nauwelijks ouder was dan zij nu. Tom vond dat hij naar haar moest luisteren, al zat zijn broer nog zo te draaien. Eddy wilde er op zijn fiets vandoor, naar de stad. Op zulke ogenblikken kreeg ze iets triests over zich en dan ging Toms hart naar haar uit, alsof hij door bij die verhalen aanwezig te zijn iets kon goedmaken voor haar. Ze noemde haar uitzetkist 'de kist van de hoop', en die naam had hem getroffen.

Hij had de kist vaak genoeg achter in de kast zien staan. Er waren in de loop der jaren krassen en slijtplekken op gekomen. Moeder vertelde Tom dat ze in de tijd dat ze met vader van stadje naar boerderij naar fokkerij rondtrok, de kist altijd bij zich had gehad. Haar uitzet bestond uit twee nachtjaponnen met handgenaaid smokwerk, en ondergoed dat ze toen ze nog bij haar ouders in

Nokomis woonde van het eiergeld had gekocht, een setje van rode zijde, te snoezig om te dragen. Ze vertelde hoe leuk ze het altijd had gevonden om de zijde over haar hand te trekken, zodat ze door de dunne stof de zon kon zien. Ze deed het voor door de zijde strak over haar gespreide vingers te trekken en haar hand voor de zon te houden die door het raam naar binnen viel. Kijk eens wat snoezig, zei ze dan en Tom herinnerde zich haar wriemelende vingers die in een vlam leken te zitten. Toen Eddy het ook wilde doen, mocht dat niet van haar en ze legde de rode zijde weer weg. Er zaten ook kussenslopen, lakens en handdoeken in, een paar ervan had ze gekregen van een buurvrouw die weer naar Engeland terugging. Er waren vingerdoekjes en antimakassars, spulletjes met namen die hij nog nooit had gehoord, woorden die hij niet kende: taffetas, appliqué, keurs. Er waren twee met bloemen beschilderde theekopjes en één schoteltje, het andere was lang geleden kapotgegaan, zei ze. Vader had de kist laten vallen toen ze uit Medicine Hat vertrokken op weg naar Idaho in het zuiden, naar een houtzagerij langs de Teton River bij de grens met Wyoming. Zo'n baantje dat hooguit twee weken of een maand duurde, en dan kregen ze een lift van een passerende vrachtwagen, en dan trokken ze weer verder met vaders belofte dat het straks allemaal beter zou worden.

Ze vertelde hoe ze op een geverfde houten stoel in het eenvoudige boerenhuis aan het meetpad de lapjes aan elkaar had genaaid van wat ze haar Hemelpuzzel noemde, een van de vele quilts die ze indertijd had gemaakt. Op de bodem van de kist lag haar bijzondere quilt. Die had ze gemaakt, vertelde ze, van lapjes die ze had gekregen van vrouwen op de verderop gelegen boerderijen, voor zover die nog bewoond waren. Wanneer ze tegen de vrouwen zei dat het voor haar Trousseau-quilt was, gaven ze haar fluweel, satijn en zijde, overgebleven lapjes die ze hadden bewaard. De vrouwen wensten haar geluk, maar moeder zei erbij dat je aan hun ogen kon zien dat ze iets leken te weten wat niet hardop werd gezegd.

Het huis dat het dichtst bij hun boerderij lag, was een oude plaggenhut die bewoond werd door een man alleen, aangezien de echtgenote die uit een mijnstadje in Ohio naar hem toe had moeten komen nooit was gearriveerd. Moeder zei dat het dak en de muren van aarde en gras waren en dat ze er een keer met haar vader binnen was geweest toen hij bij de man om een fokzeug kwam sjacheren. Ze herinnerde zich dat ze er alleen maar donker en stof had ingeademd. Tom probeerde zich zijn moeder in zo'n vertrek voor te stellen, of te voet op de smalle prairiewegen onderweg van boerderij naar boerderij op jacht naar mooie lapjes stof, maar het enige wat hij zag was het smalle silhouet van een meisje dat tegen het licht in liep.

Intussen waren er een paar wespen op het bed gekropen of er van het plafond op gevallen. Als druppels amber zweefden ze over de quilt. Ze werden aangetrokken door de lichaamswarmte van Marilyn en hem, of niet hun warmte, maar doordat ze net als zij leefden en ademden. Misschien wisten ze nog hoe ze vroeger in hun zeshoekige cellen sliepen terwijl hun nest bewoog in de wind. Hij had de grote grijze hersenen zien dromen in de bomen.

Hij ging op zijn zij liggen en trok de quilt over zijn schouder, en de wespen, die zich met minuscule haartjes en haakjes aan hun poten vastklemden aan plukjes garen die uit het ingewikkelde stekenpatroon omhoogstaken, bleven gewoon zitten. Hij had het erg warm en kon de slaap niet vatten. Hij moest de hele tijd aan Stanley denken. Waarom was die zak naar het huis van de oude man gegaan? Dat had hij niet voor de lol gedaan. Hij dacht aan Eddy in Harry's hut, wie weet wat er zich in zijn broers hoofd afspeelde over wat er kortgeleden was gebeurd en wat hem waarschijnlijk koud liet.

Je bent een klootzak, Eddy, zei hij hardop.

Marilyn bewoog naast hem. Wat?

Doe je ogen eens open, fluisterde hij en hij kwam overeind en knipte het bedlampje aan. Ze keek naar de quilt met zijn geelzwarte vlekjes. Hij voelde haar schrikken en zei dat ze niet bang hoefde te zijn.

Waar komen ze vandaan? En alsof ze zichzelf antwoord gaf, zei ze met een klein stemmetje: Er waren er maar een paar toen we gingen slapen.

Ze klemde zijn arm stevig vast toen hij haar hoofd naar zich toe draaide.

Ze komen elk jaar naar deze zolderkamer, zei Tom. Aan de warme kant van het huis. Ze komen als ze geen eten meer hebben. Net of ze weten dat de kou uit het noorden zal komen. Hij drukte op een kleurig vierkantje dat op haar buik lag en de wespen verschoven toen hij zijn hand eronder stak, hun haakjes lieten even los om elkaar daarna op zijn hand weer vast te pakken. Langzaam ging zijn hand omhoog en hij plaatste hem op zijn hoofd, waar hij hem voorzichtig onder de wespen uit haalde. Marilyn zoog kleine teugjes lucht naar binnen. Ze kneep haar ogen dicht en tuurde tussen haar wimpers door.

Waarom steken ze je niet? vroeg ze.

Ze zijn moe. In de vastentijd wordt niet gestoken.

Marilyn zei: Soms klink je net als de Bijbel.

Ze zijn een wonder op zich, zei hij in de hoop dat ze het zou begrijpen.

De wespen likten het dunne laagje zweet van zijn slapen terwijl ze naar zijn voorhoofd kropen met vleugels van filigraan die open en dicht gingen. Eén wesp viel langs zijn open oog en toen nog een, de kettingen van hun vervlochten lijven raakten los, terwijl ze van zijn gezicht en uit zijn haar tuimelden. Andere kropen over zijn hals en via zijn schouders naar hun wachtende zusters op het bed. Hij zei dat hun pootjes over zijn huid druppelden, het kietelde alsof er water opdroogde.

Soms denk ik dat ik bang van je zou moeten zijn. Andere meisjes zijn dat wel.

Jij bent hier omdat je het niet bent.

Ze liet haar vingers over zijn arm naar zijn pols trippelen en legde haar hand op zijn gewonde hand. Wat ben je warm, zei ze. Je hand staat in brand.

Het is niets, zei hij. Op de hor boven hem zetten de wespen hun trage, afgemeten tocht voort over het roestige gaas.

Ik ga eruit want ik moet naar de wc, zei ze en haar arm ging omhoog en ze draaide zich weg, ineens te schuchter om naakt voor hem te staan. Doe je ogen dicht.

Hij deed wat ze hem zei en met zijn ogen bijna dicht zag hij haar midden in de kamer stilstaan om zijn hemd op te rapen dat hij daar had neergegooid. Ze drapeerde het om haar schouders en deed de manchetten een paar slagen omhoog tot haar polsen. Het hemd bedekte haar kleine gestalte en kwam bijna tot haar knieën. Er zat een wesp op haar oorlelletje, een gouden vlek, een oorbel die zowel een dreiging als een zegening leek in te houden.

Toen hij haar de trap af hoorde gaan, kwam hij uit bed en trok zijn kleren en schoenen aan. Ze redt het wel als ze hier blijft, dacht hij. Moeder moest er maar aan wennen. Ze zouden naar haar stacaravan gaan zodat ze wat spulletjes kon ophalen, maar dat kwam later. Eerst moest hij met Eddy praten.

16

Tom reed over de kronkelweg door John Hurlberts boomgaard en dimde bij het naderen van de boerderij zijn lichten. Op het erf stond onder de lamp een zwartgevlekte hond woest te blaffen, helemaal van streek doordat er een onbekende vrachtwagen aankwam. Tom parkeerde naast Johns pick-up en zag toen hij naar het huis keek, dat er in de bijkeuken een zaklamp werd aangeknipt. Hij wist dat hij hen wakker had gemaakt en hoopte dat het niet Maureen was met de zaklamp. Ze maakte lange dagen, eigenlijk niet vanwege John, maar omdat er zoveel te doen was, het huis, de boomgaard en de tuin, kippen en geiten, de melkkoe, haar kinderen en kleinkinderen verderop in de vallei. Hij dacht aan John, die op leeftijd raakte en die nu wakker werd omdat zijn hond blafte en er een onbekende wagen op het erf stond.

Tom stapte uit en liep naar de voorkant van de vrachtwagen, zodat de persoon daarbinnen hem bij het naar buiten komen goed kon zien. Op twee meter afstand ging de hond als een razende tekeer. De zaklamp flitste heen en weer achter het keukenraam en de dunne gordijnen werden een beetje opengeschoven, terwijl er iemand naar buiten keek. Toen ging de deur open en hoorde hij John tegen de hond roepen dat hij godverdomme zijn bek moest houden. Maureen was het dus niet. Tom zag hem in het schijnsel van de zaklamp, het grijze kroeshaar op zijn blote bast, de helft van zijn lichaam buiten en de andere helft binnen, terwijl hij de vrachtwagen en Tom die ernaast stond in zich opnam.

Wat kom je hier in godsnaam doen, Tom, midden in de nacht?

John kwam helemaal naar buiten en zette een geweer tegen een verandapaal. Ik had je ter plekke neer kunnen schieten. Dat ding is met schrootkogels geladen, hè.

Ik kom voor mijn broer, zei Tom. Het spijt me dat ik je wakker heb gemaakt.

Die rothond heeft me wakker gemaakt, zei John, die op de onderste tree van de veranda ging staan. Hij gebaarde naar zijn voeten en zei: Kom eens hierheen. Ik ben op blote voeten, ik ga daar niet lopen. Daar liggen allemaal spijkers en bouten.

Tom stak het erf over naar het licht dat over de grond speelde. Hurlbert deed zijn zaklamp omhoog en liet de lichtbundel even over Toms gezicht glijden. Voor Eddy, hè.

Ik dacht dat hij hier bij de hut was. Ik zie zijn auto nergens.

Jawel, hij is er. Harry heeft Eddy's auto daarginds in de schuur gezet. Harry is een tijdje geleden vertrokken. Hij komt en hij gaat, hè. Hij is er nooit een geweest die ergens lang blijft. John aarzelde even, alsof hij nadacht over wat hij zou zeggen, en vervolgde toen: Rot voor je broer. Hij ziet er belabberd uit. Net als jouw hand, trouwens. Wat heb je daarmee gedaan?

Ongelukje thuis. Uitgeschoten met een beitel. Stelt niks voor, zei Tom. John stond daar in een ribbroek die strak dichtgetrokken was onder zijn buik. Ik zal er eens heen gaan, hè, zei Tom. Ga maar weer naar binnen. Het is al best fris 's nachts.

De hond kwam naderbij geslopen met zijn nekharen overeind, maar toen John zich bukte alsof hij een steen wilde pakken, maakte het dier dat hij wegkwam met zijn staart tussen de poten. Het is een beste hond, zei John. Het is alleen een oudje. Het stomme beest ziet het verschil niet meer tussen een vreemde en een vriend. De vrouw noemt hem Die Verrekte Hond. Ik noem hem helemaal niks, behalve Bek Houden.

Hij doet toch wat een waakhond hoort te doen?

Jawel, zei John, daar heb je wel gelijk in. Het is in elk geval een reden om hem in leven te laten.

Dan ga ik nou maar eens naar de hut, zei Tom, die met zijn voet kringetjes draaide. Hij keek naar de hond, die mokkend tegen de voorband van de vrachtwagen piste.

John sjorde aan de gesp van zijn riem. Krijg nou wat, zei hij toen hij naar beneden keek. Sta ik hier met mijn gulp open. Hij frunnikte even aan de knopen en zei toen: Kan mij het verrekken. Als die hond je lastigvalt, gewoon doodschieten.

Tom stak zijn handen in de lucht. Ik heb geen geweer bij me, zei hij grijnzend.

Heeft de hond geluk, zei John, terwijl hij de veranda over liep en weer naar binnen ging. Het licht flikkerde nog even in het raam en verdween toen.

Tom bukte zich en raapte een paar kiezels op die hij naar de hond gooide, die intussen aan de andere band stond te snuffelen. Het dier sprong schichtig opzij en glipte toen het donker weer in, waar voor een met een ketting afgesloten schuur een roestige John Deere-tractor stond. De hond kroop onder het motorblok, waar hij op een bedje stro ging zitten.

Tom keek even om naar het huis en dacht aan Maureen. Hij was hier in de loop van de tijd zo nu en dan geweest en hij mocht haar graag. Ze was een Okanagan-indiaanse uit het reservaat boven het meer, een zachtmoedige vrouw die lang geleden had geleerd hoe ze met Johns ruwe manieren moest omgaan. Ze hadden vier zonen, die allemaal in de vallei waren blijven wonen, getrouwd waren en kinderen hadden. Harry en hun jongste zoon Elijah waren vrienden geweest tot Elijah in het reservaat was gaan wonen. Maureen had Tom ooit verteld dat het voor Elijah zo het beste was. Ze zei dat hij degene was die er de meeste behoefte aan had zijn eigen volk te kennen, ook al was hij dan een halfbloed. Tom had hem de laatste jaren niet vaak meer gezien. Door zijn vriendschap met Elijah was Harry aan de hut in de boomgaard gekomen. John liet hem die gratis gebruiken. Dat Eddy er nu zat, was te danken aan vroeger tijden.

Tom startte de vrachtwagen en toen hij het licht aandeed, doken er blauwe motjes op uit de nacht. Hij reed langzaam en de motjes groeiden aan tot een wolk die langs de portieren verdween toen hij abrupt het stuur omgooide en het pad naar de hut op draaide. Tom hield van de stilte in de nachtelijke vallei en wilde dat hij er om andere redenen was dan waar hij nu voor kwam, maar Eddy was daar in de hut en of zijn broer nu sliep of niet, hij moest hem het een en ander zeggen.

Achter in de boomgaard keerde hij en hij liet de vrachtwagen bij een irrigatiegreppel staan. De hut lag een eind verderop aan het pad langs de beek. De appelpluk was hier zo te zien achter de rug. De bomen leken opgelucht dat het fruit er niet meer was en hun takken kwamen langzaam uit hun doorgezakte herfststand om- hoog. Voor zich uit hoorde hij het gekabbel van de beek, die van Hadow Lake achter de Kalamalka-heuvels omlaag stroomde. Het was goed water. John bofte dat hij het op zijn land had.

Het was licht genoeg om het pad te zien. Hij volgde het naar de beek en naar de verlaten plukkershut die Harry's schuilplaats was, een plek om de weggelopen meisjes die hij bij het busstation vond mee naartoe te nemen, een plek waar hij zich verborg als het misging in de stad. Tom vroeg zich af of John en Maureen wisten dat Harry die meisjes hier mee naartoe nam en bedacht toen dat ze het vast wisten, maar geen zin hadden om ernaar te vragen. Voor Maureen was Harry een beetje de dwarse zoon, hij was hier als kind zo vaak geweest. Ze vergaf hem de meisjes of aanvaardde het gewoon. Indianen deden dat, iets waar zijn eigen mensen het zo moeilijk mee hadden, vergeving, aanvaarding.

Tom liep over het pad langs de beek, de sterren en de maan gaven voldoende licht. Met zijn blik naar beneden om niet over een verdwaalde wortel te struikelen merkte hij de verse hertensporen op in de vochtige aarde. Hij volgde de broze hoefafdrukken en zag waar het hert was blijven staan om een mondvol gras te eten, een hap te nemen van een gevallen appel, de duidelijke tandafdruk in het witte vruchtvlees. Iets verderop doemde de massieve vorm van de hut op. Hij zag dat er geen rook uit de zwarte blikken schoorsteenpijp op het schuine dak kwam. Dan was het vast koud binnen, de hut lag zo weggestopt tussen de bomen bij de beek. Hij stond op de gebarsten verandaplanken en zei zijn broers naam.

Om hem heen klonken alleen maar nachtgeluiden, een paar krekels tsjirpten in het sprokkelhout. De beek kabbelde kalm over de stenen aan zijn linkerkant. Hij wachtte, maar toen er geen antwoord kwam, pakte hij de pin die in de gammele deur zat en duwde hem open, waarbij hij even op de dorpel bleef hangen. Hij stond in de deuropening met zijn hand op de kromgebogen nagel die als klink dienstdeed. Eddy zat in een oude stoel dicht bij het raam met zijn voeten op een kist. Er lag een grijze legerdeken over zijn benen die rondom was ingestopt. Naast de stoel stond een fles roggewhiskey, kennelijk halfvol, en op de leuning balanceerde een leeg glas. Eddy staarde naar het maanlicht dat buiten in het bruine beekwater uiteenbrak. Hé Tom, zei Eddy zonder zich om te draaien.

Tom liet de deurnagel los en kwam het vertrek in. Hij was al eerder binnen geweest en terwijl hij in het zwakke maanlicht om zich heen keek, zag hij dat in de hut niet veel was veranderd. Er stond nog steeds een roestige Queen-kachel op vier ongelijke bakstenen, de gestoffeerde stoel waar Eddy in zat, een tafel en een houten stoel die tegen de muur waren geschoven, een kalender met een blote meid erop waar het nog altijd 1953 was, al waren er inmiddels vijf jaar verstreken. Op tafel stonden koude stompjes kaars in allerlei smeltstadia met klodders uitgelopen vet op het gehavende hout, Eddy's spullen lagen er uitgestald en er lag een stok speelkaarten met de plaatjes naar boven, op hun paasbest uitgedoste koningen en boeren die naar de zoldering staarden, een rijtje met vier azen dat apart lag van de rest. In de achterkamer stond de twijfelaar met een paar strozakken erop. Of althans, die stond er vroeger.

Weet je, zei Eddy, die zich nu pas naar Tom toe draaide, als je maar lang genoeg naar een beek kijkt, krijg je zowat alles opgelost.

Hoe gaat het ermee, Eddy?

Eddy draaide zich weer naar het raam. Met mij goed, zei hij. Ik had er niet op gerekend dat ik je hier zou zien, je moest toch weer naar de zagerij? Voordat Tom kon antwoorden zei Eddy: En nou moet ik jou zeker vragen waarom je helemaal naar hier bent gekomen?

Tom ademde een paar keer diep in en vertelde zijn broer toen over hoe hij het lichaam van de oude man uit het huis had gehaald. Ik heb de vloer gedweild, zei hij, en alles zo goed mogelijk in orde gemaakt. De twee hulzen heb ik gevonden, maar niet het geweer, dus ik ga ervan uit dat jij dat hebt. Kut, Eddy. Ik heb die oude man begraven. Je hebt ons wel met een flinke puinhoop opgezadeld, weet je dat? Je hebt godsamme gewoon iemand vermoord. De mensen zullen hem gaan zoeken. Misschien zoeken ze al wel naar jou.

Het was stil en toen zei Eddy: Ik zat hier te denken aan die keer dat vader in de schuur bezig was met die twee herten die hij toen op de hoge weiden had geschoten. Hij had ze aan de haken van de dakbalk achterin opgebonden. Je weet toch dat hij zo'n karkas altijd een paar dagen liet hangen voordat hij het in stukken sneed.

Eddy, zei Tom. Heb je gehoord wat ik zei?

Even stil, Tom. Luister nou. Ik was aan het vertellen van die ene keer.

Tom stond daar en dacht dat hij niet goed werd. Wélke keer? zei hij. Vader heeft dat tientallen keren gedaan. Hij hing herten op, en schapen en alles wat een dag of twee moest besterven, om het vlees te laten rijpen. Godsamme, hij heeft er ooit zelfs een eland opgehangen, toen kreeg hij bijna het hele dak op zijn kop. Over welke keer heb je het nou?

We waren er allebei bij. Weet je nog hoe geweldig we het vonden als vader een hert slachtte? Die ouwe zuiplap was me de held wel, hè. Toen Tom hem alleen maar aankeek, ging Eddy door. Hoe dan ook, wij stonden te kijken hoe hij de herten vanbinnen schoon-spoelde en toen riep hij ons. Er stond zo'n oude tinnen schaal op de bank waar de levers en de harten in lagen. Weet je nog dat moeder dat zo lekker vond, een gevuld hertenhart? Dat was een echte delicatesse, zei ze dan.

Waar gaat dit over, Eddy?

Nou, hij bukte zich en haalde die twee harten uit de schaal. Weet je nog? Hij stak ze naar voren, in elke hand een, en zei tegen ons dat het heel gek was, maar toen hij die herten leeghaalde, vond hij twee harten in het ene dier en geen in het andere.

Eddy produceerde daarop een gek lachje en toen Tom de houten stoel bij de tafel wegtrok en erop ging zitten, zei hij: Wij geloofden hem, weet je nog? God nog an toe, wat waren we toen stom.

We waren kinderen, meer niet.

Nou ja, daar zat ik dus aan te denken.

Eddy, hoor eens even hier. De hele stad weet wat er op het feest is gebeurd. Je hebt iemand neergeschoten en bovendien een hoop mensen op stang gejaagd.

Denk je soms dat Lester en Billy naar de politie stappen met hun verhaal? Hè, en een aanklacht indienen?

Stanley heeft al iets in de smiezen. Hij is naar het huis van de oude man gereden. Ik zag die nacht zijn auto op de weg en ben toen weer terug achter hem aan gereden.

Er fladderde iets langs het raam.

Eddy keek weer naar buiten. Wat maakt het trouwens uit, één oude man minder op de wereld?

Toms woede flakkerde plotseling op. Hij verslikte zich, schraapte zijn keel en spuugde tussen zijn voeten op de grond. Weet jij hoe het voelt om het lijk van een oude man uit zijn huis te slepen en hem dan te moeten begraven? Weet jij hoe dat voelt?

Weet jij hoe het voelt als je er een vermoordt? zei hij.

Opeens zwegen ze allebei en Eddy trok de legerdeken over zijn voeten. Tom werd helemaal koud en zijn hart ging tekeer. Hij kon zich niet herinneren dat hij ooit zo kwaad was geweest. Niet zoals nu. Hij keek naar zijn broer en bedacht dat er onder die grauwe huid niets dan botten en heroïne zat.

Eddy zoog luidkeels lucht naar binnen en liet die ontsnappen alsof het zijn laatste ademtocht was. Dat had ik niet moeten zeggen. Och, wat maakt het uit, zei hij en zijn handen kwamen omhoog van de stoel en toen ze terugvielen, stegen er tussen zijn vingers dunne stofpluimen op. Het glas op de leuning wankelde en viel en de kleine tumbler brak. Het maakt allemaal geen ene moer uit, zei Eddy.

Tom ging staan, het bloed kolkte als een razende door hem heen. Ik ga weg, zei hij met een hoofd vol zigzaggende schaduwen.

Wat komt dat komt, zei Eddy. Er is één ding dat ik weet op deze wereld, en dat is dat je er niks tegen kunt doen, helemaal nergens tegen. Ga maar gewoon naar huis, Tom. Ik zie je zaterdag bij de hondengevechten.

Buiten in het donker blafte de hond. Het geluid kwam zwakjes van het boerenerf en toen het wegstierf, hing er een diepere stilte dan eerst. Eddy draaide zijn hoofd weer naar het raam en even probeerde Tom te doorgronden wat hij zojuist op het gezicht van zijn broer had gezien. Het was een soort rouwen, maar voor wie had hij niet kunnen zeggen. Voor hem of voor Eddy of gewoon vanwege zijn sores en dat hij ondergedoken in deze stomme hut in een boomgaard op Harry's terugkeer wachtte.

17

Er zijn veel soorten water. Eigenlijk bevalt me het water aan het einde van de winter het best, als alles half bevroren is. De beek krijgt vreemd ijs in de lente, soms heeft het holle schachten waar allemaal lucht in zit. Waar de zon erop schijnt, komt het licht neer in banen van kleur die alle kanten op breken boven het water dat eronderdoor stroomt. Als je je oor op het ijs legt, kun je het horen praten. Er zitten stemmen in die holten. Een lynx die in februari komt drinken laat er soms een geluid achter dat dan ingesloten zit. Een coyote of een hert doet dat ook. Op de dagen dat het dooit hoor je dingen die weken eerder zijn gebeurd, het praten van de beek, fazantengeklok, mussengekwetter. In de woestijn gaat alles dicht bij het water zitten. De levenden gaan erheen om te leven. Waar het land droog is, vind je de doden.

Ik weet nog dat ik Eddy een keer bij de beenderen van een poema zag. Het skelet lag in de Bluebush-heuvels waar behalve een eenzame pijnboom met laaghangende takken geen bomen stonden. Eddy was helemaal alleen, Tom was ergens in het dichte struikgewas in de arroyo onder aan de berg met zijn hond op vogeljacht. Eddy ging er soms op zondag in zijn eentje op uit, als er voor hem in de stad toch niet veel te beleven viel, de winkels waren dicht en alles zat op slot. Hij nam nooit een geweer mee, alleen een oud jachtmes waar vader toch niets meer mee deed, met een gescheurde schede waarvan de veter kapotgetrokken was. Hij droeg het meer bij zich voor de show dan voor iets anders. Toen hij bij de poema kwam, waren er alleen nog maar stukken huid en beenderen over. Er hadden aaseters aangezeten, torren, kraaien en buizerds, de onophoudelijke vliegen. Eddy was nog jong, dertien jaar, en een dode poema vinden betekende heel wat voor hem, omdat hij ervan droomde er ooit een te doden.

Hij hurkte tussen de kiezelstenen en keien en de bolle cactussen, die op omgekeerde lepels leken en waar roze bloemen tussen de stekels groeiden. Het was al ver in het voorjaar en door de dooi en wat lichte regenval hadden de cactussen genoeg kracht verzameld om te bloeien. Het was net of hij het grote roofdier weer in elkaar wilde zetten met de restanten die de aaseters hadden verspreid. Een echte meevaller was natuurlijk de schedel met de afgesleten grote snijtanden, het was een oud dier dat ver van het water was geraakt. Vreemd dat de poema zo open en bloot was gestorven. Dieren die oud en ziek zijn zoeken meestal een schuilplaats. Maar niet deze poema. Ik weet niet of Eddy daaraan dacht, zo geconcentreerd was hij bezig om de ribben in de goede volgorde bij elkaar te leggen onder de droge banden en pezen van de ruggengraat. De staart was bijna helemaal weg, de kleine botjes waren tussen kiezels en keien verloren geraakt.

Maar hij kreeg het zo goed en zo kwaad als het ging voor elkaar. Toen hij klaar was, lagen de roofdierbotten er alsof ze door de lucht vlogen, de poten gespreid als vleugels en op de onderkaak rustte de schedel van de poema die met lege oogkassen naar iets staarde wat hij had gezien maar niet had bereikt. Misschien waren het de meren wel. Die zijn op de flank van de berg alle drie te zien en de poema was er hoog genoeg voor gekomen. Misschien had hij dat wel gewild, had hij er niet alleen willen komen, maar ook de plekken willen zien waar hij vroeger had gejaagd, waar hij op de herten had gewacht als ze door de sneeuwgeulen afdaalden om aan de oevers te komen drinken.

Ik dacht dat hij de schedel mee naar huis zou nemen om aan jou te laten zien, Tom, maar dat deed hij niet. Hij liet hem boven liggen, blind starend naar wat zijn klauwen hadden gekend, zijn jachtgebied, zijn thuis. Eddy was er en daarna was hij weer weg, een jongen die schuin over de berghelling afdaalde tot hij bijna beneden was en bij een boerderij de wildernis in liep, en behalve die vliegende poemabotten bleef er niets achter waaraan te zien was dat hij er ooit was geweest. Verdwijnen, daar was Eddy heel goed in. Hij was altijd een oogwenk, hij kwam en was alweer weg, zelfs toen hij klein was. Weet je nog?

Iedereen heeft een verhaal te vertellen, maar als Eddy er al een had, kwam er voor hem een einde aan op de dag dat ze hem wegstuurden. Toen hij vrijkwam, betrad hij een plek zonder verhalen, want hij geloofde dat er na wat er al was gebeurd niets nieuws meer kon gebeuren. Hij liftte naar Hope en daarna reed hij mee in de laadbak van een aardappelwagen. Hij zat de hele weg naar Salmon

Arm onder een dekzeil achter de laadklep, tot hij werd afgezet en de vrachtwagen met zijn lading clandestiene aardappels doorreed naar Calgary. Hij deed geen poging om naar het zuiden te liften, maar liep gewoon over het grind in de berm of door de greppel. Bij Enderby, waar een rotsklif omhoogsteekt en waar naar verluidt jaren geleden een indiaanse die door een blanke man was bedrogen zichzelf in brand had gestoken en als een fakkel de dood in was gesprongen, ging hij van de weg af en liep in oostelijke richting een veld in.

Er zal een fazant naar hem geroepen hebben uit de wilde luzerne, of misschien zag hij een lynx op muizenjacht bij een berg keien op een boerenerf. Dat kan het geweest zijn. Een lynx had er al voor kunnen zorgen dat hij was omgedraaid, of een fazant of een hert, een tienender die achter zijn hinden het open veld in liep om naar het water te gaan.

Wat het ook was, daardoor kwam het dat Eddy het veld overstak en door de wildernis naar de plek liep waar de warme Shuswap River tussen zijn hoge kleioevers door glijdt, op weg naar de Fraser en de oceaan. Hij zat er heel lang onder een populier aan het modderige water en toen deed hij zijn kleren uit en liep de rivier in. Hij leek een willekeurige jongen die op een warme dag een duik neemt. Drie jaar eerder hadden Tom en hij nog in deze rivier gevist. De Shuswap is traag na de canyon. Een tak die je erin gooit doet er een hele tijd over voor hij de bocht door drijft.

Hij waadde het water in en begon te zwemmen, niet met de stroom mee maar ertegenin, alsof hij het bij wijze van test op moest nemen tegen de stroming. De watermassa bewoog dik als olie waar hij met maaiende armen en benen tegenop bokste, terwijl zijn lichaam gestaag nergens heen ging en toen stilhield. Zonder te bewegen leek hij zichzelf daar de maat te nemen, zijn lichaam was de enige constante, terwijl het water langs hem heen stroomde en takken en stukken schors tegen hem aan dreven voordat ze verdergingen. Een populier die van een hooggelegen oever was gevallen kwam langzaam langsrollen en hij had hem kunnen pakken en kunnen meedrijven tot hij weg was, maar dat deed hij niet, hij ging alleen kopje-onder en kwam aan de andere kant van de boomstam weer boven. Toen zwom hij niet meer, hij stak zijn handen omhoog en zijn hoofd leek er alleen te drijven, de rest was verdronken. Zijn boven het water uitgestoken armen leken zwanenhalzen, zijn door de zon gekleurde handen waren hun koppen. Toen was hij helemaal weg.

Hij zonk en kwam boven en zonk weer. Het was alsof zijn lichaam niet klaar was om dood te gaan. Maar dat wilde hij wel, een jongen van amper vijftien, mager zoals jongens dan zijn met hun in- en inwitte huid en hun broodmagere armen en benen die een en al spieren en pezen en harde botten zijn. Hij ging meer dan tien keer onder en kwam ten slotte boven met zijn vlammend rode haren en modder die in strepen van zijn gezicht droop en toen kwam er een blaadje tegen zijn wang en zijn armen gingen omhoog en hij zwom naar de kant waar zijn voeten de bodem raakten en zijn borst en buik en benen tevoorschijn kwamen toen hij over de glibberige klei naar de oever liep.

Hij zat heel lang te beven op het dunne slijk en toen stond hij op en ging naakt als een pasgeboren baby naar de plek waar hij stroomopwaarts de rivier in was gegaan. Bij de populier trok hij zijn kleren aan en de Boyco-laarzen met hun leren veters, zette de strohoed op die hij een paar kilometer eerder op de weg had gevonden.

Voor hem was het verhaal verteld, en wat er ook te gebeuren stond, het zou hetzelfde zijn als wat hij besefte toen de watermassa zijn offergave weigerde en de rivier boven hem stroomde en hij met gesloten ogen uit het troebele duister oprees.

18

De lucht was op dit trieste uur net een vel perkament. De dag brak aan terwijl Tom over de velden naar de berg staarde. Het donker verdween in het oosten en hij werd door een heldere ochtend beslopen. Hij was van Hurlberts boerderij naar huis gereden en had alleen willen zijn, dus was hij nog even in zijn vrachtwagen blijven zitten, in slaap gevallen en verkleumd wakker geworden. Hij had zich met water uit de regenton gewassen en had daarna, toen hij binnen het fornuis had aangemaakt, Marilyn gewekt. De koffie pruttelde in de percolator en moeder was opgestaan en zat aan de keukentafel haar zoveelste sigaretje te draaien. Marilyn was inmiddels in de vrachtwagen ingestapt en hij kroop achter het stuur en reed naar de splitsing op Ranch Road terwijl de velden in het landschap plaatsmaakten voor huizen, een kraai in een greppel ergens in pikte en de door de vrachtwagen veroorzaakte wind de blaadjes liet opwaaien. Op de tweesprong reed hij in westelijke richting om het stadje heen, de vallei door en langs het Swan Lake naar het noorden. Vijf kilometer na de gemeentelijke vuilstort stopte hij op haar teken bij een gehavende brievenbus die bij het meer langs de weg stond. In het dunne metaal zag hij de gaten die erin geschoten moesten zijn door jongens die 's nachts dronken langsreden.

Marilyn stapte aan de bermkant uit en keek naar de aftandse aluminium stacaravan die onder aan de heuvel naast een bosje elzen en populieren op blokken stond. Voor de caravan lag een houten vlonder die voorzien was van een loopplank. Geen teken van leven, behalve de wazige pluim warme lucht uit de schoorsteen. Hij stapte uit en liep naar Marilyn toe, maar zij hield hem met uitgestoken hand tegen.

Wil je niet dat ik meega?

Niet vergeten dat je me moet komen halen, zei ze. Op haar tenen kuste ze hem, haar warme mond op zijn lippen. Toen keerde ze hem de rug toe en liep over de hobbelige richel tussen de voren naar de lagergelegen stacaravan. Terwijl Tom haar nakeek, liep ze over de loopplank naar de houten vlonder. Ze wierp hem over haar schouder even een blik toe voordat ze de deur opendeed en naar binnen ging.

Hij ging weer achter het stuur zitten en reed langs de vuilstort terug met in de verte voor zich uit de uivormige koepel van de Oekraïense kerk aan de rand van het stadje en de futloos opstijgende rook van de zagerij bij het meer. Toen hij daar dichterbij kwam, wervelden roetdeeltjes van het zaagsel waarmee de verbrandingsoven al was aangemaakt voor hem uit en door het open raam waaide er as naar binnen.

Hij reed het terrein op en parkeerde in de schaduw van een iep, een eindje bij de andere auto's en vrachtwagens en het kantoor vandaan, waar de mannen stonden te wachten en een enkeling alvast een stiekeme slok koffie uit zijn thermosfles nam. De eerste arbeiders waren al een halfuur bezig en de vuren brandden fel en in de keet dreunden de dieselmotoren. Tom maakte met stijve vingers een vuist. Hij bracht zijn gewonde hand naar zijn gezicht en keek ernaar alsof het een vreemd voorwerp was dat per ongeluk aan hem vastzat. Hij wist dat de wond geïnfecteerd was, maar zo bijzonder was dat niet. Vroeger was er van alles en nog wat ontstoken geraakt en genezen: splinters, snijwonden, een nagel. De infectie zou langzaam wegtrekken. Hij dacht aan Marilyn toen ze hem had verpleegd, de koele handen waarmee ze zijn handpalm verbond.

Bij hem thuis werd er niet naar dokters gegaan en wat hem betrof bleef dat zo. Hij kon zich maar één keer herinneren dat er iemand naar het ziekenhuis was geweest. Dat was toen vader zijn voet had opengehaald toen hij bij de schuur houtblokken stond te splijten. De bijl was op een verborgen kwast afgeschampt en had zijn voet net onder de enkel geraakt. Hij was met een laars vol bloed naar binnen gekomen. Tom was nog maar een kleine jongen geweest, maar hij wist nog goed dat vader uit de stad terugkwam en het verband eraf haalde om aan Eddy en hem de hechtingen te laten zien die als een ritssluiting dwars over de bovenkant van zijn voet zaten. Toen de dokter vijf dollar rekende, noemde vader hem een kwakzalver en zei tegen hem dat het evengoed met wasdraad en een stopnaald uit moeders naaimandje gehecht had kunnen worden. Eddy had ooit zijn arm gebroken, maar die had vader gezet. Hij zei tegen Eddy dat zijn botten vanbinnen jonge twijgen waren en moeder hielp mee om de van boosheid en pijn gillende Eddy in bedwang te houden toen vader de arm rechtboog. Vader klemde de arm tussen twee dunne latjes die hij met paktouw vastbond en wikkelde het geheel in een handdoek die hij in de keuken had gepakt. Een dokter roep je er alleen bij om je te vertellen dat je dood bent, had vader tegen hen gezegd. Dan hoef je hem tenminste niet te betalen!

Tom zag Chooksa en de gebroeders Cruikshank bij de zagerij de hoek omgaan, Wlad die hen langzaam volgde en een groepje mannen dat met gebogen hoofd de zagerij zelf in liep. Toen reed Carl het terrein op en parkeerde naast hem. Ze stapten allebei uit en leunden tegen de laadklep van Toms vrachtwagen, terwijl Carl met één hand een sigaretje rolde, een behendigheid waarvan Tom wist hoe trots hij erop was. Carl duwde de strengetjes tabak, die er aan weerszijden uit hingen, er met een lucifer in die hij vervolgens aan de roestige bumper afstreek om er zijn shagje mee op te steken.

Hoe gaat het met je hand?

De goeie kant op, zei Tom.

Je ziet er niet goed uit. Gaat het?

Voor Tom kon antwoorden, ging het fluitsignaal. Ze kwamen overeind en zetten hun helm op, en terwijl Carl zijn schouders ophaalde, kwam de zagerij tot leven. De bladen van de hoofdzaag krijsten toen ze aan de eerste boomstam begonnen, de kantverspaander ratelde, alle banden kreunden. Carl en hij staken het terrein over, terwijl de laatste fluittoon in het stof werd gesmoord. Carl ging linksaf naar de vorkheftruck die bij de machinekeet stond. Tom liep langs de zagerij naar de kettingbanden op het sorteerterrein, waar Chooksa en de anderen het uiteinde van de band in de gaten hielden en waar zo meteen de eerste planken de zagerij uit zouden rollen.

Een uur voordat het werk erop zat belde Harry vanuit het huis van Hurlbert naar het kantoor van de zagerij en gaf een boodschap door aan Charlie Openshaw, de boekhouder. Charlie kwam met het berichtje naar het sorteerterrein om het aan Tom te geven. In Charlies keurige handschrift stond er dat hij om zes uur met Eddy bij Wayne moest zijn. Tom wist niet waarom Eddy hem daar wilde hebben, maar het beviel hem niks. Hij werkte door tot zijn shift erop zat en reed toen naar het stadje. Hij had nog een uur, tijd genoeg voor soep met een boterham voordat hij bij Wayne moest zijn.

Kort voor zes uur reed hij de heuvel aan de oostkant van de stad op. De zijstraten hotsten langs de raampjes van de vrachtwagen, een vrouw met een hoed op en handschoenen aan wandelde er in haar eentje, een man met een krant, maar verder was het op de wegen en paden van de heuvel vrijwel overal stil toen hij de Calvary Temple passeerde met het scheve uithangbord dat hem vertelde dat de Wederkomst nabij was. Hij kwam langs de huizen waar vroeger de oude rijken woonden, en bij Wayne thuis reed hij achterom, parkeerde naast Eddy's auto en stapte uit. De motor van de Studebaker tikte nog. Eddy was er dus nog maar net. Voor de natuurstenen grondmuren groeiden grillige seringenstruiken met verdroogde zaaddoosjes die op kapotte rammelaars leken aan hun sprieterige takken. Moeder had ooit tegen hem gezegd dat seringen doodsbloemen waren, sterk geurende vroegbloeiers die hetzelfde roken als oude vrouwen, een muskuslucht waar je een verstopte neus van kreeg.

Tom veegde met zijn mouw het zweet van zijn gezicht, ging de trap af en liep over de takjes en blaadjes waar het kelderpad vol mee lag naar de deur die op een kier stond. Het was een lange dag geweest op de zagerij, de koorts die hij blijkbaar had maakte het er niet beter op en hij had veel te veel aan zijn hoofd. Hij ging naar binnen. Voor hem hing in de deuropening naar Waynes kamer de deken waar de longhornschedel op was genaaid. Tom herinnerde zich die van toen ze nog jong waren en Eddy en hij bij Wayne stripalbums kwamen ruilen. Waynes vader had de deken lang geleden voor zijn zoon in Texas gekocht. Tom en Eddy hadden hem om dat bezit gehaat. Ze dachten toen nog dat in Texas de echte cowboys te vinden waren, hun filmsterren, hun striphelden, Tom Mix, Hopalong Cassidy, Lash LaRue.

Hij hoorde Wayne met klaaglijke stem aan Eddy vragen wat hij kwam doen. Hij deed de deken opzij en zag Waynes volgestouwde honk.

Hé Tom, zei Eddy zonder op te kijken. Hij zat op een houten stoel naar Wayne te staren, die met zijn rug naar Tom zat. Naast Eddy stond een stellage van planken met bakstenen ertussen waarop een verzameling uitgekookte dierenschedels lag, coyote en konijn, hert, beer, arenden, haviken en mussen. Alles is hier door en door verziekt, zei Eddy en hij pakte een roofdierschedel. Wie doodt er nou een vogel om zijn beenderen uit te koken?

Die is van een slechtvalk, zei Wayne. Voorzichtig, het zijn heel zeldzame vogels.

Eddy liet hem bij zijn stoel op de grond vallen, het broze bot stuiterde tegen het cement en bij de oogkas brak er een stukje schedel af. En de mensen maar denken dat er grotere griezels zijn dan jij.

Tom keek om zich heen en zag op een plank boven het bed drie weckflessen staan met een melkachtige vloeistof erin. Wayne had een paar jaar geleden tegen hem opgeschept dat hij elk kwakje had bewaard dat hij ooit had geproduceerd, behalve het eerste, maar Tom had hem niet willen geloven. Hij was kwaad op zichzelf dat zijn broer hem hierheen had laten komen. In deze kamer werden de problemen alleen maar groter.

Wat doen we hier, Eddy?

We praten met Wayne, zei hij.

Dat zie ik, maar ik vind dat we moeten gaan.

Zo meteen, zei Eddy.

Waynes ogen flitsten zenuwachtig van Eddy naar Tom. Hoe gaat het ermee, Tom? zei Wayne. Hij stond nu bij de bekraste salontafel. Erop stond een boordevolle aluminium asbak in de vorm van Californië met eromheen een regiment lege flesjes en glazen. Tussen het gemorste bier lagen nummers van *Classic Comics* en *Sunbathing* en naast de asbak lag met de rug naar boven een stukgelezen exemplaar van Grace Metalious' *Peyton Place* dat bol stond van de ezelsoren. Op een leeggeruimd hoekje lagen de papiertjes in het gelid waarmee Wayne zijn boekhouding deed. Hij had Tom ooit eens laten zien hoe hij elke cent die hij uitgaf bijhield. Zijn leven was nauwkeurig verdisconteerd in rijtjes getallen met ernaast in de kantlijn neergekriebelde bijzonderheden over het café waar hij koffie had gedronken en de winkels waar hij zijn schoenen en overhemden, zijn sigaretten en zijn Brylcreem aanschafte. Zijn administratie van stuivers en dubbeltjes ging tot zijn schooltijd terug. Wayne pakte een lege whiskeyfles en hield hem tegen het licht. Ik haal boven even een andere, zei hij.

Ik ga hier bijna over mijn nek, zei Eddy. Wayne vluchtte de kamer uit.

Er is een reden dat we hier zijn, zei Eddy tegen Tom.

Wayne doet er niet toe.

Op dit moment wel, voor mij, zei Eddy. Wayne doet namelijk precies wat hem gezegd wordt, ongeacht de gevolgen. Hij heeft zijn neus in mijn zaken gestoken en dat wil zeggen dat hij hem in ónze zaken heeft gestoken. Ook in de jouwe.

Wayne kwam terug met een fles Seagram's 83 en drie glazen, waarvan er een geschilferd en gebarsten was. Hij zette ze neer, schonk in en gaf Eddy een vol glas en Tom dat met de barst erin. Daarna ging hij op de rand van zijn onopgemaakte bed zitten, hief zijn whiskey en nam een gulzige slok. Jezus, Eddy, je ziet er niet al te best uit, zeg. Jij ook niet, Tom. Wat is er met je hand gebeurd? Toen Tom niet antwoordde, zei Wayne: En, hebben jullie nog iemand gezien?

Tom nam een slokje whiskey. Weet ik niet, zei hij. Hoe gaat het met Joe?

Er verscheen een verwrongen glimlachje op Waynes gezicht. Hoe bedoel je? Hij zette zijn glas neer en stak zijn samengevouwen handen tussen zijn bovenbenen. Zonder hen aan te kijken vestigde hij zijn blik op een punt midden in de kamer en begon te giechelen. Eddy keek alleen naar de goudgele vloeistof die in zijn glas ronddraaide.

Oké, ik heb Joe in het café gezien. Hij zei dat de kogel door de bovenkant van Lesters schouder is gegaan en dat er geen bot is geraakt. Joe vertelde dat Lester Coombs weer terug is naar de kust. Hé, gaan jullie zaterdag naar het hondenvechten bij Carl Janek? Hij pakte de fles Seagram's en bood hem Eddy aan. Toen Eddy hem niet aanpakte, stond Wayne op om Eddy's glas opnieuw vol te schenken en ging daarna weer zitten.

Eddy keek naar hem en zei: Dus Billy's o zo belangrijke vriend is weg.

Dat zei Joe. Zijn glas kantelde en hij morste whiskey op zijn knie. Lester Coombs heeft de hele tijd dat hij hier was in het Day's End Motel gelogeerd, achter de wilgen waar die oude stoomboot in het dok ligt. Weet je die ene keer nog dat we daar waren? Die meisjes? Hoe heetten ze ook weer?

Jij bent daar nooit met mij geweest, zei Eddy. Ik had je nooit laten meekomen.

Eddy zei altijd dat hij walgde van Waynes zwakheden. Wat hem betrof was Wayne een rat die op de richel achter een kippenhok danste, een opschepper zolang hij de enige rat op de wereld was, maar een angsthaas wanneer er een roofvogel of lynx in de buurt kwam. Veel diepgang had hij niet. Wayne hing altijd een beetje rond in de periferie, hij hoorde niet bij de vaste kern.

Wayne keek van Eddy naar Tom en weer terug. Jezus, Eddy.

Eddy zette zijn glas op de grond naast de stoel, strekte zijn benen en probeerde zijn ene enkel over de andere te doen, maar kennelijk was zijn voet zo zwaar dat hij hem niet omhoog kreeg, dus bleef hij wijdbeens zitten. Hij keek Wayne de hele tijd strak aan.

Die oude man over wie je Harry vertelde was niet thuis, net zoals je had gezegd.

Wayne knikte hoopvol en probeerde te begrijpen wat hem overkwam.

Uit het klepzakje van zijn overhemd haalde Eddy een biljet van vijftig dollar dat hij op zijn broekspijp gladstreek. Die oude man had trouwens wel een briefje neergelegd. Er stond op dat hij wou dat je dit kreeg.

Wayne boog zich er met een arm op de koffietafel geleund naartoe, maar Eddy gaf het biljet niet aan hem. Verward ging Wayne weer zitten. Waarom wou die ouwe me dat geven? zei hij. Ik ken hem niet eens.

Wie het weet mag het zeggen, zei Eddy.

Wayne leek op het punt te staan om in tranen uit te barsten.

En stel nou eens dat iemand met brigadier Stanley over het huis van die oude man op Priest Valley Road heeft gepraat. Dat huis waar jij Harry over hebt verteld.

Wayne haalde zijn handen door zijn vette haren en tuurde strak naar beneden, alsof hij daar iets zocht. Hij raapte een gebruikte tandenstoker op met aan een kant een rafelig uiteinde en boorde ermee tussen zijn tanden.

Stel nou dat iemand dat heeft gedaan, zei Eddy, om wat voor reden dan ook.

Wat heeft gedaan?

Eddy pakte zijn glas van de grond en liet het onder het ene peertje dat aan een gedraaid snoer aan het plafond hing losjes tussen duim en vinger schommelen. De politie erover heeft getipt, zei hij. Een vlieg die even groot was als Eddy's knokkel dreunde tegen de lamp en stuiterde zoemend weg naar de tafel, ging erop zitten en wreef over zijn bolle ogen.

Dat heb ik niet gedaan, flapte Wayne eruit. Hij wendde zijn gezicht, dat een grote smeekbede was, naar Tom, maar van hem hoefde hij geen hulp te verwachten. Tom liet zich langs de muur op zijn hurken zakken. Het klopt dat ik Harry over het huis heb verteld, zei Wayne, maar dat is het enige wat ik van Joe moest doen. De tandenstoker, een gehavend houten staafje, zat tussen zijn hoektand en een kies.

Eddy grijnsde alleen maar naar hem en stak het biljet van vijftig dollar in zijn overhemdzakje. Hij verplaatste zijn heup en trok het pistool dat hij Lester Coombs had afgenomen achter zich uit zijn riem.

Is dat het pistool van Lester? zei Wayne. Hij giechelde weer en keek naar Tom voor bijval, alsof hij het voor de grap had gezegd. Alsof hij vond dat ze allemaal in hetzelfde schuitje zaten, aangezien ze alle drie wisten wat er bij het huis van de oude man was gebeurd.

Eddy richtte het pistool op Wayne en zei dat hij naar buiten moest gaan.

Ze gingen de keldertrap op. Wayne liep achterstevoren voor het op hem gerichte pistool uit.

Geef het pistool maar aan mij, Eddy, zei Tom op vlakke toon.

Niet mee bemoeien, Tom, zei Eddy. Ik meen het.

Wayne ging langzaam naar de Studebaker toe. Hij richtte zich tot Tom, maar hield zijn blik op het pistool in Eddy's hand gericht. Kun jij me niet helpen, Tom?

Zonder zich te verroeren keek Tom toe terwijl zijn broer om Wayne heen liep en de kofferbak opendeed.

Wayne hield zijn handen voor zich uit, alsof hij een offerande bracht aan een hogere macht.

Ga er maar in zitten, zei Eddy rustig, alsof hij iets heel gewoons verlangde van Wayne. Eddy leek zo sereen, vond Tom, zo onschuldig, hij stond zowat staande te slapen op de stoeprand, op zijn afgetrapte laarzen en met dat leren jack aan dat hem veel te groot was. Hij leek ergens door in beslag genomen, waardoor Wayne bijna een bijkomstigheid scheen, iemand waar hij per ongeluk tegenaan was gelopen.

Tom liep op Eddy af en pakte hem bij zijn mouw.

Het pistool veerde op en kwam tegen Toms riem aan.

Toen hield alles op. Er reed een auto langs aan de andere kant van het huis en daarna nog een. Eddy glimlachte alsof hij wilde zeggen dat ze nog steeds broers waren en richtte het pistool weer op Wayne.

Eddy? Wayne sprak zijn naam uit alsof het een vraag was. Hij zag er doodsbang uit.

Tom was ervan overtuigd dat Eddy deed alsof, maar hij was te ver gegaan. Zo kon hij wel weer, Eddy, zei Tom.

Waynes gezicht was gaan hangen, zijn mond stond open en zijn voorhoofd was gegroefd. Zijn ogen waren diep onder zijn wenkbrauwen weggekropen. Tom had diezelfde blik gezien bij het stierkalf dat een smalle doorgang in wordt geduwd en weet dat er iets vreselijks staat te gebeuren.

Wayne verbrak de stilte.

Waarom?

Het leek Tom een vraag die hij al vaker had gesteld, maar waar hij nog nooit een duidelijk antwoord op had gekregen.

Ga er maar in, zei Eddy weer en hij richtte het pistool op Waynes borst.

Je bent gewaarschuwd, Eddy, zei Tom.

Wayne schudde zijn hoofd alsof hij zijn gedachten kwijt wilde, draaide zich een kwartslag en knielde met één been in de kofferruimte. Zo bleef hij staan, half erin en half eruit, zonder het pistool uit het oog te verliezen. Tom hoorde hem pissen en zag de plek op zijn broek groter worden, terwijl de pis langs zijn been stroomde en onder zijn blote voet door de grond werd opgezogen.

Tom, zei Wayne, die nu met gebogen hoofd stond te huilen. Kun je me niet helpen?

Eddy drukte de loop met geweld tegen Waynes slaap en haalde meteen daarna het pistool weg.

Tom keek naar Wayne en zag ineens een geweer in de kofferbak. Het was het jachtgeweer, de loop zat achter het reservewiel.

Zie je dat geweer? zei Eddy. Neem het mee en zorg dat ik ervan afkom. En toen keek hij naar Tom alsof iets hem in de war had gebracht en hij zei: Wat is er trouwens zo geweldig aan dat verrekte *Peyton Place*? Of aan Superman?

Waynes been gleed uit de kofferbak en hij viel bevend op de grond.

19

Wat er bij Wayne thuis was gebeurd had niet alleen te maken met de oude man in het huis, besefte hij. Ook met Boyco. Eddy had hem lang geleden verteld dat Wayne hem die dag dat ze hem waren komen halen op het station had staan uitlachen. Tom had er niet meer aan gedacht, maar hij wist dat Eddy het niet was vergeten. Alle vrienden van zijn broer waren gekomen om hem te zien vertrekken. Ze keken tegen Eddy op, alsof hij nu hij was gesnapt in hun ogen alleen maar nog groter was geworden. Maar ze waren ook bang, voor hem en voor henzelf, en de verhalen over het verbeteringsgesticht waren het soort dromen die van hen niet hoefden. Eddy zei dat hij Wayne had zien lachen en probeer dan maar eens tegen Eddy te zeggen dat hij misschien ergens anders om lachte. Er waren ook andere mensen, hetzelfde nieuwsgierige publiek dat altijd op het perron stond als er iemand naar de Oakalla-gevangenis werd gestuurd of wanneer er een jongen naar Boyco moest. Tom herinnerde zich vooral de angst op het gezicht van zijn broer die door het coupéraampje naar buiten keek en dat zijn vader en moeder niets deden om te verhinderen dat het gebeurde.

Vanaf het moment dat de trein het station uit reed, werd Eddy's afwezigheid door stilte omgeven. Het was net alsof zijn broer niet meer bestond. Zelfs toen Eddy een jaar later thuiskwam, zeiden hun ouders niets. Vader deed alsof Eddy niets was overkomen. Tom vond dat schokkender dan zijn vaders onvoorspelbare verdwijningen: vader die in de bossen was, 's avonds de stad in ging of dagen achtereen op de weg zat. Ook moeder verdween, maar dan naar haar kamer. Tom had hen niet naar Eddy durven vragen, niets durven zeggen, en op een gegeven moment vroeg hij zich af of zijn vader en moeder dat evenmin hadden gedurfd.

De ochtend na zijn thuiskomst was Eddy opgestaan en toen ze alle vier in de keuken waren, moeder met haar rug naar hen toe, had vader tegen Eddy gezegd dat het afgelopen was met naar school gaan, hij moest maar gaan werken. Eddy had hem wezenloos aangekeken. Moeder was met veel gesis en gespetter een hele-boel eieren in spekvet aan het bakken. Ze draaide zich niet één keer om. En Tom had er alleen maar roerloos bij gezeten toen vader tegen Eddy zei dat hij in de bossen een baantje voor hem had gere-geld en Eddy hem aankeek alsof het hem geen moer kon schelen waar zijn vader hem mee opzadelde. Vaders woorden vulden de hele keuken, daarna werd het stil.

Tom herinnerde zich een dag dat hij was gaan jagen. Hij had zeven korhoenders geschoten. Eddy was alweer twee maanden thuis. Tom was door de boomgaard gekomen en wilde net het pad langs de beek op gaan toen hij tussen de wilgen door Eddy op de trap naar de aardappelkelder zag zitten. Zijn wangen waren nat.

Zo had hij zijn broer nog nooit gezien. Ook niet toen vader een veel jongere Eddy een pak slaag had gegeven omdat hij de schuur bij Black Rock in de fik had gestoken. Volgens Tom kon het vader niet schelen dat Eddy hem had laten afbranden, maar wel dat hij was betrapt toen hij bij de vuurzee wegrende. Vader zei dat hij te-gen de boer had gezegd dat Eddy het niet gedaan kon hebben, dat Eddy de hele dag samen met hem in Enderby was geweest, waar hij illegaal gestookte drank had verkocht, maar de boer had hem te-gengesproken en had bij het weggaan Elmer en zijn zonen ver-vloekt en gezegd dat de familie Stark een schandvlek op aarde was. Vader was razend toen hij met Eddy naar de aardappelkelder ging. Eddy gaf geen kik toen Tom vanuit de boomgaard toekeek en vader hem met die riem sloeg en hem voor van alles en nog wat leek te straffen, voor al die baldadige woede en haat, omdat hij altijd zijn zin kreeg, omdat hij zijn moeders zoon was.

Tom had de korhoenders in het gras bij de put laten vallen. Hij wist nog hoe zacht ze op hun eigen veren waren neergekomen. Toen was hij naast zijn broer op de trap gaan zitten. Hij voelde zich op een nieuwe manier bang, want als zijn broer van zichzelf mocht huilen, hoe kon de wereld hen dan nog geborgenheid bieden? Tom wist toen dat wat er in Eddy's binnenste was beschadigd niet meer kon worden hersteld, noch door hem noch door iemand anders. En omdat hij niet wist wat hij moest doen, legde hij zijn hand op Eddy's arm. Hij raakte hem net zo behoedzaam aan als hij bij een gewond dier zou doen, bijvoorbeeld bij een hond die tijdens een gevecht verwondingen had opgelopen of een dier dat na een aanrij-ding voor dood in een greppel was blijven liggen. Hij legde alleen zijn hand op Eddy's arm, meer niet, maar Eddy had opgekeken en hem met zijn kiezen op elkaar aangestaard. Zo hadden ze daar samen in die stilte gezeten.

Tom nam de afslag naar het grote park langs de kreek en parkeerde de vrachtwagen in het donker naast de hoofdtribune van het honkbalterrein, vlak bij het speelveld. Hij zweette en zijn huid voelde klam en kil aan. Eddy was van Waynes huis naar de achterafweggetjes gereden die hem naar de boerderij van Hurlbert in Coldstream Valley brachten. Zijn broer was nu net iemand die vogelvrij was verklaard. Tom had doelloos rondgereden en nagedacht, en de zon was ondergegaan. Starend in de achteruitkijkspiegel zat hij te wachten en even later reed de politieauto die hem op het laatste stuk had gevolgd langzaam de afslag voorbij en Mission Hill op. Tom bleef er nog een hele tijd zitten, maar de patrouille-auto kwam niet terug.

Voor hem lag het speelveld, waar de kussens nog aan de honken zaten. Er stonden witte hekken omheen en zowel de tribunes als de hekken zagen er verwaarloosd uit nu honkbal iets was geworden waar de mensen op de radio naar luisterden, geen sport die ze zelf speelden. Maar hij herinnerde zich het als één man opspringende publiek en de boog die de witte leren honkbal door de middaglucht beschreef, terwijl Eddy en hij toekeken en alle aanwezigen wisten dat de bal de man zou passeren die met gestrekte arm achteroverboog over het hek om te proberen iets te pakken wat buiten zijn bereik uit de lucht kwam vallen.

Hij stapte uit en liep even rond. Er stak een briesje op en de zonnebloem die vlak bij hem tegen het hek aan leunde had een verdord bloemhoofd dat de vogels hadden kaalgeplukt. De paar zwarte zaden die nog in het hart van de bloembodem zaten waren het enige wat er van de zomer over was. Hij beklom de afgesloten treden van de houten tribunetrap naar het onoverdekte gedeelte bovenin. Het was jaren geleden dat hij hierboven was geweest. Hier hadden Eddy en hij altijd naar de wedstrijden gekeken. Toen hij ging zitten, viel zijn oog op een spinnenweb. Het enorme, trechtervormige web was dertig centimeter breed. Hij tuurde naar het zijden hart van de trechter en zag de wijd uit elkaar staande spinnenpoten naar buiten hangen. Terwijl hij stond te kijken, kwam er een nachtblinde bromvlieg in het web terecht. Hij zag hoe de vlieg probeerde weg te lopen op pootjes die aan het kleverige spinsel bleven plakken. Eerst was er alleen de vlieg die van het web af probeerde te komen, maar algauw schoot de spin uit zijn donkere tunnel en zette een van zijn lange poten op de rug van de vlieg. Zodra Tom zijn hand uitstak, trok de spin zich terug, en hij pakte de vlieg voorzichtig tussen duim en wijsvinger op. De vlieg sloeg razend met zijn vleugels en hij liet hem de nacht in vliegen.

Tom kwam van de tribune af en ging weer in de vrachtwagen zitten. Hij startte de motor, liet zijn zere hand in de koele lucht uit het raam hangen, schakelde naar zijn één en reed om het honkbalveld heen dieper het park in. Hij reed langs de iepen bij de spoorwegovergang. Hier had hij als jonge jongen de zwervers opgezocht. Dan mocht hij van hen bij hun vuur komen zitten, terwijl zij in hun fles goedkope wijn staarden en de bonen in hun kookketeltje sisten. Verdoolde zielen waren het, mannen zonder vrienden of familie, waardoor ze in Toms ogen immuun waren geworden voor zowel geborgenheid als gevaar. Ze hoefden zich alleen maar om zichzelf te bekommeren. Nu lagen ze in hun graf, al zat er af en toe nog weleens een enkeling geknield boven een kring van zwartgeblakerde stenen waar in de smurrie van de as van toen een vuurtje brandde.

Een auto reed met grote snelheid over het talud van de spoorwegovergang en verdween uit het zicht op de weg naar de Arrowmeren. Hij stapte weer in de vrachtwagen en toen hij aan de politieauto dacht die hem had gevolgd, herinnerde hij zich het geweer dat hij uit Eddy's kofferbak had gehaald. Hij keek achter zich en zag dat het nog steeds onder het opgevouwen dekzeil lag.

Met een slakkengangetje reed hij langs het ondiepe bad, waar de kleintjes onder het waakzame oog van hun moeders elke zomermiddag in hun blootje rondrenden. De afgelopen zomers had hij ze bekeken, vrouwen die uit louter melk en zweet bestonden en wier enige trots de baby's waren die ze hadden gebaard. De kale plas glansde in het maanlicht en hij vroeg zich af waarom vrouwen vonden dat een baby een oplossing kon zijn voor de ellende op de wereld. Waar konden ze op hopen? Hij vroeg het zich af, maar besefte dat er op zijn vraag net zomin een fatsoenlijk antwoord te geven was als op die ongelukkige smeekbede van Wayne. Hij dacht erover om naar de vallei terug te gaan, Eddy op te halen en dan met z'n tweeën de nacht in te rijden, maar waarheen, en om wat te doen?

Helemaal achter in het park, waar de wildernis begon, bracht hij de vrachtwagen tot stilstand. Hier waren geen gazons, vijvers of honkbalvelden. Het donker dat hem omgaf werd intenser door het restvuur van de schorsverbrander bij een tijdelijke zagerij langs het spoor. De installatie was er een paar weken geleden neergezet voor de productie van timmerhout op het terrein van een particuliere eigenaar naast de Bar L Ranch. Tom wist dat de zagerij na het weekend weg zou zijn, een paar machines stonden al op een dieplader die betere tijden had gekend. Verderop tussen de bomen mondde de kabbelende Coldstream Creek uit in het grote meer en de Okanagan River. In zijn verbeelding zag hij een kleine houtspaander van een zaag vallen, in de beek terechtkomen en op weg gaan naar de Columbia River; het houtje dreef door de woestijn en viel over de rand van de Grand Coulee Dam de diepte in, waar het in de schuimende watermassa's verdween.

Hij zag in zijn achteruitkijkspiegel dat er van achteren een auto naderde met tussen de populieren en wilgen door knipperende koplampen. Achter zijn vrachtwagen stopte een surveillancewagen van de politie. De motor bleef zachtjes stationair draaien en er stapte niemand uit.

Hij sloot zijn ogen. Het portier van de auto achter hem ging open. Hij hoorde de goed geoliede scharnieren en toen laarzen op de stenen. Hij deed zijn ogen open en zag in de zijspiegel brigadier Stanley op zijn zwarte cowboylaarzen bij de achterbumper staan. Hij kwam naar het raampje.

Kijk eens aan, daar hebben we Tom Stark, zei Stanley. En waarom verstop jij je hier in het park?

De stekeltjes op het hoofd van de brigadier glansden als verbrande stoppels.

Ik dacht, misschien heb je je broer wel bij je, zei Stanley op kalme, bijna vriendelijke toon, de dreiging was achter de woorden weggestopt. Weet je toevallig waar hij is? Want hij en ik moeten eens met elkaar praten.

Tom voelde de haat van de man. Hij bleef zwijgend voor zich uit staren.

Uitstappen, zei Stanley.

Tom trilde een beetje toen hij de portierkruk omhoogduwde en zijdelings uit de vrachtwagen stapte, waarop hij zich naar de koelte draaide die van de beek af kwam.

Ik was gisteren bij een huis op Priest Valley Road, zei Stanley. Je weet wel welk. Naast de slagerij van Garofalo. Ik heb begrepen dat je broer daar is geweest.

Ik weet niet waar je het over hebt, zei Tom.

Wij zijn namelijk getipt over een inbraak daar ter plaatse. Toen ben ik er maar eens gaan kijken. Weet jij er toevallig iets van?

Ik zei al, ik weet niet waar je het over hebt.

Stanley legde zijn vlakke hand op Toms schouder en begeleidde hem naar de voorkant van de auto. Handen op de motorkap, zei Stanley en dat deed Tom, die snel en oppervlakkig ademde.

Hoe gaat het tegenwoordig met je broer?

Het klonk terloops, alsof hij naar een vriend informeerde.

Toen schopte hij Toms benen uit elkaar en duwde hem met zijn hand tussen zijn schouderbladen voorover. Toms wang werd tegen het metaal aan gedrukt. Hij kende elk deukje en krasje in de verf van de vrachtwagen, de knobbels op het chroom van de bumper, de putjes waar zon en sneeuw het staal hadden aangevreten.

Stanleys hand ging over Toms rug omhoog en toen grepen zijn vingers hem bij de nek, terwijl hij zijn woorden uitspuwde. Jouw broer met die godverdomde grote bek van hem!

Tom verroerde geen vin, terwijl Stanley verder praatte: Je broer sprak me vorige week aan toen ik met mijn kleine meid langs het poolcafé kwam. Ik was met haar op weg naar de Kandy Kitchen voor een flesje limonade. Ze is godallemachtig pas vijf!

Wat bedoel je?

Die klootzak van een broer van je vroeg hoe het met haar hond was. Hoe gaat het met je hond, kleine meid? En dan met die kutgrijns op zijn gezicht. Je broer ging vlak voor haar op zijn hurken zitten en zei: Hij heeft een goede eetlust, die hond van jou!

De hand van de brigadier kneep in Toms nek. En toen zei hij dat hij naar haar had staan kijken toen ze in de tuin speelde. Mijn dochter!

Stanley hield Toms nek nog steeds stevig vast toen hij zijn andere vuist tegen Toms nier aan ramde, en ook al had Tom, die wist dat het ging gebeuren, zich schrap gezet, het kwam aan als een mokerslag. Tom zakte door zijn knieën en het hete braaksel spoot over de bumper. Hij keek naar de nattigheid op het chroom. Achter hem stond Stanley te snuiven, daarna beenden de laarzen weer naar de auto. Tom zat op zijn knieën en de koplampen streken over hem heen toen de surveillancewagen keerde en het donker in reed.

Hij draaide de smalle, onverharde weg op naar Marilyns stacaravan. Voor hem lag Swan Lake. Hij zag de biezen, de verdorde uiteinden van de langwerpige bladen. Boven aan de helling stonden twee kleine koffers waar blijkbaar een paar truien en een jasje bovenop lagen. Hij draaide zijwaarts het erf op en stopte. Van dichtbij zag de stacaravan er nog verweerder uit, de verf zat vol krassen en het door de zon gebleekte aluminium was aangetast door de wind die constant door de Spallumcheenvallei waaide. Er brandde licht achter in de caravan en hij claxonneerde drie keer. Het sterrenlicht werd vaag door het meer weerkaatst en de maan kwam net boven de oostelijke bergkammen tevoorschijn.

De deur ging open. Marilyn kwam naar buiten en pakte de losse kledingstukken die op de kartonnen koffers lagen. Met haar armen vol kwam ze de loopplank af, terwijl in de deuropening achter haar een rolstoel verscheen waar haar vader in zat met zijn handen op het blinkende staal. Marilyn liep naar de vrachtwagen en Tom deed het portier open en ze legde haar spullen op een stapeltje achter de stoel. Daar is je vader, zei Tom.

Zonder te antwoorden draaide ze zich om en ging de loopplank weer op. Haar vader reed de stoel half naar buiten en Tom hoorde Marilyn iets zeggen wat hij niet helemaal kon volgen. Met in elke hand een koffer zei ze nog iets tegen haar vader, die haar alleen maar aankeek en niets zei toen ze de bagage naar de vrachtwagen bracht en achterin zette. Terwijl Tom toekeek, kwam er een vrouw in een gebloemde duster achter de rolstoel in de deuropening staan en trok hem achterwaarts de stacaravan weer in zonder dat een van beiden iets zei of deed om hun dochter tegen te houden. Vervolgens ging de deur dicht en scheen er licht door het raampje naar buiten.

Hij liet de koppeling los en reed de weg weer op. Ze keken niet om toen de vrachtwagen zich vlak langs de kleiheuvels langzaam een weg baande naar de lichtjes van de stad. Hij reed over de meanderende voren door gaten en over hobbels die de vrachtwagen lieten schudden. Zoals altijd in deze tijd van het jaar stond er niet veel water in het meer en de herfstige algensoep sijpelde de ingevallen buik van de vallei in.

Hoe lang zit je vader al in die rolstoel?

Ze leunde achterover en vertelde hem over haar vader en hoe die in de oorlog in Nederland gewond was geraakt en dat er nog een granaatscherf in zijn ruggengraat zat. Ze hebben hem verminkt, zei ze. Marilyn vertelde met zachte stem hoe haar vader zijn dagen doorbracht met in de stoel of op de bank in de stacaravan naar de radio luisteren en tijdschriften lezen die haar moeder van haar schoonmaakadressen meebracht. Haar moeder had tegen haar gezegd dat hij na zijn terugkeer uit Europa veranderd was. Niet dat hij gemeen is, zei Marilyn, maar af en toe gaat hij zomaar door het lint. Het kan door van alles komen, een stukje toast dat op de grond valt, een deur die zij te hard dichtdeed, of gewoon een vogel die tegen het raam vloog. Er is bijna nooit iemand om hem te helpen, zei ze. Mijn moeder is meestal ergens aan het schoonmaken en ik zit op school. Ze vertelde dat haar vader het vreselijk vond als zij of haar moeder hem duwde. Hij krijgt een of andere uitkering van het leger, zei ze. Mijn moeder doet haar best om de eindjes aan elkaar te knopen.

Tom dacht aan de vrouw die hij in de deuropening van de stacaravan had gezien. Marilyn zei dat haar ouders elkaar op een dansavond in een dorp in Ontario hadden leren kennen toen haar vader het Welland Canal bewaakte. Tom had nog nooit van het kanaal gehoord en vroeg waarom het zo belangrijk was dat het bewaakt moest worden als de oorlog er zo ver vandaan was, maar Marilyn zei dat ze dat niet wist. Ze vertelde hem dat haar moeder een Ierse was uit de vallei van Ottawa. Met Iberisch bloed, zei ze. Dat zie je aan haar donkere haar. Ze zei dat zij haar bruine haar van vaderskant had. Tom zweeg even en zei toen dat hij niet wist waar zijn familie oorspronkelijk vandaan kwam.

Toen de vrachtwagen over een grote kei heen denderde, ging Marilyn rechtop zitten en hield zich aan het dashboard vast. Mijn moeder besteedde nooit veel aandacht aan me, behalve om te zeggen dat ik stil moest zijn en mijn vader niet mocht ergeren, zei ze. Ze fleurde eventjes op. Mijn moeder weet alles over kruiden en geneeswijzen. Ze maakt haar brouwsels, zoals zij ze noemt, van wat er om je heen groeit. De mensen bij het meer kennen haar middeltjes wel.

Tom zag de heuvels langskomen en de koplampen schenen over een veld waar een hinde stond met naast zich twee bijna volgroeide reekalfjes waarbij de stippen op de huid al waren vervaagd. De drie herten staken hun kop boven het schrale gras uit en keken naar hen toen ze langsreden. Bij de tweesprong nam Tom de scherpe bocht heuvelopwaarts naar de vuilstort, terwijl het grind achter hen opspatte. Boven reed hij tot aan het vlakke stuk voor de vrachtwagens en parkeerde hij bij de keet die in het midden van de losplaats stond. Aan de wanden van de keet hingen wieldoppen van Hudsons, Oldsmobiles, Packards en Cadillacs en de deur hing vol roestige nummerborden die de beheerder van de vuilstort er had opgehangen. Als kleine jongen had Tom het geweldig gevonden om de namen te lezen van plaatsen die hij alleen kende van horen zeggen, Louisiana, Quebec, Florida, het woord Mississippi dat klonk als een stromende rivier. Jan Mursky zat dag in, dag uit in de keet en noteerde elke lading vuilnis voordat die de vlammen in ging. Zijn potloodstompje hield de chauffeurs bij: Powell, Nickel, Crozier, MacDowell, degene die die dag het vuil ophaalde. Ze stapten uit en Tom boog zich terug naar binnen en haalde het jachtgeweer onder het dekzeil uit.

Wat ga je daarmee doen?

Het is gewoon een oud geweer, zei hij. De trekken zijn versleten.

Zo oud ziet het er niet uit, zei Marilyn, maar hij negeerde haar woorden en liep naar de rand van de vuilstort. Met een boog gooide hij het geweer in een donker gat, waar de vlammen aan de appels likten die die dag gedumpt waren. Het wapen zakte met de achterkant naar beneden in het rotte fruit, maar de loop bleef boven de weke brij uitsteken, nergens op gericht.

Ze keken naar het verderop gelegen stadje met zijn spookachtige straatlantaarns tussen de bomen en een auto die in het donker zijn weg zocht. Tom vroeg zich af of Stanley nu ergens op Ranch Road geparkeerd zou staan in afwachting van Eddy's Studebaker. Hij wist dat Stanley niet bij hen aan de deur zou komen als hij hem zocht. Nee, Stanley wilde Eddy in zijn eentje spreken.

Ze keek naar hem. Je bent echt aan het zweten, zei ze. Ze voelde aan zijn gezicht. Je gloeit helemaal.

Ik weet het, zei hij. Ik voel me eigenlijk de hele dag al beroerd.

Ze hoorden de goederentrein die met een gillend fluitsignaal zijn nachtelijke rit van Kelowna naar het noorden maakte om de laatste appels uit de pakhuizen in de vallei naar het hoofdspoor in Kamloops te brengen, vanwaar de appels naar de steden in het oosten gingen. Marilyn sloeg haar arm om zijn middel en leunde tegen hem aan en hij voelde haar snelle ademhaling. Ze had een ander truitje aan vanavond, boven de welving van haar borst knaagde een geappliqueerd konijntje aan een wortel. Zonder van houding te veranderen, stak Tom zijn hand onder haar truitje en zij deed haar armen naar achteren en maakte haar bh-sluiting los. Haar kleine borst gleed als een halve perzik in zijn hand en bewegingloos stonden ze daar en keken langs de overloophelling naar beneden waar kinderwagens, karretjes, ijskasten en stokoude auto's net buiten het bereik van de vlammen de alsemstruiken en cactussen in waren gerold.

Weet je, zei ze, de lucht van deze vuilstort adem ik al mijn hele leven in. Ze keek op en vroeg hem wat eraan scheelde. Je luistert niet naar me, zei ze.

En hij zei: Eddy heeft vandaag bijna iemand vermoord.

Ze schrok en hij haalde zijn hand van haar borst.

Wie dan?

Iemand met wie hij nog een appeltje te schillen had, zei Tom. Hij wilde die jongen zo bang maken dat hij dat nooit meer zou vergeten.

Ze pakte hem bij de heup en stak haar duim achter zijn riem. Vlokjes as dwarrelden vleermuisachtig omhoog van de gloeiende kolen tussen kranten en tijdschriften, kapotte planken en versplinterde boomtakken. Straks als het ochtend werd, gingen de grote vuren weer branden. Dan goot Mursky liters en liters petroleum en diesel in het gat en de gehavende vuilniswagens kieperden hun eerste vracht naar beneden zodat het wrakgoed van de stad de vuren kon voeden.

Je broer is niet goed snik, zei ze. Waarom doet hij zo?

Dit is Eddy, zei Tom en hij hield zijn gewonde hand voor haar gezicht. Brigadier Stanley heeft hem jaren geleden, voordat hij hem naar het verbeteringsgesticht stuurde, in een cel onder de rechtbank te grazen genomen. Maar er waren ook al dingen gebeurd voordat Stanley hem te pakken kreeg, en daar leeft hij al zo lang mee, en er is helemaal niks aan te doen. En toen wist Tom dat hij het over Eddy had, en over zichzelf, maar ook over Marilyn en over zijn vader en moeder, zijn familie, de hele meute, het stadje, het land, de vallei en de bergen.

Ze was stil onder het lopen en in het donker richtte ze haar blik naar beneden. Ik heb weleens make-up gestolen bij meneer Arthwright in de drogisterij, zei ze. Je weet wel, lippenstift en nagellak en zo. Ik dacht dat wat oogschaduw en mascara mijn oog konden helpen camoufleren. Meneer Arthwright betrapte me met een lippenstift in mijn tas en haalde brigadier Stanley erbij. De brigadier bracht me met de auto naar Swan Lake, maar hij begon al tegen me te praten voordat we bij de caravan waren.

Ze staarde naar de stad en de stenen kolos van het gerechtsgebouw op de heuvel, granieten muren die door schijnwerpers in lichterlaaie werden gezet. Ze slikte en haalde diep adem. Hij zei dat ik over een paar jaar groot zou zijn en als het zover was zou hij me pakken. Ze hield Tom staande. Die goorlap, zei ze. Ooit krijgt hij zijn verdiende loon.

Hij heeft je toen niet aangeraakt.

Nee, maar ik zal nooit vergeten hoe hij naar me keek.

Heb je het iemand verteld?

Wie moest ik het vertellen? De politie? Stanley ís de politie. Er staat niemand boven hem, behalve de rechter misschien. Tegen mijn moeder of mijn vader kon ik het niet zeggen. Ze zouden me niet hebben geloofd. Bovendien was ik op diefstal betrapt. Mijn vader zou alleen maar tegen me hebben geschreeuwd. Dat kan hij goed, al is hij nog zo invalide.

Ze was weer gekalmeerd toen ze over het zwarte water van het Swan Lake uitkeek waar flarden licht op de golfjes vielen.

Tom hurkte, pakte een sintel en gooide hem over de rand, en het stuk verbrande kool viel het donker in. Heb je weleens een dode gezien?

Ik heb van alles gezien dat dood was, zei Marilyn en ze klonk bitter. Schapen, herten, coyotes, noem maar op, beren en elanden. Mijn oom Bill is jager. Hij heeft me leren schieten toen ik klein was. Ik heb ook mensen opgebaard gezien, mijn oom en tante die zijn omgekomen bij een auto-ongeluk op de Big Bend, voorbij Revelstoke, en ook andere mensen. Ik heb mijn dode broertje gezien toen hij was overreden. Toen was ik negen. Op een keer was mijn moeder te laat voor haar schoonmaakbaantje. Ze is altijd al een zenuwpees geweest. Hoe dan ook, ze had haast en toen ze achteruitreed is ze over hem heen gereden. Pete was nog maar klein. Mijn moeder is er nooit meer overheen gekomen. Mijn vader zei dat het Petes eigen schuld was. Hij moet achter de auto aan hebben gerend toen mijn moeder niet keek.

Toen een van mijn zusjes stierf, vroeg ik moeder waarom ze niet huilde, en toen zei zij dat ze haar tranen al lang geleden vergoten had, zei Tom.

Daarna veranderden mijn ouders, zei Marilyn. Mijn moeder moet er nog steeds om huilen. Ik hoor haar soms in hun slaapkamer, mijn vader zegt dan tegen haar dat ze moet bedaren. Hij zegt dat tranen een mens nog nooit hebben geholpen. Meestal zitten ze 's avonds een beetje te zitten in de huiskamer, zonder iets te zeggen. Dan wil ik zo graag weg dat ik er mesjogge van word.

Ze zei dat ze nog nooit iemand over haar broertje had verteld, en nu wist Tom het.

Jij praat echt met me, zei ze. Je bent de enige die dat doet. Ik heb mijn leven lang alleen maar jongens gekend die vinden dat een meisje er is om te neuken en verder niks. Ze streek met beide handen haar rok glad en keek naar hem op. Van mannen moet ik niets hebben, zei ze.

20

Tom stond op het grind van het erf met een voet op de treeplank en een hand aan het portier van de vrachtwagen, terwijl
Hurlbert hem vertelde wat er die ochtend bij hem op de boerderij
was gebeurd. Hij zei dat brigadier Stanley en een andere agent vlak
voor zonsopgang waren gekomen. Maureen was het ontbijt aan het
klaarmaken toen ze de politieauto het erf op zagen komen. Ze
kwamen rustig aanrijden, zei hij. Ik ging naar buiten en Stanley zat
achter het stuur. De andere agent schreeuwde uit zijn raampje tegen de hond die blaffend als een wilde tegen zijn portier op-
sprong.

De aanwakkerende wind voerde stofwolken aan uit de tuin. Tom
ging er met zijn rug naartoe staan en hield zijn ogen dicht tot de
wind ging liggen. Hij huiverde. Zijn hemd plakte tegen zijn huid.
Zijn gedachten draaiden in kringetjes rond. Hij vroeg zich af of
Stanley hem dan toch had gevolgd toen hij er twee avonden geleden was geweest. Maar hij had goed opgelet. Hij was de oprit van
de boerderij pas opgereden nadat hij had vastgesteld dat de weg
door de vallei verder helemaal verlaten was.

Zeiden ze waar ze voor kwamen?

Ze zeiden dat ze een kijkje kwamen nemen bij Harry's hut, zci
John. Ze zeiden niet waarom.

En Eddy?

Die is oké, voor zover ik weet, zei John. Maureen was de veranda
op gelopen om tegen Stanley te zeggen dat hij op onze boerderij
niks te zoeken had, maar Stanley negeerde haar. Hij zei dat we bij
het huis moesten blijven. Toen liepen ze door de boomgaard naar
de beek en Maureen ging naar mijn vrachtwagen toe en duwde op
de claxon. Ze hield die verrekte toeter zowat een hele minuut ingedrukt.

Tom stond er als verdoofd bij. John zei dat Maureen erg van slag
was geweest toen Stanley en de agent kort daarna met Harry terugkwamen. Er was ook een jong meisje bij, vertelde John, eentje dat

hij nog niet eerder had gezien. Stanley had Harry handboeien om-gedaan, zei John. Maureen liet de brigadier weten wat ze daarvan vond. Uiteindelijk moest ik haar verdomme zowat naar binnen duwen, zo nijdig was ze. Stanley zei tegen mij dat ik er wijs aan deed je broer niet te verbergen. Hij zei dat ik als ik Eddy ergens zag het bureau moest bellen om hem dat te laten weten. Terwijl hij tegen me aan stond te praten, gaf Harry geen sjoege. Ze hadden hem blijkbaar stevig onder handen genomen. Hoe dan ook, ze lieten hem met de agent achterin instappen en het meisje voorin. Ze kan niet ouder dan twaalf of dertien zijn geweest en ze gedroeg zich nogal eigenaardig. Stanley zei tegen me dat hij Harry opbracht wegens ontucht met een minderjarige.

Tom kon John alleen maar vragen wat er met zijn broer was gebeurd.

Hij heeft zich vast in de boomgaard verstopt toen hij de claxon hoorde, zei John. Dat zij hem de hele tijd ingedrukt hield moet hen iets duidelijk hebben gemaakt. Ik weet niet waarom Harry er niet ook vandoor ging. Misschien was dat lastig met het meisje erbij. Ik heb geen idee of Stanley en de andere agent op zoek waren naar Eddy of niet, maar als dat zo was, hebben ze hem dus niet gevon-den. Hoe dan ook, een tijdje later kwam Eddy uit de richting van de beek en haalde de Studebaker uit de schuur. Hij zei niet waar hij naartoe ging, hij reed gewoon weg. Het spijt me, Tom. Je broer zag er niet bang uit, hij was alleen op de vlucht.

Heeft Stanley nog meer gezegd?

Ik weet alleen dat brigadier Stanley tegen mij zei dat ik hem moest bellen als ik Eddy zag. Ik rij nog even langs Harry's ouwelui. Die hebben geen telefoon. Ze zullen het willen weten. Ik kwam gewoon even langs om je te zeggen wat er gebeurd is. Eddy is oké. Althans, voor zover ik weet.

Tom keek de vrachtwagen na toen Hurlbert de helling op reed en de weg op draaide. Hij wist niet waar Eddy naartoe kon zijn of waar hij nu was. Hopelijk was hij niet zo stom om morgen naar het hondenvechten te komen.

Binnen liet Tom zich op een stoel bij de keukentafel zakken en dacht eraan hoe ze in het donker over het pad langs de beek had-den gelopen en hoe stil het zou zijn geweest als die loeiende claxon op het erf achter hen er niet was geweest. Hij stelde zich het gevloek van de brigadier voor toen hij het hoorde. Eddy en

Harry moesten het ook gehoord hebben. Hij zag voor zich hoe het meisje op de stromatras in het achterkamertje overeind krabbelde en zich probeerde aan te kleden, terwijl Harry zei dat ze op moest schieten, en intussen staarde Eddy helemaal high op de drempel het donker in, want hij had aan de claxon gehoord dat er iets mis was. Toen was er het geluid geweest van de brigadier en zijn assistent, de lichtbundel die het pad langs de beek afzocht, en Eddy wist dat het de politie moest zijn en zette het op een lopen. Daarna waren Harry en het meisje opgepakt, waarschijnlijk bij het naar buiten komen, of anders ergens tussen de bomen in de boomgaard, want Harry had het meisje niet willen achterlaten, ze was minderjarig en zou de politie alles vertellen aangezien ze dronken was en stoned van de speed, bang en verward, in tranen, ze zou beweren dat ze verkracht was. Hij zag Eddy voor zich die een heel eind verderop tussen de bomen rondjes draaide of op zijn buik in het hoge gras lag en probeerde te horen wat er gebeurde.

Tom verschoof de asbak en staarde naar de opgebrande peuken die uit het zand omhoogstaken als stronken op een leeggekapt perceel. Met een vinger duwde hij ze een voor een omver.

Marilyn schepte lever en uien en gebakken aardappels en eieren op een bord dat ze voor Tom neerzette. Hierna ga je naar bed, zei ze. Ik heb je hand gezien, je hebt een bloedvergiftiging. Tom keek naar het eten en luisterde naar moeder die op haar slippers door de gang slofte, het klonk net alsof er iets werd weggesleept. Marilyns ogen traanden van de uien en ze wreef ze weg met haar pols. Moeder kwam de keuken in en keek haar even aan. O, je bent er nog. Waar is Eddy? De stem waarmee ze de enige vraag stelde die ze leek te kennen, was een langgerekte zeurtoon.

Marilyn schudde haar hoofd, deed de klepjes van de broodrooster open en smeerde margarine op de toast.

Ik hoorde een paar minuten geleden iemand op de oprit, zei moeder en ze keek naar Tom. Zou je niet eens iets zeggen?

Toen Tom niet reageerde, zei ze: Je zou toch minstens kunnen weten waar je broer is.

Moeder zag er afgepeigerd uit, vond Tom, met dat bleke gezicht en die strakke huid. Eigenlijk is ze niet oud, dacht hij, maar op dit moment ziet ze er wel heel oud uit. Hij trok met zijn voet een stoel onder de tafel vandaan, maar ze sloeg er geen acht op.

Ik dacht echt dat het deze keer Eddy was, zei moeder.

Hou eens op over hem, zei Tom. Je weet best dat hij uiteindelijk altijd terugkomt.

Hij kon geweest zijn en weer weggegaan, zei ze. Wat weet jij daar nou van? Jij was er niet gisteravond, toen Crystal hier aan de deur stond. Moeder haalde diep adem, hoestte en schraapte haar keel.

Tom zag iets geslepens in haar schichtige blik. Wat deed Crystal hier? zei hij.

Gaat je niks aan, Tom, gaat je niks aan. Waarom zou er geen meisje voor je broer komen? Ze ging naar het aanrecht, liep om Marilyn heen en zocht kieskeurig wat eten uit de koekenpan bij elkaar. Ze schoof een paar scheppen op een bord en trok een stoel achter de tafel vandaan waar ze op ging zitten zonder acht te slaan op de stoel die Tom voor haar had klaargezet.

Wat wilde ze dan? zei Tom. Ik kan me niet herinneren dat Crystal hier ooit op bezoek is geweest.

Zonder te antwoorden kneep moeder met duim en wijsvinger haar onderlip samen.

Wat zéí ze? vroeg Marilyn, die zich ergerde aan de manier waarop moeder Tom had toegesproken.

Moeder stak haar vork in het ei en keek naar Tom. Waarom zou ze hier niet langskomen, ook al ken ik haar maar amper? zei ze. Ze liet in elk geval merken dat ze zoveel om Eddy gaf dat ze wilde weten hoe het met hem ging. Die drugs worden nog eens zijn dood, en ik zou niet weten waarom jij niets doet om je broer te helpen. Iemand moet het laten ophouden. Zelf kan ik het niet doen, ik zit hier maar thuis en ik kan geen kant op.

Ze legde haar vork neer alsof ze niet goed wist wat ze verder nog moest zeggen.

Tom duwde zijn vinger door het zand in de asbak en de peuken vielen over de rand op tafel.

Moeder trok haar bord wat dichter naar zich toe, nam een hapje ui en prikte toen met enigszins onvaste hand een klein beetje ei aan haar vork. Het meisje wou weten of hij thuis was, zei ze. Ze moest hem iets vertellen. Ze zei dat het belangrijk was. Ik zei dat Eddy er niet was, dat hij vast ergens iets aan het doen was, god mag weten wat. Nou, als u dan tegen Eddy zegt dat ik naar hem heb gevraagd, zei ze.

Tom ademde hoorbaar uit door zijn mond, hij had barstende

koppijn. Ik heb nog nooit meegemaakt dat Crystal hier in haar eentje naartoe kwam, zei hij.

Er stond een auto op straat te wachten, zei moeder. Ze aarzelde en tokkelde met haar vingers op haar lip. Ik weet het niet. Ik dacht eerst dat de politie blijkbaar kwam praten met Eddy en dus deed ik niet open. Maar toen zag ik Crystal buiten. Waarom zou de politie Crystal laten meerijden? Dat vroeg ik me af. Dat zouden ze toch niet doen.

Wás het de politie?

Ik weet het niet, zei moeder. Ze leek nu bijna wanhopig, alsof ze tegen beter weten in wilde dat haar verhaal steek hield. Die sparren staan toch in de weg en de wilg en die paarse esdoorn die vader heeft geplant om me te pesten. Esdoorns horen niet paars te zijn. Maar hij kwam er hier mee naartoe scheuren toen hij hem bij iemand uit de tuin had gehaald. Hij had hem achter in die oude vrachtwagen gelegd en toen hij hier aankwam, was al het blad er door de wind afgerukt. Hoe die es het heeft gered is mij een raadsel.

Ze roerde met haar vork door de lever en eieren en duwde de koude aardappels naar de rand van haar bord. Ik voel me niet lekker, zei ze. Het is net of ik tegenwoordig niks binnen kan houden.

Vertel het maar, zei Marilyn, die erbij kwam zitten. Het is niet erg.

Ik zei toch dat ik niet wist wie het was. Dat kon ik niet zien. Moeder deed haar armen over elkaar en boog zich ineens naar Marilyn toe. Wat maakt het uit of het de politie was? Daar was ik niet mee bezig, die Crystal stond hier aan de deur en ik was opgestaan omdat ik dacht dat Eddy misschien wel thuis was gekomen of dat hij ergens anders met zijn drugs bezig was of dood was. Ik zei tegen haar dat ik de laatste was die wist waar Eddy zat. Mij wordt nooit wat verteld. Wat doet het ertoe dat ik zei dat de enige plek die ik wist die hut was bij de boerderij van John Hurlbert? Had ik dat niet moeten zeggen? Daar gaat hij altijd naartoe met Harry.

Oké moeder, zei Tom. Het maakt niet uit.

Moeder wiegde heen en weer op haar stoel. Ik ben het allemaal zo beu, zei ze tegen hem. Waarom is Eddy niet meer hier?

Tom stond op en hield zich tegen de muur in evenwicht. Marilyn pakte zijn arm en leidde hem de trap op naar de zolder, waar de vloer van de kamer vol dode wespen lag. Ze liet hem op het bed zitten. Zijn gezicht was bedekt met zweetdruppels. Je gaat niet dood, zei Marilyn, niks ervan. Tom zei niets, zijn ogen waren dicht. Marilyn haalde het vieze verband van zijn hand en liet hem op zijn rug liggen en dekte hem toe met de quilt. Hij haalde oppervlakkig adem, zijn lippen waren droog. Nu moet je rusten, zei ze. Je bent ziek.

Toen hij in slaap was gevallen, ging ze weer naar beneden. Onder aan de trap luisterde ze even en hoorde ze moeders deur dichtgaan. Ze ging naar buiten en liep de oude moestuin in. Ze knielde bij een bosje weegbree waar ze wat blaadjes van plukte en ze kneep de stengels dicht om het witte sap binnen te houden. Bij de schutting vond ze andere geneeskrachtige kruiden, een paar blaadjes van de geelwortel, de ooievaarsbek en de varen. Daarna liep ze langs de put de helling af naar de beek. Een fazantenhen en haar vijf grote kuikens gingen staan in het hoge gras, en de hen liet met een scheve blik op Marilyn een waarschuwingskreet horen. Insgelijks, moedertje, zei Marilyn, terwijl achter de fazant de vrijwel vol- groeide jongen haar nieuwsgierig aankeken.

Ze trok een kloddertje oranje hars van de stam van een dwerg- den die tussen een groepje populieren bij de omheining stond. Gebeurt niet, gebeurt niet, gebeurt niet, zei ze en ze bleef het maar herhalen, alsof de woorden werkelijkheid werden als ze ze hardop zei. Toen ze een handvol pijlkruid met wortel en al uit de zachte grond bij de beek trok, zag ze een worm om haar vingers kronke- len. Ze legde hem terug op de grond en keek toe hoe de donker- rode sliert langzaam de omgewoelde aarde in schoof.

Ze had haar moeder in de stacaravan de vrouwen die bij het meer woonden en hun kinderen zien behandelen als ze om hulp kwamen vragen, en nu wist ze dat ook zij dezelfde soort genezende handelingen kon verrichten. Ze herinnerde zich de lessen van haar moeder, waar ze tussen het onkruid en de wilde planten naar moest zoeken, en ze was dankbaar dat ze had geluisterd en geleerd hoe ze iemand in leven kon houden, een ziekte kon genezen, de pijn die vrouwen hadden kon verlichten. Marilyn kende de last van haar eigen menstruatie en wist dat haar baarmoeder een nieuwe wereld kon scheppen uit de oude, een soort offerande waarvan haar lichaam altijd al had geweten door elke maand dat bloed prijs te geven. Ze keek naar beneden en de rode worm was bijna verdwe- nen in de grond waar zojuist nog wortels in hadden gezeten, en toen wist ze dat een hand met hetzelfde gemak een kopje beetpakt als een pistool, een lepel, een mes.

Toen ze weer binnen was, legde ze alle planten op het aanrecht, sneed ze klein en plette ze daarna met een hamer. Ze liet de moes op het vuur langzaam indikken tot ze een brij overhield waar ze tot slot het houtskoolpoeder aan toevoegde dat ze had verkregen door stukjes verbrand hout te vergruizen die ze in de ton bij de schuur had gevonden.

Terwijl de brij afkoelde, bracht ze wilgenbast aan de kook met zwarte peper en trok er een schuimende thee van. Toen die kookte, scheurde ze stroken schone katoen van de nachtpon die ze van huis had meegebracht. Vervolgens schonk ze de thee in een glas dat ze tegelijk met het bakje brij en de stroken katoen mee naar boven nam. Tom sliep, maar ze maakte hem wakker en pakte zijn gewonde hand waar ze het gif uit wreef door er stevig op te drukken en bracht toen de grijze kruidenbrij aan op een dun laagje verbandgaas dat ze op zijn hand legde. Ze bond het kompres vast en hield het op zijn plaats met de stroken katoen. Ze probeerde hem uit het glas te laten drinken, tilde zijn hoofd op en liet de thee in zijn mond druppelen, maar die liep uit zijn mondhoeken en langs zijn kin toen hij probeerde te slikken. Bevend over zijn hele lichaam wendde hij zijn hoofd af en deed met een flauwe glimlach zijn ogen dicht. Ze zette het glas bij het bed. Als hij weer wakker werd, kon hij het opdrinken, of niet. Ze boog zich naar hem toe en fluisterde: Ik smeek het je.

Ze herinnerde zich dat haar kleine broertje Pete ooit ziek was geweest en haar moeder hem door een koortsaanval had geloodst. *Ik smeek het je*, had haar moeder gezegd toen ze bij haar broers wiegje zat.

Ik smeek het je, zei Marilyn.

21

Zwaluwen cirkelden onder hun lege nesten in het schuurgewelf. De zon scheen op de overkapping die diep doorboog aan weerszijden van een van ouderdom kromgetrokken nokbalk. De jarenlange weerstand tegen wind, sneeuw, regen en zon, en het heftige trekken van de aarde aan alles wat zich erboven verhief hadden de balk verwrongen. Zijn daksparren waaierden uit als rechtopstaande vogelveren. Tussen de kieren en spleten van het schuine dak priemde het zonlicht naar binnen en verspreidde handenvol naalden op de ruwe plankenvloer. De gouden gloed waarin het reusachtige vertrek was gehuld stak schitterend af bij de grauwe nerf van de stutten en balken die het bouwwerk nog altijd hardnekkig omhooghielden.

Billy en Art Gillespie, die Billy altijd inschakelde, waren al vroeg present en hadden, toen ze Carl nergens op de boerderij zagen, hun honden naar de kennel achter Carls huis gebracht. Billy had Badger aan de riem en Art begeleidde Chance. Zodra de vechthonden veilig in hun kooi zaten, brachten Billy en Art de proefhonden naar de provisorische hokken die Carl een paar dagen geleden met draadgaas en cederpalen in elkaar getimmerd had. Daarna gingen ze terug naar de vrachtwagen en met de kachel aan vanwege de ochtendkou dronken ze de koffie uit Arts thermosfles en wachtten de komst af van de zon die nog niet boven de berg uit was en van Carl die nog naar buiten moest komen. Ze praatten over de storm die later die dag misschien zou opsteken, over eerdere gevechten en vechtlocaties en over de honden die van buiten de stad zouden komen. Billy nam aan dat Carls vrouw weer naar haar broer in Omak was vertrokken, en Art vertelde hem lachend dat ze daar inderdaad gisteren naartoe was gegaan. Ze vindt het geen punt dat hij honden fokt, zei Art, maar ze ziet ze niet graag vechten.

Met zijn hoofd uit het raampje reed Carl Billy's vrachtwagen achteruit naar de schuur tot de banden het plankier voor de deuren raakten. Terwijl Billy in het eerste licht toekeek, sneed Art achter in de schuur het gelige touw om de twee laatste balen stro door. Met riek en mestvork bedekten Art en Carl de kale vloer met een dikke laag stro. De hele schuur had vol strobalen gelegen toen Carls vader hier indertijd een karig inkomen bijeen had gescharreld. Hij had de bomen gekapt en met buskruit de stronken opgeblazen om de hectaren vrij te maken waarop Carl nu zijn haver en alfalfa zaaide. Zijn vader had dertig jaar geleden, toen zijn tractor het had begeven en er geen geld was om hem te repareren, een beroerte gekregen toen hij met de zeis aan het oogsten was. Carl zei dat hij de plek waar zijn vader lag had gevonden door de kraaien te volgen. Zijn vader was katholiek, maar volgens Carl had hij bij de honden in de wei achter het huis begraven willen worden. Toen hij dood lag, was het echter de kerk die de wet voorschreef en de jonge Carl, die zich door de pastoor liet intimideren, bracht zijn vader naar het kerkhof. Zijn streng doopsgezinde moeder had haar echtgenoot overal wel willen begraven, als het maar ergens was waar de roomsen niet voor hem konden bidden, maar veel had ze er niet over kunnen zeggen of aan kunnen doen, want ze lag met pleuritis op bed en was allang blij dat ze haar met rust lieten. Zij was intussen ook gestorven en Carl had Billy meer dan eens verteld dat hij spijt had dat hij naar de pastoor had geluisterd en zijn vader daar had begraven, gescheiden van zijn honden en ver van de laatste rustplaats van Carls moeder vandaan.

Buiten leunde Billy met de eerste zonnestralen in zijn ogen tegen de schuur en dacht aan wat Art hem die ochtend had verteld toen ze in zijn vrachtwagen naar de meren in de verte zaten te kijken en over honden praatten, en Art telkens weer over Chance was begonnen. Volgens hem zou zijn hond het gevecht tegen Mike Stuttles pitbull wel winnen. Art vertelde Billy dat zijn neef ook een hondenman was. Hij had Art geholpen met trainen door na zijn werk op het politiebureau Chance op de loopband te zetten om aan het uithoudingsvermogen van de hond te werken. Billy was vergeten dat Arts neef korporaal was bij de Mounties en hij vroeg Art of er nog iets was voorgevallen bij het detachement in de stad. Art had zijn neef de avond ervoor op bezoek gehad, en die had de gebruikelijke dingen verteld: er was gevochten in het Venice Café, ze hadden een paar jongens opgepakt wegens dragracen in Main Street, een jonge vrouw met een baby was komen klagen dat ze niet wist waar haar man was gebleven en een anonieme tipgever had hen geattendeerd op een mogelijke inbraak in het huis van een oude man aan Priest Valley Road.

Billy wist meer van die zogenaamde inbraak af dan hij liet merken. De dag na het feest op Ranch Road was hij in de poolhal Joe tegen het lijf gelopen. Ze hadden wat gebiljart en Joe had de hele tijd gekankerd op mensen die zichzelf boven iedereen verheven voelden. Hij was over de Starks begonnen, dat het altijd hetzelfde was met Eddy, die maar deed waar hij zin in had. Trouwens, ze gedroegen zich daar allemaal alsof ze mijlenver boven iedereen verheven waren. Billy had zonder veel commentaar geluisterd. Hij was nog steeds kwaad om wat Eddy had gedaan, dat hij op Lester Coombs had geschoten, waardoor die terug moest naar Vancouver, en dat Billy zelf dat pistool tegen zijn hoofd had gekregen. Joe zei dat het de hoogste tijd werd dat Eddy Stark eens een lesje leerde en dat hij wist hoe ze dat moesten aanpakken. Hoe dan, vroeg Billy en Joe zei dat hij een afgelegen huis wist op Priest Valley Road en dat hij Wayne had ingefluisterd dat daar geld te halen viel en dat de eigenaar, een oude man, naar zijn zus in het ziekenhuis in Kamloops was gegaan. Joe zei dat hij Wayne op het hart had gedrukt het aan Harry te vertellen, omdat hij zeker wist dat Harry het allemaal aan Eddy zou overbrieven. Wayne mocht van Joe niet vertellen waar hij de informatie vandaan had. Wat Joe het vermelden niet waard vond, was dat de kleinzoon van de oude man hem ooit had verteld dat zijn opa sinds het overlijden van zijn oma het huis niet meer uit kwam. Joe zei dat de oude man de laatste jaren klaarblijkelijk niet vaak was gezien, behalve dan door de jongelui die elke week de kruidenierswaren en andere boodschappen van Olafson kwamen brengen. Jezus, zei hij, als Harry en Eddy bij die vent gaan inbreken, schrikken ze zich de pleuris, plus misschien ook nog een leuk aanvarinkje met de juten. Billy was akkoord gegaan met het plan, maar nu was hij er niet zeker meer van. Oké, Eddy Stark was een prutser, maar nu Joe de politie erbij had betrokken leek het niet meer zo'n goed idee.

Billy had Art gevraagd of er was ingebroken, en Art zei dat er vanuit het huis zelf niet naar de politie was gebeld, maar de brigadier die er later heen ging om de boel te controleren, had vastgesteld dat de ouwe die er woonde, nergens te bekennen was. Het gekste van allemaal was volgens Arts neef dat er geen sporen van braak waren, maar de brigadier had gemeld dat hij in een van de kamers bloed op de grond had gezien. Billy had Jim Garofalo die middag in het Venice Café horen vertellen dat de politie hem had gevraagd of hij de avond ervoor iets had gezien bij het huis van de oude man. Jim had de brigadier toen verteld dat hij op een laat tijdstip twee auto's had zien wegrijden, waarvan er een op Eddy Starks groene Studebaker leek.

Joe had de politie getipt. Nu werd de oude man vermist en er was bloed gevonden. Billy wist dat Eddy Stark nooit met een geweer rondliep, maar hij wist ook dat hij het pistool van Lester Coombs nog had. Er moest daar iets gebeurd zijn, maar wat precies wist niemand.

Billy schuurde met rug en schouders over de ruwe planken muur. Hij keek naar het westen, waar hoog in de lucht een paar wolkensliertjes langstrokken. Het aflopende veld voor de schuur was leeg, maar het zou niet lang duren tot de auto's en vrachtwagens en de mannen met hun honden kwamen, en dan kon de dag beginnen. Hij verplaatste zijn blik naar de schuur toen Art en Carl naar buiten kwamen. Blijkbaar waren ze klaar met het stro. Nu posteerden ze zich voor zijn neus bij de deuren, allebei wat voorovergebogen en met lege handen, klaar om zodra Billy eindelijk het startschot gaf, over hun eigen benen te struikelen. Carl en Art konden amper wachten tot het begon. Ze hadden hun honden bij wijze van training bij de minder belangrijke wedstrijden elders in de vallei laten uitkomen tegen inferieure dieren. Voor hen was Billy's arena de top van het zomercircuit. Met name Carl had gezegd hoe trots hij was dat Billy zijn boerderij nogmaals als wedstrijdlocatie had uitverkoren. Billy wist dat beide mannen wilden dat de tijd sneller opschoot en dat de zon hoger boven de pijnbomen uit kwam, zodat het allemaal van start kon gaan. Nu ze al zo lang aan hun honden hadden gewerkt, zou de tweekamp van vandaag de dieren nog waardevoller maken. Billy hoorde hen praten over de strijdlust van hun honden, maar Billy wist dat honden toch wel vochten, of ze nu in een arena stonden of niet. Dat hadden ze altijd al gedaan en ze zouden het altijd blijven doen. Zo zaten ze in elkaar.

Later op de dag kregen ze slecht weer, zei Carl, die het stro van zijn hemd sloeg. Hij had een pet vol roest- en vetvlekken op. De klep was lang geleden doormidden geknakt, zodat hij het hoofddeksel in zijn broekzak kwijt kon. Hij had de pijpen van zijn overall in zijn cowboylaarzen gestopt. Art naast hem droeg zijn cowboyhoed met de smalle rand; in de zweetband van gevlochten leer waren bij de knoop twee bronzen, gebogen havikveren gestoken.

Billy zei dat Carl en Art de arena konden gaan opbouwen. Het was net acht uur geweest, over een paar uur zouden de eerste mensen er zijn. Hij duwde de deur naast hem helemaal open. De hengsels knarsten. Art ging terug naar binnen en zette zijn schouder tegen de andere deur om hem bij de drempel te krijgen, waar de oneffen vloer er geen greep meer op had. De deur zwaaide het schelle licht in en de naar binnen stromende zonnestralen vielen in een helder vierkant op de grond. Om hen heen vlogen de zwaluwen de dag tegemoet.

Art deed de achterklep van Billy's pick-up omlaag en samen met Carl tilde hij de eerste arenabocht van de stapel. Het goudgele hout van de latten was afkomstig van ergens in het oosten gekapte eiken. Hij had de arena geërfd van zijn grootvader, een groot liefhebber van het hondenvechten, die in de vorige eeuw, na zijn derde reis naar Portland, Oregon, een paar honden en de arena had meegebracht naar de vallei. Billy's grootvader was in 1865 naar het noorden gereisd over de Okanogan Trail, een route die in het plaatsje Wallula aan de Columbia River begon en via het heuvellandschap van de Cariboo naar de goudvelden bij Barkerville ging. Hij hield halt bij de missiepost van pater Pandosy in Okanagan Valley en na een verblijf van een paar weken bedacht hij dat het makkelijker was om hier halverwege Oregon en Barkerville te wonen en zo het geld op te strijken dat van en naar de Cariboo ging. In zijn kielzog kwamen de cowboys, goudzoekers, boeren en kolonisten die allemaal vonden dat de vallei de Hof van Eden was. Er waren, zo vertelde hij ooit, drie redenen om de honden en de arena mee te brengen: hij had geld nodig, hij gokte graag en hij hield van honden. Zijn zoon, Billy's vader, kwam begin jaren dertig als eerste met pitbulls uit San Francisco om te vechten. Billy zei vaak dat hij zelf ook een halve hond was, omdat hij samen met de dieren was opgegroeid.

Als de arena niet werd gebruikt, stond hij in een schuur achter Billy's huis. Daar bewaarde hij ook zijn instrumentarium, de spullen waarmee hij de blessures die een vechthond opliep behandelde, en de geneesmiddelen die hij kreeg van een gehuwde dokter aan wie hij tegen betaling zijn jonge zusje had meegegeven voor een weekend in een trappershut diep in Cousin's Bay aan het Kalamalka Lake. De dokter had jarenlang voor zijn misstap moeten dokken, aangezien Billy hem bij zijn pleziertjes had gefotografeerd. Zijn uitrusting bevatte alles om een hondengevecht soepeler te laten verlopen, een leven te verlengen of een overlijden te vergemakkelijken. Billy wist dat een hond die uiteindelijk moest worden afgemaakt, zich gemakkelijk aan de welkome dood overgaf.

Ze ruimden het gedeelte waar de arena kwam te staan leeg en schoven met hun laarzen het stro uit de weg. Het duurde iets meer dan een uur om de buitenrand uit te laden, de delen aan elkaar vast te maken en de zo ontstane cirkel met draadschroeven en hoekijzers aan de houten vloer te verankeren. Daarna nietten Carl en Art op hun knieën de vloerbedekking in de cirkel die een omtrek had van vierenhalve meter. Door de stugge pool van het tapijt gleden de honden tijdens het gevecht niet weg. Terwijl Art de inbussleutel hanteerde, floot hij een nummer van Elvis. Carl glimlachte toen hij het hoorde. Die Elvis kan goddorie goed zingen, zei hij.

Zeg dat wel, antwoordde Art. Moeder de vrouw is helemaal stapel van hem. Hij zette kracht zodat moer en borgring onwrikbaar vastgezet werden. Zij vindt hem geweldig, maar laten we wel wezen, uiteindelijk is Frankie Laine de allerbeste.

Billy ging naar de kennel, waar de honden in Carls ren een veelbelovend gegrom en gehuil lieten horen. Bij het fokken van dieren die tot het uiterste moesten doorvechten volgde Billy zijn instinct. Soms kon je het aan een jonge hond zien, al wilde dat niet per se zeggen dat die ook uitgroeide tot een dier dat in de arena overeind bleef. Hij had van zijn vader en grootvader geleerd hoe je een goede pitbull klaarstoomt. Hij wist waar hij bij een pup op moest letten. Hij had meer dan eens gezegd dat het niet alleen ging om de bereidheid om te vechten. Een goede vechthond moest verder willen gaan dan verwondingen toebrengen, en dan kwam je heel ergens anders uit. Als Billy zo'n hond aantrof, haalde hij hem uit het nest en voedde hem handmatig tot het dier zich aan hem had gehecht. Zijn beste honden trainde hij door ze aan hun bek aan een leren riem te laten hangen en dat uit te bouwen tot ze het twintig uur volhielden zonder dat hun greep verslapte. Hij liet ze op de loopband draven tot hun poten bloedden. In een vroeg stadium hitste hij ze tegen de proefhonden op en dwong zijn dieren meer te doen dan alleen duwen en bijten. Ze moesten doden.

Zijn beste hond was Badger, die in vierenhalf jaar tijd geen enkel gevecht had verloren, hoewel een van zijn oren was afgerukt en het andere alleen nog maar uit wat rafelig vel bestond. Iedereen wist dat hij hem vandaag tegen Carls hond King liet uitkomen. Billy hurkte bij de kennel en krauwde de nek van de zwarte hond door het gaas. Badger rook de arena aan zijn handen en rekte zich jankend uit. Met geheven neus speurde hij de lucht af naar de geur van een net aangekomen hond, een vrachtwagen op de landweg waarvan hij het geluid herkende, een pick-up of een omgebouwde paardentrailer die hier alleen kwam als er wedstrijden waren. Billy boog zich naar de plek waar Badgers neus door het gaas van de kooi stak. Hij kon voor zijn honden geen mooier lot bedenken dan te sterven zoals ze hadden geleefd. Ondertussen hield hij de zesjarige reu al vier jaar voor de fok, en de eerste pups, die op de loopband en met proefhonden waren getraind, kwamen overal in het noordwesten als overwinnaars uit de strijd. Badger had voor Billy ruim drieduizend dollar bij elkaar gevochten, plus nog eens duizend voor het fokken.

Terwijl hij langs de kennel liep, keurde hij de honden, hun houding en de stand van hun kop. Daarna kwamen de proefhonden die hij had meegebracht. Billy had een voorraad dieren die hij aan de achterdeur van het asiel voor vijftig dollarcent per hond kocht, zonder dat er vragen werden gesteld. Hij kocht ook verwilderde zwerfhonden van jongens die hij inhuurde om ze te vangen, en gebrekkige dieren van fokkers die geen waardeloze honden wilden grootbrengen. Proefhonden gingen niet lang mee en Billy hield een vaste voorraad aan voor eigen gebruik en voor andere mensen die met hun dieren bij hem kwamen om ze agressie en uithoudingsvermogen bij te brengen. Met een proefhond kon een hondenbezitter erachter komen of zijn dier tot het uiterste wilde gaan. Als de hond dat niet kon, werd hij als huisdier verkocht, als proefhond ingezet of afgemaakt terwijl zijn baas de zwakke teef vervloekte die hem had geworpen.

De proefhonden stonden op trillende poten in hun kooien van gaas. Vanwege de verwondingen die ze bij eerdere wedstrijden hadden opgelopen liepen sommige dieren mank. In een kleine ren ernaast zat een roestkleurige hond die een kruising leek tussen een brak en een pitbull. Toen Billy dichterbij kwam, stond de hond grommend op en Billy ging een beetje achteruit om hem goed te bekijken, verrast door de agressie van het dier. Carl kwam meestal met zijn pups en tweejarigen naar Billy als hij ermee wilde trainen, maar dit leek er een te zijn die Carl hier gebruikte. Carl had hem een tijdje terug verteld dat hij voor een paar dollar een fel uitziende bastaard had gekocht van een lifter die hij een paar weken ervoor op de weg boven Armstrong had opgepikt. Hij had erbij gezegd dat hij de hond later deze herfst wilde gebruiken als hij zijn jonge pit-bulls ging trainen, en dit moest dus het bewuste dier zijn. Billy bleef nog even naar hem kijken terwijl de hond snelle bijtbewegin-gen maakte en met een diep keelgeluid gromde. Krijg zelf ook de tering, joh, zei Billy lachend.

Hij betaalde Carl vijftig dollar voor het gebruik van de schuur. Dat was eigenlijk geen geld, maar Carl hoefde hem dan ook niet te betalen voor eventuele verrichtingen aan een hond die verwondin-gen opliep. De mannen die voor het vechten kwamen, betaalden Billy vijf dollar bij aankomst om te mogen kijken en gokken, en dertig dollar voor elke hond die ze mee lieten doen. Billy bepaalde wanneer er werd gevochten, bracht de honden in positie, staakte de wedstrijd als een van de honden ging liggen, en in geval van twijfel of onenigheid was hij degene die zei welke hond won of verloor, als de kans dat ze verder zouden vechten te verwaarlozen was. Joe regelde vandaag de weddenschappen. Kleine onderlinge wedden-schappen waren toegestaan, maar de limieten werden door Billy be-paald. Het gokken was zijn afdeling. Als het vandaag goed liep, kon hij ruim vijfhonderd dollar in zijn zak steken. Dat kon meer wor-den als hij zijn amfetaminen, tranquillizers en zuurstof op de juiste manier gebruikte.

Hij had bij Lucky Johnson een bestelling geplaatst voor blokken ijs, kratten bier, dozen frisdrank voor de vrouwen en kinderen en whiskey en rum voor wie van een stevige borrel hield. Het bier stond in wastobbes onder de goktafel. Sterkedrank werd per fles of per glas verkocht. Etenswaren had hij niet laten komen. De vrou-wen brachten meestal wel een picknickmand mee waar huzaren-salade, worstjes en hamburgers in zaten, en koteletten en biefstuk-ken als manlief goed bij kas was. Er werden vuurtjes gemaakt voor de marshmallows en knakworstjes van de kinderen. Zo deden de mensen dat hier, alles werd gedeeld. Carl had een zelfgebouwde betonnen barbecue staan die groot genoeg was om een halve os te roosteren. Niemand hoefde honger te lijden en wie toch nog trek had, moest maar in zijn auto stappen en gaan halen waar hij zin in had. In Armstrong, een paar kilometer verderop in de vallei, had je de Queen Victoria met bami goreng en tjaptjoi om af te halen of daar te eten.

Billy ging weer naar de schuur. Toen hij langs de ren van King kwam, sprong Carls hond met overeind staande nekharen en ontblote tanden uit de hoek op hem af. King wilde Billy aanvliegen, maar de draadafrastering sneed in de met littekens bedekte huid boven het oog van de hond. Billy zag de tong die tussen de voortanden naar buiten hing, de enorme, paarlemoerachtige snijtanden, de perfect scharende maalvlakken achterin. Hij pakte een stompe, dunne stok die bij de deur lag en toen King weer grommend naar hem op sprong, gaf hij er door de afrastering heen de hond een stoot mee tegen de borst. Terwijl het speeksel van Kings halskwabben af spatte, hapte de pitbull herhaaldelijk naar het versplinterende hout. Billy grijnsde en ratelde met de stok over het ijzerdraad, terwijl de hond er telkens opnieuw op afstormde, hoewel hij behalve zijn zware ademhaling geen enkel geluid voortbracht, bezeten van razernij zoals alles wat dolgedraaid is.

De middagzon gleed over het onder de schuur gelegen open veld en het zand waaide op tussen de auto's en vrachtwagens waar kinderen holden en speelden. De paar moeders die niet in de schuur waren riepen naar deze of gene, maar daar schonken de kinderen geen aandacht aan. Er stonden nog wat mannen bij een aanhangwagen bier te drinken en te praten, verder was iedereen naar binnen om de laatste ogenblikken van het gevecht tussen Caesar en Chance te zien.

Het publiek werd stil toen Billy het hek in de arenawand opende en zijn geweer omzichtig tegen het gescheurde vel aan de voorkant van de kop van Chance plaatste. Toen hij de trekker overhaalde, kwam het vel omhoog als een nat gordijn aan de waslijn. Caesar, de zwarte pitbull die zijn kaken om de nek van Chance had geklemd, schokte zonder los te laten. Op het schelle geluid van het geweer met de afgezaagde loop zonk Chance voorover. Zijn gevoelloos geworden linkerpoot, die uit een diepe snee bloedde, zocht nog naar houvast op het bordeauxrode vloerkleed toen de hond, overeind gehouden door Caesars kaken, stierf.

Mike Stuttle betrad de executieplaats en pakte zijn hond bij het nekvel, terwijl Billy met een breekstok de kaken van de pitbull openwrikte. Een vrouw die achteraan op de tweede rij zat gilde toen het dier abrupt losliet en naar Billy's hand hapte, die de tanden tegen zijn knokkels voelde schampen toen hij zijn knie tegen de schouder van de hond zette. Stuttle legde een wurgketting om Caesars hals, maar terwijl hij de hond naar het hek begeleidde, vloog Caesar op Art af die Chance weghaalde. De mannen die op Caesar hadden gewed kwamen overeind om hun winst te incasseren bij Joe, die op zijn post achter de gok- en dranktafel zat.

Art was stil toen Mike Stuttle langskwam met de gemuilkorfde Caesar, die met zijn poten naar het kleed klauwde om weer bij Chance te kunnen komen. Toen Mike Caesar het hek uit had gewerkt, ging de hond op het platgetrapte stro als een wilde tekeer. Mike trok de ketting aan, waardoor de hond geen lucht meer kreeg en kronkelde in de wurggreep. De menigte mannen en vrouwen bij de arena keek reikhalzend toe toen Art knielde en zijn hond optilde.

Chance heeft zich goed geweerd, zei hij tegen Billy, die net binnen het hek stond, met het geweer langs zijn bovenbeen, uit het zicht. Zeker, zei hij met een respectvol knikje.

De mensen begaven zich zo zoetjes aan naar de schuurdeuren en het veld, waar de vrouwen met koken waren begonnen. Enkele mannen kochten drankjes bij de goktafel, andere kwamen in een halve cirkel om Caesar heen staan en sommige bogen zich voorover om zijn verwondingen te bekijken. Mike had de ketting stevig vast. Billy, zei hij met onvaste stem. We moeten naar Caesar kijken.

Billy volgde Mike naar de tafels achterin. Nu Mike hem had gemuilkorfd, was Caesar rustiger en meegaander. De door het gevecht opgebouwde adrenaline was aan het opbranden. Mike tilde de hond op tafel en nadat Billy de snijwonden in Caesars schouders en nek had bekeken, kon hij Mike vertellen dat de meeste niet gehecht hoefden te worden. Hij druppelde wat waterstofperoxide in de diepere wonden, bracht hier en daar een paar hechtingen aan en richtte zich toen op de poot van de hond, waar hij het stro en stof van het blootliggende spierweefsel afspoelde. Hij zei tegen Mike dat Caesar moest gaan liggen en dat hij hem in bedwang moest houden. Zodra de hond niets meer kon doen, depte Billy jodium op de plek waar het vel was weggerukt. De hond worstelde en Mike drukte hem met zijn eigen gewicht omlaag. Caesar jankte toen Billy de kapotte huid tot schouderhoogte omhoogtrok en de wond dichtniette. Mike boog voorover en praatte zachtjes in het gemerkte hondenoor. Toe maar, toe maar, zei hij. Het is al goed.

Met zijn gebogen naald en hechtzijde naaide Billy de wondranden in een stiksteek en telkens weer een rukje aan de draad netjes verder dicht. Hij tilde het vel op waar hij het nog niet had dichtgenaaid. Kijk eens wat een pezen en spieren, zei hij tegen een paar mannen die bij de tafel stonden. Wat een pitbull.

Zeker te weten, zei een van de mannen.

Komt hij erbovenop? vroeg Mike. Zijn onderarm lag om Caesars nek en zijn hemd zat vol plakkerige plukken wol van het vloerkleed en gestolde kwijldraden.

Het kan alle kanten op, zei Billy.

Het is een goede hond.

Pitbulls, zei Billy. Dat zijn de beste.

Hij bond de hechtdraad af met een knoop onder de schouder van de hond, knipte het eindje eraf en pakte een nieuwe draad om in zijn naald te doen. Toen hij opkeek, zag hij Tom Stark de schuur in komen met het meisje met wie hij hem op het feest had gezien, dat kind met dat rare oog. Hij zag Carl op hen afkomen en iets tegen Tom zeggen, waarop Tom zich naar het meisje boog en iets zei voordat hij met Carl terug naar buiten ging.

Hij zag het meisje weifelend om zich heen kijken en toen ze hem en de gewonde hond zag, liep ze door de schuur naar waar hij bezig was. Ze kwam zwijgend bij de tafel staan waar hij Caesars schouder van de laatste hechtingen voorzag. Billy negeerde haar zo veel mogelijk en liet de naald soepel door het taaie hondenvel glijden; de hechtdraad leek op de flinterdunne wormen die hij in de heuvels in opgezwollen kadavers had gezien, waar ze naar het zonlicht toe kronkelden als de ranken van een slingerplant.

Het was gaan waaien en er dwarrelde wat opgewaaid stro over de tafel. Billy was klaar met hechten, deed een zwachtel om de hondenpoot die hij met tape vastzette en daaroverheen een sok van gelooid, soepel hertenvel die hij losjes met een leren veter dichtstrikte. Hij werkte graag met dieren. Honden hechten was voor hem net zoiets als een moeilijke reparatie aan een motor: door een naaldventiel goed in te brengen of een minuscuul boutje perfect aan te draaien kreeg je iets wat het niet meer deed weer aan de praat.

Laat hem die muilkorf maar een tijdje dragen, zei Billy tegen Mike. Hij heeft dit er binnen de kortste keren af als je er niet bij blijft. Mike knikte.

Ik heb nog nooit een echt hondengevecht gezien, zei het meisje tegen Billy. Hij liet zijn blik even haar kant op gaan en ze zei: Ik ben Marilyn.

Hij keek naar haar strakke kuitbroek en witte bloesje. Ze steunde met haar vingertoppen op het zeil terwijl Billy nog een paar ondiepe sneden op de schouder van de hond schoonmaakte en Mike de kop van het dier streelde.

Ik hou van honden, zei ze.

Nou, misschien krijg je er ooit nog eens eentje, hè, zei Billy en hij pakte zonder op te kijken een blauw flesje uit een bak vies water die een paar uur geleden nog vol ijs had gezeten. Hij opende het flesje, vulde er een spuit mee waarmee hij de hond in de heup injecteerde en masseerde vervolgens de stevige spiermassa op de plaats van de injectie. Hij legde de spuit weg en rechtte zijn rug, terwijl Mike met Caesars wurgketting stevig in zijn hand overeind kwam. Billy keek om zich heen en nam alle groepjes mensen in de schuur aandachtig in zich op, de mannen en vrouwen die op de tribune bier dronken en de anderen die de jonge pitbull bekeken waarmee Lucky rondparadeerde.

Ik hoop dat je hond het redt, zei Marilyn.

Mike knikte en hij tilde Caesar van tafel, klikte een korte riem aan zijn halsband en hield de hond strak aangelijnd. Caesar stond huiverend tegen Mikes been aan. Hij haalde een dunne portefeuille uit zijn heupzak en klapte die met twee vingers open. Haal die twee van tien en dat vijfje er maar uit, zei hij.

Billy haalde er de bankbiljetten uit en stopte ze in zijn borstzakje. Klassegevecht, zei hij.

Caesar jankte toen Mike hem optilde en de schuur door droeg. Marilyn pakte de naald die Billy had gebruikt en hield hem dicht bij haar oog. Ik heb nog nooit een gebogen naald gezien, zei ze.

Billy pakte hem af en legde hem in een schoteltje met alcohol. Niet aan mijn spullen komen, zei hij.

Wanneer is het volgende gevecht?

Zo meteen, zei Billy. Een jonge pitbull die het tegen een oefenhond gaat proberen.

Wat is een oefenhond?

Een hond waar andere honden van leren. Daarom heten ze zo.

Marilyn haalde haar vinger door het landschap van bloed, huid en haar terwijl ze hem recht aankeek.

Onder haar starende blik voelde Billy zich ineens opgelaten. Omdat ze niet wegkeek, knielde hij naast zijn spullen onder tafel en begon het instrumentarium op te bergen. Hij deed de metalen koffer op slot en toen hij overeind kwam was Marilyn op weg naar de arena, waar het druk begon te worden.

Billy wilde naar de deur gaan toen een versuft ogende Weiner Reeves tegen hem op botste. Billy duwde hem met een uitgestoken hand weg. De jongen was op het feest straalbezopen en high geweest, maar nu leek hij er nog erger aan toe. Hij stond te trillen op zijn benen en Billy vond hem net iemand die uit het graf was herrezen. Weiner zwalkte verder en Billy veegde zijn hand af aan zijn overhemd. Van de formaldehydelucht kreeg hij een olieachtige damp in zijn neus. Wie woonde er in hemelsnaam bij een stel lijken in een souterrain? vroeg Billy zich af.

Het gevecht tussen Caesar en Chance had vlak na dat tussen Badger en King plaatsgevonden. Zijn hond had met gemak gewonnen, want King was hard onderuitgegaan nadat Badger hem een forse halsbeet had toegebracht. Billy had King weten te redden en Carl was hem dankbaar voor zijn vaardigheid met caustisch poeder en hechtdraad. In de wedstrijd voor die van Badger had hij een hond moeten afmaken en behalve King en Caesar had hij nog een hond moeten hechten, een pitbull uit Walla Walla die het in het tweede gevecht bijna veertig minuten had volgehouden.

Mike Stuttle droeg Caesar naar de uitgang. De hond rukte aan de stalen schakels van zijn ketting en hij zette hem neer. Weiner Reeves stond wat naar voren bij een groepje mannen en toen Caesar een uitval deed, hapten de hondentanden op dertig centimeter van zijn been in de lucht.

Ga godverdomme opzij, man, zei Mike. Billy zag dat Weiner probeerde te lachen, maar je kon de schrik in zijn blik lezen.

Billy nam dezelfde route als Mike en bleef niet staan als mensen met hem over het gevecht probeerden te praten. Hij liep door de schuurdeuren en werd door een plotselinge windvlaag getroffen die het stof bij zijn voeten deed opwaaien. Daar stond Sid Morton, wijdbeens en met een biertje in de hand.

Die hond van Art heeft flink gevochten, zei hij tegen Billy. Op zo'n beest mag je trots zijn.

Ja. Het is een goede, zei hij, terwijl hij met zijn nagel in een spleet tussen zijn tanden peuterde waar een stukje vlees was blijven zitten. We krijgen regen, zei hij. Kijk maar eens naar die heuvels daar.

Art stond achter zijn vrachtwagen. Chance lag achterin en een man die bij de bumper stond raakte de gevlekte flank aan en zei tegen Art dat zijn hond goed had gevochten. Toen Art geen antwoord gaf, vroeg de man of hij misschien iets kon doen, en Art schudde van nee.

Toen zag Billy Norman Christensen en Vera Spikula de helling op komen. Hij ging een paar meter verderop staan en keek naar het huis, waar Carl en Tom een hond in een lege kennel stopten. Eén blik op Norman was al genoeg om te zien dat het gezicht van de jongen van zijn kaak tot zijn slaap in het verband zat.

Terwijl hij daar stond, hoorde hij Norman iets tegen Sid zeggen over een jongen die hij bij de barbecueplaats met een zweep had zien spelen.

Billy bukte zich en friemelde aan zijn schoenveter in een poging Norman te ontlopen. Hij wilde zich niet laten provoceren. Dat gezwam van hem had hij al veel te vaak gehoord.

Maar die jongen, zei Norman tegen Sid, vond het dus leuk. Hij deed zo zijn best om goed met die zweep te kunnen omgaan. Hij oefende alsof zijn leven ervan afhing.

Waar heb je het nou in godsnaam over? zei Sid Morton.

Ik wil hier niet zijn, Norman, zei Vera.

Norman krabde aan de rand van zijn verband, waar bij zijn neus een paar hechtingen naar buiten staken, en Vera trok aan zijn elleboog. Hij trok zich los.

Ha die Billy, zei Norman in het voorbijgaan en hij liep samen met Vera, die aan één stuk door in zijn goede oor ratelde, de schuur in.

Art legde een vieze Hudson's Bay-deken over Chance heen en sloot de achterklep. Met hangende armen en zijn blik naar de grond bleef hij daar staan. Een paar mannen gingen een eindje bij hem vandaan, omdat ze hem niet wilden storen. Een vrouw met twee blootsvoetse kinderen in haar kielzog liep om Art heen en tuitte haar lippen alsof ze het allemaal al eens gezien had, wat mannen met hun honden hadden, hun onvermijdelijke verdriet.

Donkere wolken pakten zich samen boven de Bluebush-heuvels aan de andere kant van de vallei en wierpen zwarte schaduwen op het meer, terwijl rondom Billy's voeten de wind wervelde en gras en schors en houtjes tegen de wand van de schuur aan liet kletteren. Aan de rand van het veld klonk het groene naaldgedruis van de bomen die met hun takken de voortjagende lucht geselden. Hij keek uit over de geparkeerde auto's en vrachtwagens onder de schuur. Op het veld verderop schopten mannen hun vuren uit met zand terwijl hun vrouwen het overgebleven voedsel en eetgerei in trommels en manden deden. Telkens keek er weer een ander naar de heuvels en de opstekende storm en terwijl ze hun spullen pakten, spoorden ze hun kinderen aan. Een paar vrachtwagens waren al weggereden, maar heel wat mensen negeerden de naderende storm en gingen door de schuurdeuren naar binnen.

Billy stond in de zon naar de weg te kijken die uit de vallei kwam. Hij zag Eddy Starks Studebaker het terrein van de boerderij op rijden en op enige afstand van de auto's en vrachtwagens parkeren. Eddy stapte uit en bleef bij het portier naar de schuur staan kijken. Zelfs vanwaar Billy stond was te zien dat Eddy erdoorheen zat. Even vroeg hij zich af of Eddy de stad uit zou gaan, maar hij wist dat Eddy hetzelfde was als de meeste mensen uit de vallei; ze zouden nooit ver van huis gaan, al hadden ze nog zoveel problemen. Hij herinnerde zich de man bij hem uit de straat die een paar jaar geleden in de winter zijn vrouw had vermoord. Een paar mannen uit Lumby hadden hem de derde nacht gevonden in de wildernis op nog geen kilometer van zijn huis, half bevroren in een zelfgemaakt bivak van sparrentakken en een lap zeil. Zijn vuurtje had zijn achtervolgers de weg gewezen. Billy wachtte op Eddy, die zich zigzaggend een weg baande door het veld, terwijl de mannen en vrouwen hem in het voorbijgaan nieuwsgierig opnamen.

Toen Eddy dichterbij kwam, knikte Billy. Hij wist wat Eddy wilde.

Zestig dollar, zei Eddy met uitgestoken hand.

Niet hier, zei Billy. Te veel mensen. Laten we dit bij de auto doen.

Eddy verfrommelde de bankbiljetten in zijn hand, maakte rechtsomkeert en ging met zijn rode haren die ongekamd om zijn oren wapperden de helling weer af. Billy kwam zonder iets te zeggen achter hem aan en Eddy liep voorop met zijn duimen in zijn zakken, en de vrouwen gingen opzij tot hij tussen de laatste vuren door eindelijk weer bij de auto was. Hij deed het portier open, stapte in en smeet het achter zich dicht. Toen Billy dichterbij kwam zag hij Eddy in de zijspiegel naar hem kijken, zijn hand hing uit het open raam met het geld tussen zijn samengeknepen vingers, vanwege de wind.

Billy pakte het geld en haalde uit een tasje dat in zijn zak zat een pakketje tevoorschijn. Eddy nam het aan en borg de drugs op tussen zijn benen.

Met zijn handen op het portier keek Billy de auto in. Ik heb gehoord dat je moeilijkheden hebt met de politie, zei hij. Iets over een huis waar ingebroken is?

Eddy wreef over de stoppelbaard op zijn wang en draaide het raampje gedeeltelijk omhoog, waardoor Billy zijn handen wegtrok. Welk huis? Waar heb je het over? zei Eddy.

Laat maar, zei Billy, die een stap achteruit deed. Kijk wel een beetje uit met dat spul, zei hij. Ik heb het nog niet kunnen versnijden.

Mij best, zei Eddy en hij startte de motor. Hij schakelde en toen de koppeling opkwam, zwenkte de auto met snel ronddraaiende wielen over de harde klei de hoofdweg op. Meteen daarna kwam er verderop langs de weg een politieauto tussen de bomen tevoorschijn die ook heuvelafwaarts ging, de Studebaker achterna. Billy kon niet zien wie er achter het stuur zat, maar hij was ervan overtuigd dat de agent alleen zo kon opduiken als hij daar had staan wachten. Hij bleef nog even naar de lege weg kijken. De wolken boven de overkant van de vallei waren nu een kolkende massa waaruit zwarte verdikkingen omhoogkwamen. Hoog boven de weg zweefde een eenzame kalkoengier op zijn onzichtbare zuil. Hoofdschuddend liep Billy weer naar de schuur.

Hij zag een groepje kinderen bij het portier van zijn vrachtwagen. Een van hen was met een lange wilgenzweep in zijn hand op de treeplank geklommen om door het raampje naar Badger te kijken. Billy zag Badgers kop door de voorruit, het zijraampje stond een paar centimeter open. Billy snauwde tegen de jongen dat hij moest maken dat hij bij dat portier wegkwam. Die hond bijt je arm eraf als je hem daar de kans voor geeft, zei hij.

De kinderen renden weg, maar erg ver gingen ze niet en de jongen met de zweep stond nu bij de achterbumper. Wegwezen, verdomme, zei Billy. Hij draaide zich om en keek door het raampje naar Badger, die langzaam maar regelmatig ademde. Er zat een bloeddruppeltje in de oogkoek die hij had gehecht.

De jongen met de zweep stond er nog steeds.

Billy gebaarde naar Sid, die nog tegen de schuur aan leunde, en Sid knikte en kwam naar Billy's vrachtwagen toe, waarop de jongen een paar passen verderop ging staan.

Oprotten, kleine etter, zei Sid. De jongen sloeg met zijn zweep op het zand tussen hen in, maar toen Sid naar hem graaide ging hij er onbeheerst lachend vandoor.

Binnen bij de deuren, uit de wind, stonden een paar mannen over hondenrassen te praten, en een van hen zei dat er toch niets tegen de moed van een pitbull op kon. Moed is het niet, en ook geen domheid, zei Billy in het voorbijgaan. Hij weigert op te geven, en meer heb je niet nodig.

In de schuur liep hij naar de arena en deed het hek open, waarop hij de mannen om hem heen te verstaan gaf dat iedereen uit de weg moest als de honden eraan kwamen. Hij riep tegen de mensen die bij de arena en op de tribunes samengroepten dat zo meteen het gevecht tussen Lucky's pitbull en de oefenhond begon. Hij zag Marilyn die aan de andere kant van de arena ergens op geklommen was. Naast haar stond Tom over zijn verbonden linkerhand te wrijven. Toen ze haar hand tegen Toms voorhoofd legde en hem daar liet liggen, schudde hij hem af en liep het toegestroomde publiek in.

Billy wilde iemand opdragen om een van zijn oefenhonden te halen toen hij bedacht dat die bruinrode hond van Carl weleens een goede tegenstander voor Lucky's Rebel kon zijn. Die had iets pittigs over zich. Carl was naar de kennel geweest en niette nu in de arena het vloerkleed vast dat tijdens het laatste gevecht was losgeraakt. Billy liep naar hem toe en vroeg of het hem wat leek om die hond tegen Lucky's pitbull te laten uitkomen. Carl leek het voorstel kort te overwegen, maar zei toen dat hij hem eigenlijk wilde gebruiken bij het trainen van een paar van zijn eigen jonkies. Billy, die wist dat Carl er de pest in had omdat King van Badger had verloren, wachtte. Na wat geweifel zei Carl ten slotte dat hij geen bezwaar had als Billy de hond wilde inzetten. Dat wilde Billy inderdaad en hij stelde voor dat Carl zodra hij hier klaar was de hond uit de kennel ging halen. Ik ben hier klaar, zei Carl en hij stak het niet-pistool in zijn broekzak en stond op. Er kwam een windvlaag door de tegenovergelegen wand naar binnen. Die storm komt snel opzetten, zei Carl. We mogen van geluk spreken als we dit gevecht nog voor het losbarst achter de rug hebben. Hij sjorde aan zijn broek en ging naar de deur.

Billy keek hem na voor hij naar de goktafel ging, waar Joe consumpties verkocht en de laatste inzetten in ontvangst nam. Hij keek naar de winchester die tegen Joe's heup aan stond. Zoals gewoonlijk liet Joe demonstratief merken dat hij op het geld paste, dat hij meer dan levensgroot was. Hij verkocht nog een paar consumpties zonder dat er aan zijn halfgeloken ogen iets viel af te lezen. Er stonden niet veel klanten meer in de rij voor het bier, alle mannen en vrouwen zochten een goede plek om de wedstrijd te zien. Rondom de arena stond de menigte al drie of vier rijen dik.

Joe zei: Je hebt daarnet goed verdiend aan Badgers gevecht. Die hond van Carl ging een stuk sneller onderuit dan ik had gedacht. King boft dat hij het er levend van af heeft gebracht.

Billy wipte de dop van een flesje Old Style, nam een grote slok en tuurde naar de spleten in het dak, waar een paar zonnestralen doorheen kwamen.

Dat laatste gevecht had Chance moeten winnen, zei Joe, die zich bukte om een strootje van zijn broekspijp te vegen.

Jij hebt niet genoeg verstand van honden om er een mening over te hebben, zei Billy. Wat heb ik dan omgezet bij dat gevecht?

Zeker honderdvijftig, zei Joe. Er hadden er een hoop op Chance gewed.

De mensen wagen op alle mogelijke manieren een kansje, zei Billy. Neem nou Eddy. Hij was net hier en toen hij wegging, zat er een agent achter hem aan.

Joe zette zijn geweer tegen de tafel en streek het dunne haar over zijn oren glad. Op zijn gezicht lag een zelfingenomen grijns en even had Billy zin om hem te slaan.

Hij keek weg en telde het geld dat in het kistje zat. Hij was Joe net zo beu als de gebroeders Stark. Hij stak een dubbelgevouwen bundel bankbiljetten in zijn zak en liet een paar dollar en muntjes in het kistje zitten als wisselgeld voor Joe. Op dit moment wilde hij alleen gevechten organiseren en daar zijn brood mee verdienen.

Hij gaf het kistje aan Joe en baande zich een weg naar de arena-opening, terwijl boven hem een paar zwaluwen verwoed heen en weer schoten. Aan de andere kant van de arena hurkte Lucky met Rebels ketting in zijn vuist geklemd. De tribunes waren weer vol en er kwamen nog steeds mensen van het veld naar binnen. Billy keek naar Toms meisje aan de overkant. Ze stond helemaal enthousiast op haar appelkist en stak met hoofd en schouders uit boven de mannen die haar omringden. Op de tribunes praatten de mensen en dronken hun bier in afwachting van de wedstrijd. Op de bovenste rij zaten jongeren hard te lachen en een wat ouder iemand op de rij ervoor draaide zich om en riep dat ze hun gemak moesten houden. Een beetje eerbied, zei hij. Het bijwonen van een spektakel waarbij een oefenhond werd verminkt leek sommige mensen veel te veel op te winden. Achter de menigte zag Billy Carl naar de arena toe komen met zijn oefenhond kort aangelijnd naast zich.

De menigte kalmeerde, terwijl Carl over het platgetrapte stro liep en de wind om de schuur heen waaide en tussen de planken en dakspanen door zijn weg naar binnen vond. Stofjes dwarrelden in de toevallige bundels onderbroken licht. Carl bracht zijn hond naar de arenaopening.

Billy zag Tom buitenom langs de menigte lopen om te kijken of hij dichter bij zijn vriendin kon komen, maar er stonden te veel mensen. Hij zag hem langs de kring weer naar de goktafel teruggaan.

Tom wist dat Billy het niet prettig vond wanneer er tijdens een wedstrijd mensen bij de goktafel stonden, ook al was dat de plek waar je sterkedrank en bier kon kopen. Nu verdrongen zich er wat mannen omheen die het laatste gevecht wilden zien en Joe, die er iets van had kunnen zeggen, kon het kennelijk niet schelen, want hij had voor de tafel postgevat. Tom zag Billy wrevelig hun kant op kijken, maar hij had zijn handen vol en kon er voorlopig niets aan doen. Tom knipperde met zijn ogen, die pijn deden, maar zijn hoofdpijn was bijna weg en het restje koorts hing als een schaduw tussen hem en de wereld in. Zijn hand bonsde.

Het gemompel van de menigte veranderde in geschreeuw. Aan de andere kant van de arena stond Marilyn tussen de mannen op haar appelkist en hield zich in evenwicht door zich aan de schouder van een magere man vast te houden, terwijl de opwinding iedereen meesleepte.

Hij had nooit om hondengevechten gegeven en toch werd hij er elk jaar weer door aangetrokken. Hij kende geweld als iets wat bij zowel honden als mensen voorkwam. Honden vochten met honden en gingen soms door tot de dood erop volgde. Dat was op zich al erg genoeg. Maar als Billy een hond doodde nadat die in de arena was aangevallen, kreeg hij een bepaalde blik in zijn ogen. Tom had die blik bij andere mensen gezien als ze een doodgewone klus klaarden. Het was geen triomf en ook geen verdriet, wat ze er naderhand ook over zeiden.

Je dacht dat je iemand kende en toch wist je niets van hem, want mannen logen over bloedvergieten, vooral wanneer het over het doden van mensen ging. En dit was geen doden zoals de jager doodt die tegen de wind in op zijn prooi af gaat. Tom had zijn hele leven al gejaagd, bijna altijd alleen, hoewel hij toen hij jong was soms met vader was gaan jagen. Maar een hert doodschieten als de zon opkwam bij Cheater Creek was niet hetzelfde als een gewond dier doodschieten in de arena. Dat was geen doden om het voedsel of om de trofee, zoals het volwassen hert of de beer waar ze ooit in het najaar op hadden gejaagd nadat die op een naburige boerderij met één klap de nek van een vaars had gebroken, en die vader ten slotte in de herfst van '49 had geveld. De arena was anders. Billy was net de beul over wie Eddy hem had verteld toen hij weer thuis was na Boyco. Hij aanvaardde het doden van een hond als een klus die moest worden geklaard, een díng dat moest worden gedaan, iets wat hij goed kon, zoals een timmerman goed kan omgaan met zijn waterpas of een steenhouwer met zijn beitel.

Tegenover de ingang hield Lucky Johnson in de arena zijn hond kort aan de lijn, terwijl het dier aan de wurgketting rukte en zijn gemerkte oren naar voren stak. De jonge pitbull, een slank, gespierd beest met een forse schouder- en borstpartij, staarde door de opening naar Carl en de oefenhond die dichterbij kwamen. Billy knikte naar Carl en ze betraden de arena met de hond die Carl eerder die dag in de kennel aan Tom had laten zien. Billy maakte de ingang nog niet helemaal dicht, zodat Carl er nog uit kon als het gevecht begonnen was. Zodra de hond de pitbull zag, kwam hij op zijn achterpoten omhoog en Carl verstevigde zijn greep op de lijn. Tom wrong zich zijdelings tussen een paar mannen door om de arena beter te kunnen zien, waar beide honden elkaar kwijlend en reikhalzend hun tanden toonden, terwijl Carl en Lucky telkens een paar centimeter meer lijn gaven, maar de honden nog wel bij elkaar weghielden. De mannen die rondom de arena stonden zeiden tegen Billy dat hij het loslaten van de honden moest aankondigen.

Pak hem! riep Lucky, terwijl hij zijn pitbull naar zich toe rukte.

Jij gaat die hond pakken! Hij spoorde Rebel aan tot de ketting strak stond en de pitbull door het dolle heen was.

Maak dat beest af! schreeuwde Carl tegen zijn hond. De oefenhond draaide zich om en hapte naar de riem, terwijl Carl ermee tegen de zijkant van zijn kop sloeg en de lijn liet vieren en weer strak aantrok, waardoor de hond nog razender werd van de herrie van de menigte en de grauwende pitbull die amper een meter van hem vandaan stond.

De wind was aangewakkerd en floot boven Toms hoofd langs de randen, sparren, latten en stutten van het dak. Door de schuurdeuren zag hij buiten aan de overkant van de vallei een donker regengordijn. De zwaluwen, die deze wind kenden en wisten dat er regen op zou volgen, schoten de schuur in en vlogen kriskras door de lucht boven de arena terwijl de inmiddels dolle honden als bezetenen aan hun leiband rukten. Billy stak zijn hand op en op het moment dat hij 'Loslaten!' riep, deden Carl en Lucky hun hond de halsband af. De honden vlogen op elkaar af, terwijl Lucky over de arenarand klauterde en tussen de mensen belandde die achteruit schuifelden om plaats voor hem te maken. Carl glipte intussen via het hek naar buiten, dat Billy vlug achter hem dichtdeed.

De twee honden leken als één massa van de grond te komen en vlogen dwars door de ruimte op elkaar af alsof ze allebei naar de gelukzalige verlossing verlangden. Glinsterende strootjes, plukken hondenhaar en door dierenklauwen opgeworpen flarden tapijt wervelden op een windvlaag door de arena, en als in gebed bewogen mannen- en vrouwenhanden over de houten wand heen en weer, sigaretten brandden, flessen rammelden en te midden van dat alles klonk Marilyns kreet, een stem die in het kabaal verloren ging.

Op Toms netvlies hingen de honden in hun eerste, wilde sprong in de lucht en daarna begon het duwen, bijten, grommen en stoten, terwijl ze aan elkaar sjorden om ergens houvast te krijgen. Hij zag Rebels linkersnijtand, waarop van de punt naar het tandvlees een groene streep stond, en het andere dier leek met geheven kop op zoek te zijn naar een keel die hij kon pakken. Zijn opstaande nekharen vormden een krans toen hij zijn ene poot precies tegen die van Rebel plaatste en druk zette door met de andere bijna, maar net niet tegen de schouder van de pitbull aan te komen. Rebel had een enorm groot gebit. Er blonken lichtpuntjes op de scharende rij spits toelopende snijtanden. De stompe kop was enigszins wegge-draaid, terwijl hij in de hals naar een houvast zocht dat er wel en niet was. De honden hadden hun achterpoten stevig op het geha-vende kleed geplant, hun beten kwamen of kwamen niet, op de tribunes riepen de mannen, van wie er sommige al waren gaan staan, de vrouwen slaakten kreten, de honden waren snel en woest.

En toen zag Tom hoe Rebel na een schijnbeweging met zijn borst Carls hond een dreun gaf, die de aanval met zijn schouder pareerde en een rondje langs de arenawand liep, happend naar de andere hond die terughapte, waarna ze allebei weer hun positie innamen en hun voorpoten optilden zonder een goed houvast te vinden. Rebel duwde zich met kaarsrechte staart op volledig ge-strekte achterpoten omhoog en Carls hond dook onder de muil van de pitbull door en liet zijn tanden diep in Rebels voorpoot zak-ken. Hij wrikte en wrong als een ijzerpletter. Rebels kaken klem-den zich om het losse nekvel van de oefenhond en schudde zijn kop boosaardig heen en weer tot Carls hond losliet, zich omdraai-de en boven zich in Rebels keel beet, waar hij houvast vond in pezen en aderen. Rebel snakte gesmoord naar adem en probeerde meer tussen zijn kaken te krijgen, terwijl de poot waarmee hij zich schrap zette onder hem wegzakte en de beschadigde poot krachte-loos het donkere tapijt raakte.

De menigte hield op met schreeuwen toen de pitbull aarzelde. Marilyns kleine vuist stak gebald de hoogte in en haar mond stond open, maar er kwam geen geluid uit. Voor Tom was het net alsof de mannen om haar heen er alleen maar stonden om haar overeind te houden, de magere man aan de ene kant boog zich vooruit, ter-wijl Marilyn zich aan de schouder van zijn overhemd in evenwicht hield, en aan de andere kant stond een lange man wiens borstkas zwoegend op en neer ging. Tom keek langs de muur en zag Art Gil-lespie zich een weg door de menigte banen en weglopen, vergezeld door Mike Stuttle, die zijn arm om Arts schouders had geslagen.

Lucky spoorde zijn hond aan alsof Rebel toch nog zou kunnen aanvallen, ondanks zijn verbrijzelde poot. Carls hond liet Rebels nek los en de pitbull ging op zijn achterpoten zitten. De spieren in zijn flanken sidderden en er kwam een dun straaltje helder bloed uit een snee in zijn keel.

Pak dat beest! riep Lucky voor de laatste keer tegen zijn pitbull.

Rebel kromp in elkaar en keek naar zijn baas met de blik van een pup die net slaag heeft gehad. Hij verslikte zich in zijn blaf en de oefenhond, waarbij de nekharen overeind stonden, vloog hem weer naar de keel, zette er stevig zijn tanden in en schudde de andere hond heen en weer, terwijl de pitbull probeerde om te rollen en zijn buik te laten zien, maar ook toen hij een poging ondernam om zich op zijn achterpoten te keren, werd zijn kop nog door de kaken van de oefenhond omhooggehouden. Lucky's hond kon niet meer en Lucky klauterde de arena weer in, liet zich naast zijn hond zakken en probeerde Rebel de wurgketting om te doen. Hij schreeuwde tegen Billy dat hij de oefenhond moest komen weghalen. Onder het roepen schopte hij de oefenhond tegen zijn ribben, maar het dier liet zijn greep op Rebels keel niet verslappen. Billy deed het hek open. Hij droeg het geweer losjes bij zich, maar toen Carl hem probeerde in te halen hield Billy hem met een armbeweging tegen.

Maak die kuthond af! gilde Lucky, terwijl hij de wurgketting aanhaalde nadat Rebel uit de greep van de andere hond was bevrijd. In verwarring gebracht en zonder te weten wat hij nu moest doen, ging de oefenhond op het kleed zitten, keek naar de menigte en jankte. Toen klauterde Marilyn op de rand en sprong in de arena. Stomverbaasd probeerde Tom zich tussen de mannen door te wringen die voor hem waren gaan staan, maar ze lieten hem er niet door. Billy kwam de arena in en Carls hond bewoog zich achterwaarts naar de wand. Billy keerde zich naar Lucky, die naast zijn gewonde hond hurkte. Je moet Rebel hier als de bliksem weghalen, zei Billy. Ik wil die hond daar niet nog kwaaier maken dan hij al is. Lucky nam Rebel in zijn armen, tilde hem op en droeg hem vlug de arena uit.

Plotseling werd het stil in de schuur.

Haal in hemelsnaam dat grietje daar weg! riep iemand.

Tom baande zich met geweld een weg tussen de mannen door en begon op tafel te klimmen, maar iemand trok hem er weer af en zei dat hij moest maken dat hij wegkwam. Er volgde een korte schermutseling voordat Tom zich had bevrijd.

Billy deed zijn geweer omhoog.

Waag het eens om die hond iets aan te doen! schreeuwde Marilyn.

Billy aarzelde en toen zag Tom Joe, die voor hem stond, zijn eigen geweer pakken en op de arena richten. Tom werkte zichzelf over de tafel heen en graaide in zijn zak naar zijn knipmes, dat hij opende door het randje van het lemmet tussen zijn tanden te klemmen. Hij ging achter Joe staan, zette het lemmet op Joe's keel en zei: Weg met dat kutgeweer, Joe. Dat is Marilyn daar.

Zo raakt dat meisje nog gewond! riep Carl, terwijl hij tegen Billy aan duwde, die nog altijd de doorgang versperde.

Carl! riep Tom. Niet naar binnen gaan. Die hond kan haar aanvallen.

De mensen draaiden zich om om naar hem te kijken.

Je bent een klootzak, Stark, zei Joe, die zich onder het mes omdraaide terwijl het vlijmscherpe lemmet van zijn keel naar zijn nek een dun, rood streepje trok. Toen hij met zijn gezicht naar Tom toe stond, liet hij zijn adem langzaam ontsnappen, legde het geweer op tafel en ging een stapje opzij.

Weg daar, zei Tom.

Joe ging achteruit naar de arenawand en keek toe, terwijl Tom het mes weglegde, het geweer pakte en het op Joe's borst richtte, waarbij hij het met één hand in evenwicht hield en met zijn elleboog de kolf tegen zijn ribbenkast aan drukte. Tom hield Joe onder schot en wilde niets liever dan dat hij bewoog, al was het maar heel even, zodat hij er een eind aan kon maken. Aan al die jaren ellende vanwege Joe, met nu weer de dood van die oude man en het leven van zijn broer dat op het spel stond.

Stomme lul! schreeuwde Marilyn tegen Joe's achterhoofd. Jij wou deze hond doodschieten! Marilyn wendde zich naar de oefenhond. Zijn gegrauw was intussen een zacht gegrom geworden. Ze stak haar arm uit en liet haar hand losjes hangen.

Met het geweer nog steeds op Joe gericht hield Tom Marilyn in de gaten, want hij wist dat de hond haar zou bijten als iemand een verkeerde beweging maakte.

Het is toch maar een hond, zei iemand achter Tom. Meer niet.

De hond liet zich op de grond zakken en Marilyn ging op haar knieën zitten. De mannen bij de wand bogen zich roerloos voorover en op de tribune waren de mensen opgestaan. Iedereen wachtte in stilte op wat er ging gebeuren.

De hond hapte twee keer achter elkaar en Billy bewoog langzaam naar Marilyn toe. Toen ze haar vingers vlak onder de snuit hield, bleef hij staan. Met opengesperde neusgaten rook de hond eraan. Op zijn lip was één hoektand te zien. De tijd verstreek, terwijl haar vingers rakelings over de snuit gingen, daarna over de verwondingen aan de zijkant van de hondenkop om vervolgens terug te gaan naar een ingescheurd oor en de voskleurige haarkraag te strelen. Aan de grond genageld zag Tom haar geleidelijk op haar knieën naar de hond toe schuiven tot ze naast hem zat.

Toen kwam Carl door het hek naar binnen, hij liep om Billy heen en stak de arena over. Hij liet zich op zijn hurken naast Marilyn zakken en zei iets tegen haar wat Tom niet kon verstaan. Marilyn stond op en Carl deed de hond een halsband om en hield hem aan de lijn. Hij trok er zachtjes aan en de oefenhond stond bevend op.

Marilyn keek naar Tom alsof ze hem voor het eerst zag, en hij liet het geweer zakken.

Carl hield de lijn kort toen hij de arena uit ging en de hond bleef vlak naast hem toen ze het hek uit en naar de schuurdeuren liepen. Billy kwam uit het omheinde gedeelte en liep om de arena heen naar de tafel. Tom gaf hem het geweer.

Koude windstoten drongen door de muren naar binnen en de eerste zware regendruppels dreunden op het dak. Billy pakte de winchester losjes aan en draaide hem om, zodat de lader naar voren stak. Joe nam het geweer met een scheef lachje van hem over. Op zijn hals was een snoer van kleine bloeddruppeltjes te zien.

Je hebt van die families, daar blijft godverdomme alleen het uitschot van over, zei Joe.

Billy keek Joe langdurig aan. Nu is het afgelopen, Joe. Jij met je spelletjes. In je auto stappen en wegwezen.

Joe zei geen woord. Hij liet het geweer op zijn arm rusten en liep weg, terwijl de wind zo op hem in beukte dat hij bij de schuurdeuren even wankelde voordat hij met zijn hoofd tussen zijn schouders de storm in liep.

Verrotte migrant, zei Billy binnensmonds, met een tersluikse blik op Tom.

Tom keek een andere kant op en ging naar de arena. Hij sprong over de rand en ging naar Marilyn toe.

De regen sloeg tegen de muren en stromen kristalhelder water gutsten door de gaten in het dak naar binnen. De stortbui had de deuren bijna onzichtbaar gemaakt. De mannen en vrouwen die op de tribunes hadden gezeten stommelden de schuur uit en gingen op een holletje naar hun vrachtwagens. Buiten leken ze weg te zwemmen en op hun vlucht door het water in hun eigen uitroepen te verdwijnen, alsof ze vissen met benen waren geworden die zich halsoverkop weer in hun oorspronkelijke, al die tijd vergeten element begaven om in de lucht te verzuipen. De regen scheurde het stofgordijn aan flarden en maakte er in de lucht modder van, een bruinig, brak brouwsel dat kinderlijven en broekspijpen, laarzen, shirts en jasjes besmeurde, terwijl mannen en vrouwen tegen elkaar schreeuwden en de honden over de bodem leken te drijven toen ze achter hun ketting aan de kooi naderden waar ze ineengedoken, blaffend en jankend naartoe werden gebracht.

Tom leidde Marilyn de arena uit en toen ze de schuur uit gingen, klampte ze zich aan zijn arm vast. Tom zag alleen maar ruggen van mensen die hen voorovergebogen voorbijrenden, mannen en vrouwen die zich ergens in begaven waar boven- noch onderkant aan zat. Buiten in de stortregen startten auto's en vrachtwagens, er werd gevloekt op de maat van de ruitenwissers en de regen nam ineens af tot een gestaag geroffel.

Tom en Marilyn liepen naar Carls huis, waar zijn vrachtwagen stond. Carl kwam achter het huis vandaan met de hond naast zich en riep Marilyn om haar de riem te geven. Carl keek naar Tom, die naast de vrachtwagen stond, en hij reageerde met een knikje op wat Tom niet in woorden kon uitdrukken.

Bij de deuren keek Billy achter zich naar de inmiddels lege schuur, waar alleen nog een paar zwaluwen tussen de nu zwakke, weifelende straaltjes water uit het dak door zigzagden.

Alsof Joe ertoe doet, dacht hij. Alsof wie dan ook ertoe doet. Ook Eddy Stark niet, die met een agent achter zijn kont over de achterafweggetjes reed. Daar kon hij niets aan veranderen. Hij liep naar zijn vrachtwagen en keek door het raampje naar Badger. De hond deed zijn kop omhoog en toen Billy geen aanstalten maakte om het portier open te doen, liet Badger hem weer op zijn voorpoten zakken.

Hij moest Carl en Art gaan zoeken, dan konden ze de arena demonteren en inladen. Hij ging naar de achterkant van de vrachtwagen, deed de laadklep omlaag en pakte het zeil waarmee hij de onderdelen van de arena afdekte. Toen hij het uitschudde, vielen er natte plukken stro op de grond. Hij keek op en zag Tom Stark door het veld wegrijden, en terwijl de vrachtwagen naar de weg vol glibberige klei reed, slokte de regen hem op.

22

Tussen de regels door lezen, dat zei zijn moeder, vaardig om-de-tuin-leidster, toen hij een kleine jongen was. Tom zat naast haar op de bank en staarde naar het boek waar ze uit voorlas. Hij zag het krappe wit tussen de regels met letters en stelde zich de geheime code voor die erin was verwerkt, net alsof je iets met citroensap had geschreven wat alleen een vlam kon onthullen. Van haar iets leren was hetzelfde als proberen om het verhaal van een sneeuwstorm te lezen. Net alsof je in februari in de sneeuw naar de sporen van dieren en vogels zocht, de verhaaltjes die ze in de hoog opgewaaide sneeuw achterlieten.

Wat je zag was alleen de geschiedenis van een winterse jacht. Het was een sneeuwverhaal. Je volgde het spoor van een konijntje en zag dat het bij een jonge wilg was gestopt en op zijn achterpoten was gaan staan om de rode uitlopers van de kale takken af te knagen. Dichterbij gekomen zag je als je op je hurken ging zitten zijn scherpe tandafdrukken in de schors, de minuscule hapjes die hij van de blaadjes van volgend jaar had genomen. De tak was kaal. Het konijntje bleef dicht bij de wilg en de alsem en het hoge gras, dat boven de sneeuw uitstak. Het was een wit beestje met een vacht die nu net zo koud was als het land dat het afstroopte naar voedsel. Alleen de neus en de puntjes van de oren verklapten waar het rondhupte. Soms zag je het konijn in de sneeuw en dan waren de zwarte puntjes net zomerse vliegen die zich over een smetteloos wit tafelkleed bewogen.

En je volgde de sporen, want jij was een jongen en het konijnenverhaal ging over wie het konijn vroeger was geweest toen het hiernaartoe ging en daarnaartoe ging, en altijd naar die schamele, verscholen zaadjes in de graspluimen, de elzen- en wilgenknoppen. Tot slot zag je het konijn aarzelend, omzichtig het open veld betreden. Het had de beschutting van de struiken bij de beek verlaten en was op weg naar de andere kant van de boomgaard, waar de oude afrastering het roestige prikkeldraad liet hangen. Daarginds was voedsel, onder de sneeuw lagen de bevroren, afgevallen appels die vader toen hij op een herfstnacht bij zijn graven langsging, naar de rand van het veld had geschopt.

Je liep het open veld in, de sporen achterna. Je verbeeldde je dat je wit was als sneeuw en een grote leegte overstak, en dat je smalle oortjes had die in toefjes zwarte vacht eindigden, miniatuuraandenkens aan de voorbije zomer, en je had een zwart neusje en ogen die beide kanten op keken en twee landschappen zagen die jij in je hoofd samenbracht alsof het speelkaarten waren die boven tafel werden geschud voordat Eddy zijn patiencespel legde. De oude afrastering met de op de grond gevallen kluwen prikkeldraad, de van de stekels afhangende dunne ijspegels en het hoge gras waren er maar een paar sprongen vandaan.

Het konijn hoorde de uil niet aankomen op zijn zweefvlucht door de witte lucht. De uil was het verhaal van de stilte. En jij stond daar in de amper aangeraakte sneeuw en zag de omtrek van de grijze jager, zijn afdruk in de sneeuw. Net alsof het konijn plotseling vleugels had gekregen die het één keer had uitgeslagen voor het de lucht in vloog.

De konijnensporen stopten daar en je wachtte. Je deed er even over om bij de aangeraakte sneeuw weg te lopen naar het volmaakte wit erachter en terwijl je dat deed keek je om, keek je naar de horizon en naar de laagstaande zon die in het zuiden tussen de verstrengelde takken van de populieren langs de beek kroop. Je zag de zon. Je keek naar die bleke cirkel die over de heuvels rolde en toen liep je door de ongerepte sneeuw naar de beschutting van de omheining verderop en de wilg en de alsem, de appels en het beetje gras.

Verhalen over konijntjes.

Moeder had ze aan hem en Eddy verteld.

Je moest heel lang kijken voordat je door haar woorden heen kon zien. Je luisterde naar haar als ze voorlas en dan las jij tussen de regels door, op zoek naar het verhaal achter het verhaal, het verhaal dat zij daar had verstopt. Er waren altijd aanwijzingen, een woord, een paar zinnetjes, een korte passage waardoor je wist dat er iets was verstopt, maar jij moest je verbeelding laten werken om het stukje voor stukje te reconstrueren en de weggelaten gedeelten aan te vullen, de stiltes, de ogenblikken waarop ze wegkeek en zei dat je moest gaan slapen, de keren dat je je achter de deur had verstopt en naar haar en vader luisterde, het over en weer gepraat, het geschreeuw. Maar meestal waren het de stiltes die je in de andere kamers in huis aantrof als je moest bedenken wat je in hun ogen las, de zijdelingse blik, het knipperen, de aarzeling, de kortaangebondenheid waardoor je wist dat er iets ongezegd bleef, iets wat jij moest weten, maar hoe je ook bad en smeekte, het werd je nooit verteld.

Toch?

Je moest er zelf naar op zoek.

Je moest naar het verhaal op zoek.

Je stelde je je vader voor toen hij nog een jongen was en in Saskatchewan van huis wegliep over een weg die in een kaarsrechte lijn van het dunner geworden bos naar de open vlakten liep. Vader was pas dertien, aan zijn blote voeten zaten enorme laarzen en het jachtmes van zijn vader was weggestoken in het geknoopte koord dat zijn versleten broek op zijn plek hield. Tom zag hem voor zich toen hij tussen de weinige bomen aan de noordkant tevoorschijn kwam, het land van de donkere sparren waar de herten klein en schuw waren en waar coyotes, beren, veelvraten en wolven voorkwamen.

Over vaders vroege jeugd wist hij bijna niets, alleen dat vader zijn vader had gehaat en van zijn moeder en zijn zusje Alice had gehouden. En dat zijn grootvader haar aan een balk in de schuur ophees, hoe ze daar in het duister hing en haar lichaam langzaam bewoog, en dan pakte hij de zweep uit de regenton, waar hij hem in had gelegd om hem soepel te houden, en ranselde haar methodisch en weloverwogen af, met ruimte tussen de slagen zodat de striemen niet tegen elkaar aan kwamen, en zijn gevloek als hij ernaast sloeg en de lange strook leer van de bullenpees alleen de lucht geselde. Tom herinnerde zich het verhaal, hoe zijn grootmoeder op haar knieën in het stof en het kaf bij de deur zat en hem smeekte op te houden. Maar Tom kreeg nooit te horen waarom hij zijn dochter afranselde. Daar werd niets over verteld en zelf bedacht hij geen reden, omdat hij dat niet kon. Tom zou niet weten waarom een vader zijn dochter zoiets zou aandoen.

Vertelde vader dat verhaal?

Of deed moeder het? Ze had er een enorme hekel aan als vader weer begon over hoe háár vader zich had verhangen. Hij zei dat haar vader een lafbek was, een waardeloze vent die niet voor zijn gezin kon zorgen. Als hij dat zei, had moeder haar antwoord met-een klaar: En jij dan? Wanneer heb jij ooit voor jóúw gezin ge-zorgd?

Het verhaal van Alice die met de zweep kreeg werd ten koste ván hem verteld, niet óver hem. Maar welk stuk van het verhaal was van hem en welk van moeder? Was het het stuk over de precieze slagen of het stuk over het stof en het kaf? Wanneer zij het verhaal vertelde, zag Tom het opwaaiende stof, het stro en de sprietjes op de kale planken, en het bedompte duister van de schuur die naar koeien en paarden rook en naar kippen, ratten en muizen, naar de miauwende boerderijkatten zonder oren bij wie het puntje van de staart er in de ontzaglijke noordelijke kou was afgevroren. Hij zag zijn tante Alice aan haar samengebonden handen hangen, ter-wijl haar vader zijn naam op haar huid schreef. Hij zag de groot-moeder die hij nooit had ontmoet, die toen nog jong was, op haar knieën in de doorgang zitten, de deur die een stukje open was ge-duwd en de grote schaduw die haar in tweeën deelde, de ene helft van haar lichaam was donker, de andere licht, en ze bad tot haar god dat hij moest ophouden, terwijl de zweep van haar dochters billen naar haar dijbenen ging.

Waar had jij je verstopt, vader? In welke stal, graanmand of sta-pel hooi, achter welk tuigrek? Was jij het, vader, die aan moeder vertelde hoe Alice in de aanbouw van populierenhout achter het huis werd gelegd, dat ze bijna doodging, dat het maanden duurde voordat haar wonden waren genezen? Ging je naar haar toe? Of ging je de schuur uit om met de steenslee mee te lopen die de paar-den door de velden trokken, terwijl je vader zich aan de andere kant bukte en verspreid liggende keien opraapte die hij op de slee liet vallen, en jij haar naam niet durfde noemen omdat je bang was voor wat hij zou doen?

En toen je er ten slotte vandoor ging, wat gebeurde er toen? Heb je je die eerste nacht verstopt? Had je een ravijn of geul gevonden en een vuur aangelegd of durfde je geen vuur te maken uit angst dat je vader het kleine lichtje in het donker kon zien en je zou op-sporen? Lag je wakker en dacht je dat die vallende stenen je vaders laarzen waren die eraan kwamen? Was je bang, vader? Of hebben je woede en je haat je veranderd in degene die je altijd zou blijven? Wie was je toen je te horen kreeg dat je weg moest uit dat armoe-dige boerderijtje en je moeder en je zus moest achterlaten, toen je hen overleverde aan die man? Je wist wat hij je moeder en je zus zou aandoen als hij ontdekte dat je weg was. Wist je toen dat je de herinnering aan de laarzen, de vuisten en de zweep zou moeten dragen?

En die ene keer toen tante Alice uit Saskatchewan je kwam opzoeken? Ze hulde zich altijd van hals tot enkels in een lange katoenen jurk met een parel als bovenste knoopje. Tom zag hem alleen als ze opkeek, wat ze heel af en toe deed, dan kon de zon erbij en dan leek het knoopje wel een juweel, een zeldzaam, mysterieus juweel, iets hards en helders dat ze elke ochtend achter haar deur met haar lange, bleke vingers dichtknoopte. Dat was ze, vaders zus, tegelijk meisje en vrouw in het ontoegankelijke paradijs dat ze van zichzelf had gemaakt, waar één naam in enorme letters op haar levende huid stond geschreven. Een keer vertelde ze 's avonds laat in de keuken aan haar broer dat ze, toen ze eindelijk de boerderij van hun ouders had verlaten, had gezworen dat ze nooit zou trouwen, nooit een kind zou dragen. Ze zei: Dat ik zijn naam draag is al een vervloeking op zich. Hè? Zeker nóg een Stark op de wereld zetten? Bij mij houdt die naam op.

Er is nog een verhaal, er is er altijd nog een ...

Zei ze.

Zei hij.

Tussen de regels door lezen.

Een konijn komt met een sprongetje uit de beschutting van het struikgewas tevoorschijn. Het stopt, gaat op zijn lange, zwarte achterpoten zitten en tast nerveus met zijn zwarte neusje de lucht af, proeft de wind en is bijna klaar om het open veld te betreden.

Door een gat in de wolken zag Tom de sterren schitteren, sprankelende vonken aan het firmament, heldere zonnen die in as veranderden. Toen hij klein was had hij een meteoor door de lucht zien razen die een rookspoor uitstiet dat achter zijn stierenkop tussen de bergen bleef hangen. Hij zat met bungelende benen op de putrand en keek de nacht in alsof hij op de bodem van een mijnschacht zat. Hoe hij van het huis bij de put was gekomen wist hij niet, die reis was hem ontgaan.

Hij hoorde ijzer breken, verwrongen staal losschieten en zag een auto over een greppel heen razen, houten hekpalen werden uit de grond gerukt, het prikkeldraad ertussen knapte af en dunne, zingende zwepen geselden de lucht, er ging een voorruit in talloze scherven aan diggelen en de auto scheurde over de klif boven een arroyo, het regende stenen en twee tot vuisten gebalde handen omklemden een stuur.

De sterren waren zachte ballen van geëxplodeerd licht, schitterende mysteries die een immense cirkel volgden en altijd weer op hun plek terugkwamen, alsof ze aan de poolster vastzaten, en overal werd het donker gecreëerd door het licht, terwijl Tom probeerde na te denken over wat het inhield om voorgoed weg te gaan.

De telefoon bleef maar rinkelen, en weer probeerde hij van de keukenstoel op te staan, maar deze keer zaten zijn benen vol zwaar water, zijn botten losten op en toen hij probeerde op te staan, viel hij om en hij zat op handen en knieën in het huis en kroop als een klein kind over de keukenvloer naar de woonkamer, waar de telefoon op het houten bijzettafeltje naar hem stond te krijsen en toen hij met uitgestrekte arm opnam, stopte het gerinkel en een stem zei tegen hem: *Is dit het huis van de familie Stark?* En hij zei: *Ja, dat is hier,* en een man vroeg met wie hij sprak. *Tom Stark,* zei hij in de hoorn, *u spreekt met Tom Stark,* en de man zei dat hij de adjudant van het plaatselijke politiebureau was en hij vroeg of mevrouw Stark thuis was, en Tom zei: *Nee, ze zit in bad,* en toen: *Waarvoor belt u?*

De adjudant zei een tijdje niets en Tom zei: *Hallo?* En de adjudant zei dat er een ongeluk was gebeurd, en Tom zei: *Wat?,* hij zei: *Waar?* De adjudant schraapte zijn keel en zei dat de politie achter een snelheidsovertreder aan gegaan was op Coldstream Road, een groene Studebaker op naam van Eddy Stark en de auto was van de weg gereden en de man vroeg of Eddy Stark daar woonde en Tom zei: *Ja, Eddy Stark woont hier. Hij woont bij ons,* en de adjudant zei dat de bestuurder van de auto bij het ongeluk was omgekomen. *Bedoelt u mijn broer?* En de adjudant zei: *Eddy Stark. De bestuurder was Eddy Stark,* en toen Tom niets zei omdat hij dat niet kon, omdat hij ineens niet meer wist hoe hij moest praten, en zijn knieën zeer deden omdat hij op de grond knielde, en zijn handen beefden, vroeg de adjudant hem nogmaals of dit het huis was van de familie Stark en of hij Tom Stark aan de lijn had, alsof hij er nogmaals van verzekerd moest worden dat hij de juiste plek te pakken had, de juiste persoon, en Tom hield de hoorn van zich af, alsof hij een of ander schepsel had gevangen, een wezel of een slang in zijn hand had, en toen hield hij hem weer bij zijn oor en zei: *Ja, u spreekt met Tom Stark. Dat ben ik,* en toen de adjudant niets meer zei, zei hij: *Ik luister,* en de adjudant zei: *Goed,* maar Tom wist niet wat dat inhield, *goed. Wat bedoelt u?* vroeg hij en de adjudant zei: *Er is een ongeluk gebeurd,* en Tom zei: *Waar?* want hij wilde weten waar precies op Coldstream Road, omdat het uitmaakte of het een rotbocht was geweest of de brug over de Shuswap River of een hert dat op het wegdek was verrast, en weer zei hij: *Waar?* En om de een of andere reden begreep de adjudant hem verkeerd en zei tegen hem: *Het lichaam van Eddy Stark is overgebracht naar Reeves Begrafenisonderneming.*

Toen zwegen ze allebei en luisterden naar elkaars ademhaling, waarop de adjudant hoestte en nogmaals zijn keel schraapte en hem vroeg of het goed met hem ging. *Nee,* zei Tom, *nee, het gaat niet goed met me* en hij hing op.

Omdat zijn vader tegen hem schreeuwde en moeder zich met Eddy onder de trap had verstopt. Vader droeg zakken en kisten naar de kelder, kieperde aardappelen en wortels, uien, kool en pompoenen in de groentemanden. Kleurige potjes fruit stonden naast de zagen en hamers, de blikken met spijkers en schroeven op de planken. Zijn vader legde het geweer in zijn handen en stuurde hem de wijde wereld in, en hij schoot de percheron dood, het trekpaard dat zo groot was dat hij met ingetrokken hoofd en zijn schouders omlaag onder de buik door kon. Het enorme lijf stuikte in elkaar en kwam met een geraas op de grond neer, en hij ging naar huis en toen zei moeder glimlachend tegen hem dat hij *de hoeder van de wijngaarden* was. Door jullie toedoen, zei hij, maar ze hoorde hem de woorden niet tegen haar zeggen. Het zaagsel in de oven brandde als een lier in de kelder, terwijl vader in de boomgaard de graven van zijn zusjes groef, planken op zijn knie doormidden brak, met enorme handen stro uit een baal bedorven hooi trok, en Tom bleef stokstijf staan. Vader schoot zijn hond neer en waarom schoot hij op Docker? Hij wist niet waarom en hij wilde het weten, maar er was niemand die hij het kon vragen, zijn vader was dood en zijn hond lag als een rood vod op de grond in de groentekelder toen hij het geweer pakte dat daar tegen de muur aan stond en de vettige grijze geur van de loop zijn mond en neus binnendrong. Hij liep naar buiten, de nacht in, zijn vader draaide zich om en zijn hand zwaaide met de fles alsof het een dorsvlegel was en Tom haatte deze man, haatte hem om wat hij had gedaan, en toen schoot hij hem neer, hij schoot zijn vader neer.

Eddy zei tegen hem dat het allemaal goed zou komen en dat hij er niet over na moest denken en er nooit meer aan moest terugdenken. Maar hij had er wel aan teruggedacht. En hij had geprobeerd het te begrijpen, omdat het er nu, op dit moment, allemaal niet toe leek te doen.

De weinige verhalen werden er veel in zijn hoofd, stukjes verleden dwarrelden om hem heen. Hij had heel aandachtig geluisterd naar de paar verhalen die hem waren gegeven. Het was vreemd hoe de dingen op bijna niets neerkwamen, op een enkel beeld dat overeind bleef. Het moment dat zijn vader in die kraal in Fort Qu'Appelle zijn hand op een paardenhals legde en het hengstenlijf kon horen en ze allebei springlevend waren. Een jonge jongen die zijn zus achterliet en met een gestolen mes en op te grote laarzen in westelijke richting langs de Saskatchewan River liep.

De verhalen die bij hem hoorden zaten soms vol krachttermen, dingen die telkens misgingen; een jongen die zijn knokkels bezeerde aan een vastgevroren bout omdat zijn vader tegen hem zei dat hij met zijn hele lichaam kracht moest zetten, dus wierp Tom zichzelf met zijn twintig kilo op de greep van de Engelse sleutel, in de veronderstelling dat hij geprezen zou worden vanwege het bloed op zijn kinderhanden. Wat dacht zijn vader toen hij de moersleutel van hem afpakte en de bout van het geroeste metaal loswrikte, intussen lachend om die nutteloze, slappe zoon van hem? Hij wist dat een kind hem nooit los zou krijgen. Kwam het door de schaamte, de nederlaag die hij op het gezicht van zijn zoon zag? Was dat wat hij wilde?

Tom probeerde te begrijpen wat zijn vaders leven had betekend, maar dat kon hij niet, het enige wat hij wist was dat zijn vader zijn geheimen had bewaard en ze jarenlang had meegedragen en ze had gewroken op Eddy en op hem en ook op zijn moeder. Tom deed zijn ogen dicht en enorme vlakten strekten zich voor hem uit, kilometers glooiend grasland dat door sneeuwgeulen vaneen werd gereten alsof een hand de aarde had opengescheurd.

In het onherbergzame grensgebied hurkte een jongen in een grot. Op de rotsen ernaast lagen strakgespannen wolvenhuiden te drogen en een manke ezel die aan een alsemstruik stond vastgebonden wachtte geduldig tot hij verderging met het leven dat hij aan het inrichten was, het leven dat hij had ingericht.

Tom zat daar en zijn zusjes zweefden om hem heen als geesten uit een andere tijd en hun kreten waren de nacht waar hij naar keek, alsof de lichtjes die hij boven zich zag schitteren de ogen van zijn zusjes waren, kleine raampjes die hem uiteindelijk naar een ander leven zouden brengen.

Hij kwam langzaam overeind en liep terug naar het huis. Toen hij de keuken binnenkwam, zag hij een zorgelijk kijkende Marilyn aan tafel zitten met op de grond naast haar een bord deels aangevreten varkensbotten en half ontdooide hamburgers waar de rode hond overheen gebogen stond om het vlees dat ze erop had gelegd naar binnen te schrokken. Het dier gromde toen hij binnenkwam.

Tegen wie had je het aan de telefoon?

Toen hij geen antwoord gaf, vroeg ze wat er aan de hand was, wat er gebeurd was, en ze stak haar hand uit alsof ze hem wilde tegenhouden. Wat is er gebeurd? zei ze. Is er iets ergs gebeurd?

Hij bleef niet staan, maar liep langs haar heen naar de badkamer, waar zijn moeder was. Hij deed de deur open.

Moeder sliep in het warme water met haar mond een beetje open en haarlokken die van haar gezicht wegdreven. Zoals altijd was ze net een vreemde voor hem, met haar haren die in lange strengen naar de wanden van de badkuip kronkelden en haar smalle, witte polsen. Hij boog voorover en kreeg het waanzinnige idee dat hij gewoon haar hoofd naar beneden moest duwen en haar daar moest houden. Tom knielde en pakte de rand van de kuip vast tegen wat hij wist dat hem te doen stond. Onder haar oogleden zag hij haar ogen bewegen. Hij staarde naar de luchtbellen die van onder haar lichaam opstegen, bubbels die van haar borsten en schouders, haar buik, heupen en bovenbenen omhoog borrelden. De bubbels stegen in minuscule, niet-waarneembare zuilen op en met zijn oor er vlakbij luisterde Tom naar hoe ze uit elkaar barstten. Er zaten geluiden in de luchtbellen, een taal die hij bijna kon verstaan: bombast en kerkgezang, misbaar, plagerijtjes en gevlei. In zijn hoofd ging er een bijbel open en er werden flinterdunne bladzijden omgeslagen. Hij hoorde zijn moeder aan hem voorlezen toen hij klein was, bladzijde na bladzijde: *En van uw zonen, die uit u voortkomen zullen, die gij zult verwekken, zullen zij nemen.* Woorden op woorden: *Iedere wijze vrouw bouwt haar huis*, enzovoort,

enzovoort, Toms hart bonsde, een moker in zijn hoofd, traag en groot, een en al weerklank, gelatenheid.

Ze deed haar ogen open en keek hem geschrokken aan.

Moeder, fluisterde hij.

Het water stroomde uit haar haren toen ze opstond en het douchegordijn dichttrok, één rood visje leek in haar hand te spartelen, de rest zwom om haar heen. Toen boog ze zich naar voren en stak haar blote arm naar buiten om haar peignoir van de grond te rapen. Ze trok hem aan achter het gordijn, dat ze daarna opzij duwde, en toen ze uit de kuip stapte, droop het water van de onderkant van haar peignoir af, terwijl ze de bovenkant bij haar hals dichthield met een hand die een beetje beefde, maar zo weinig dat het bijna niet te zien was. Ze stond in een plas water met haar haren tegen haar hoofd geplakt. De hand beefde nog steeds en hij zag dat haar vingers de kraag van haar peignoir steviger vastpakten omdat zijn moeder niet wilde dat haar lichaam haar verried.

Wanneer komt Eddy naar huis?

En hij vertelde het aan haar.

De dingen om haar heen leken zich samen te trekken, de lucht, de lamp boven haar die tot het formaat van een gevlamde knikker kromp, de badkuip met het gordijn, het blikken medicijnkastje met het spiegeltje, en hij probeerde haar te bereiken, maar hij kon de ingang niet vinden.

Ze kwam achter hem aan naar de keuken. Jij moet je broer gaan halen, zei ze, terwijl ze hem aanstaarde. Haar woorden waren duidelijk en kil.

Marilyn zat aan tafel en vroeg: Is het je broer?

Hij keek naar haar. Ja, zei hij en Marilyn dook weer ineen op haar stoel, terwijl de hond aan haar voeten hoorbaar at, en Tom liep eromheen naar buiten.

Hij stapte in de vrachtwagen en reed weg. Aan de bomen slingerden zwarte takken in het staartje van de storm en de weg lag vol naalden en afgebroken twijgen. Hij tuurde voorbij zijn lichten het donker in terwijl het weer een beetje begon te regenen en de druppeltjes op de voorruit spetterden, maar hij verdronk.

Weiner Reeves deed onder aan de afrit de deuren van het souterrain open en Tom ging naar binnen. Naast de werkbladen langs de muur stonden glanzende stalen spoelbakken met gebogen kranen erboven, en naast het afvoerputje in het midden van de vloer hing aan het handvat van wat dan wel een pomp zou zijn een zwarte slang, die als een lasso was opgerold. Naast de pomp stond een verrijdbare tafel met iets erop wat op een cosmeticakoffertje leek, zoals vrouwen die hadden, en andere voorwerpen waar Tom niet aan wilde denken. Een schichtige Weiner vertelde hem handenwringend dat zijn vader en moeder in Grand Forks zaten, maar dat ze er morgen weer zouden zijn. Tom vroeg hem wie Eddy was komen brengen, en Weiner zei dat het lichaam met de ambulance was gebracht, met Don Sparrow aan het stuur en een adjudant in een politieauto die het lichaam naar binnen was gevolgd.

Niet brigadier Stanley.

Het was Dave Gillespie, zei Weiner toen Tom hem alleen maar aanstaarde. Die ken je toch?

Tom wachtte en Weiner praatte verder, dat hij naar hun huis had willen bellen, maar Dave, de adjudant, had gezegd dat de politie dat al voor haar rekening nam, dat iemand van hen naar de Starks zou bellen. Hoe dan ook, zei Weiner, ze zeiden ook dat ik tegen niemand iets mocht zeggen over dat Eddy dood was en zo.

Weiner ging op zijn tenen staan en zei tegen Tom dat het hem echt speet dat Eddy zichzelf dood had gereden en dat de politie had gezegd dat het een ernstig ongeluk was en zo. Tenminste, dat zei de adjudant, zei Weiner. Hij zei dat de Studebaker total loss was.

Waar is mijn broer?

Weiner liep naar wat kennelijk een koelcel was, in de achtermuur. Zo een had hij er bij Jim Garofalo ook gezien. Toen Weiner de stalen hendel omhoogdeed, ging de deur open en sprong er binnen een lampje aan.

Tom liep naar de brancard die daar op zwarte wieltjes in de kou stond. Zijn broer lag onder een soort rubber laken dat hij bij een hoek opsloeg. Eddy's hoofd lag scheef op een plastic kussen, er zat opgedroogd bloed op zijn gezicht en in zijn rode haren glinsterden de glassplinters.

Weiner week achteruit toen Tom de brancard uit de koelcel reed. Waar neem je hem mee naartoe? vroeg Weiner, die hem achternakwam. Hun voeten klonken nat op het grijze linoleum, terwijl Tom de baar naar de vrachtwagen rolde. Een van de wieltjes ratelde op het cement. Weiner zei tegen Tom dat het niet de bedoeling was dat hij het lichaam meenam, dat zijn vader de mensen altijd documenten liet ondertekenen voordat ze het meekregen, en de politie ook. Dat ze het absoluut niet fijn zouden vinden als hij het lichaam zomaar meenam. Weiner verzocht Tom dringend op te houden met wat hij aan het doen was en zei dat hij in grote moeilijkheden kwam als Tom hiermee doorging.

Tom pakte hem beet. Jij weet niet wie Eddy heeft meegenomen, zei hij. Dit is niet gebeurd.

Ik zeg niets, zei Weiner, terwijl Tom maar al te goed wist dat hij dat wel zou doen, dat hij alles zou vertellen waar de politie maar om vroeg, of het nu Stanley of Gillespie of iemand anders was die het wilde weten, maar wat Weiner zei of deed kon Tom op dit moment niet schelen. Hij zag hem een paar witte pilletjes in zijn mond stoppen, zijn keel bewoog toen hij ze doorslikte, en daarna zei hij dat hij absoluut niets zou loslaten tegen wie dan ook. Tom besteedde er geen aandacht aan, terwijl die stommeling van een Weiner hem probeerde te helpen om Eddy van de brancard op de voorbank te krijgen. Tom liet hem Eddy overeind houden tot hij was omgelopen en achter het stuur zat. Weiner deed het portier dicht en ging er op een holletje vandoor. Toen Tom de vrachtwagen achteruit de afrit op reed en de weg naar huis op draaide, zakte Eddy naar opzij met zijn hoofd tegen het raam, alsof hij daar zat te slapen.

Hij wilde zijn broer wakker maken en hem precies vragen hoe hij op Coldstream Road had gereden. Hij zag elke heuvel, elk dal, de haarspeldbochten, de populieren die je na Lavington het zicht op die ene rotbocht benamen, en de verschillende bruggen over de beek, de kliffen boven de diepe kloof bij Lumby, elke plek waar een auto in de fout kon gaan, terwijl de politie je op de hielen zat, het rode zwaailicht aan, de te hoge snelheid, de remmen, of niet de remmen, het gaspedaal dan, de auto die van de weg af rijdt, door de lucht vliegt.

Bloed is bloed en eigenlijk is het nooit weg.

In de verte zag hij de afslag naar Ranch Road en plotseling was hij weer twaalf en hij liep van school naar huis en Eddy kwam hem achteroprijden in een gestolen auto. Samen reden ze over de kleine weggetjes aan de voet van de berg, de auto denderde door de bochten en Tom klampte zich vast, terwijl ze van links naar rechts zwenkten en hij schreeuwde tegen zijn broer dat hij langzamer moest rijden, en vroeg hem steeds weer waar ze heen gingen. *Waar gaan we heen, Eddy?* Toen stoven ze als wilden de brug bij Cheater Creek over en Eddy brulde en nam met een enorme ruk aan het stuur de scherpe bocht naar een doodlopend zijweggetje, en onder de auto scheurden gras en takken af en een geschrokken hert rende panisch voor hen uit. Eddy gaf even een dot gas en het hert sprong gek van angst het dichte struikgewas in.

Ten slotte stopten ze bij de oude keet waar vader hen enkele jaren ervoor had leren schieten, toen Tom aan de bomenrand had geknield en met zijn jonge armen het oude Lee-Enfieldgeweer had getorst, terwijl hij op het primitieve doel richtte dat zijn vader met krijt op de muur had getekend.

Eddy en hij stapten uit en hij stond bij de achterbumper, terwijl Eddy de koffer opende en er een 16-literblik uit tilde. Eddy zei dat hij het portier aan de passagierskant moest opendoen en toen hij dat deed, hield Eddy het blik schuin en de paarse boerenbenzine klotste op de stoel en de vloer. Er vormde zich een plas benzine in de ruimte onder het handschoenenkastje en zijn broer verplaatste de tuit naar de bestuurderskant terwijl de benzine eruit liep. Daarna beurde hij het blik op en ging met wat er nog in zat naar de kofferbak, waar hij de rest van de benzine in liet lopen. Blauwe en gouden dampen glinsterden om hem heen en Tom bewoog als betoverd langzaam achteruit naar de rand van de open plek.

Zijn broer deed het portier dicht, pakte een boekje lucifers uit zijn zak, streek er een af en hield die bij de rode koppen van de andere. Toen het boekje vlam vatte, gooide hij het snel door het open raam naar binnen en draaide zich om om weg te rennen, maar al na zijn eerste passen ontplofte de benzine met zoveel geweld dat hij met zijn gezicht op de grond belandde, terwijl de auto rook en vlammen uitbraakte.

Toen Tom struikelend de open plek overstak om bij zijn broer te komen, knalde de kofferbak uit elkaar, de benzine ontplofte en de achterklep vloog omhoog en de ronde spatborden boven de wielen schoten naar opzij. Eddy had hooguit vijf meter ervandaan kunnen kruipen en de rug van zijn overhemd begon te smeulen. Toen kwam de achterkant van de auto omhoog en de benzinetank explodeerde, waarop de auto op zijn brandende banden terugviel als een dier dat aan de ketting zit. Rook kolkte uit de raampjes en de kofferbak, en de keet achter de auto stond nu ook in brand, de vlammen verzwolgen het oude hout, verteerden de krijtstrepen en wisten de kogelgaten uit die Tom en Eddy erin hadden geschoten. Elzen en populieren weken terug, het gele gebladerte verschrompelde en de ragfijne klokjes aan hun takken werden bloesemende fakkels. Er likte een vlam aan Eddy's enkel en Tom pakte zijn broer bij zijn armen en trok hem weg, de veiligheid tegemoet, naar de weg die op de open plek uitkwam en Tom spoorde hem aan sneller te zijn en nam hem mee terug naar Cheater Creek. Daar zorgde hij ervoor dat Eddy in de ondiepe stroompjes ging liggen waar het koude water zijn overhemd en broek doorweekte. De beek vloeide over het vel op de achterkant van zijn benen en koelde Eddy's brandwonden, terwijl hij daar met een uitdagende grijns op zijn gezicht lag.

Nu kwam het huis op hem af, de zwakke lichtjes in het schemerdonker, en naast hem zat zijn broer, degene tegen wie hij had opgekeken en naar wie hij had uitgezien. Wat hem restte was hij zelf, hij had alleen zichzelf nu hij over Ranch Road reed naar waar ze alle drie hadden gewoond.

De koplampen schenen over de zijkant van het huis waar Marilyn met over elkaar geslagen armen bij het keukenraam op de uitkijk stond. Hij zette de motor af en moeder kwam de verandatrap af en rukte aan het portier van de vrachtwagen.

Eddy, zei ze en Tom reikte over zijn broer heen om de kruk omhoog te doen en toen het portier openzwaaide, wankelde moeder achteruit met haar hand nog aan de klink en daarna klauterde ze de cabine in.

Tom stapte uit. Zijn broer was naar de stuurkolom toe gevallen en moeder probeerde hem met haar armen om zijn nek op te tillen.

Nu kwam Marilyn naar buiten met de hond naast zich en hij riep haar dat ze moest komen helpen, terwijl hij zijn moeders handen loswurmde en haar eruittrok en bij de vrachtwagen weghield. Moeder verzette zich; ze kronkelde in zijn armen en haar lichaam gaf niet mee. Hij verstevigde zijn greep.

Niet doen, zei hij, waarop moeder zich slap tegen hem aan liet zakken.

Hij liet haar los en toen ze zich omdraaide was haar gezicht volkomen naakt en haar ogen zeiden hem dat hij iets moest doen om het allemaal ongedaan te maken. Ze tuurde met haar smalle ogen naar hem alsof ze nu pas zag wie hij was.

Gaat het? zei Tom en ze haalde uit en sloeg hem in zijn gezicht. Toen hij niet bewoog, haalde ze weer uit en Marilyn riep tegen hen dat ze moesten ophouden, dat het genoeg was.

De laatste wolken stootten tegen de berg, de maan stond als een heldere sikkel aan de hemel. Zijn moeder stond met haar armen langs haar lichaam alsof ze niet zeker wist wat ze nu moest doen. In zijn ogen zag ze er nu zielig uit en hij vroeg zich af hoe hij ooit bang van haar had kunnen zijn.

Ga naar binnen, zei hij.

Marilyn wilde naar hem toe komen, maar hij schudde zijn hoofd. Moeder draaide zich om en Marilyn ging met haar mee naar het licht dat uit de keuken kwam, weg van hem en de drempel over.

Even later kwam Marilyn weer naar de veranda. Ze riep de hond en vroeg toen aan Tom of hij hem had gezien. Tom zei van niet en ze ging terug naar binnen.

Hij tilde zijn broer uit de vrachtwagen, wankelend onder het gewicht, en droeg hem naar het huis. Toen hij de treetjes op ging, kwam Marilyn naar de hordeur om te zeggen dat hij Eddy naar moeders kamer moest brengen. Zoals ze met haar pols over haar oog stond te wrijven maakte ze op hem op de een of andere manier de indruk verdwaald te zijn. Ze liet hem voorgaan en Tom ging zijdelings over de drempel zodat het lichaam door de deuropening kon en liep naar de kamer aan het einde van de gang.

Er dreven allemaal rode visjes op moeders bed en even dacht hij dat hij gek was geworden tot hij zag dat ze het douchegordijn van de badkamermuur had getrokken en het over de quilt had gelegd. Toen hij aarzelde, zei ze dat hij Eddy op het bed moest leggen, en hij legde hem neer en er zat een vreemde knik in zijn broers knieën. Ze legde haar hand op Eddy's schouder alsof ze dacht dat hij een kind was dat zich had bezeerd toen hij te wild aan het spelen was.

Tom keek naar haar en zag een kleine vrouw naast haar dode zoon staan. Hij boog voorover om het lichaam van zijn broer recht te leggen.

Heb je niet al genoeg gedaan, zei ze.

Wat heb ik gedaan?

Ga maar tegen die Marilyn zeggen dat ze wat hout op het vuur moet gooien en voor heet water moet zorgen. Voor jou valt hier niets te doen, zei ze.

Hij draaide zich om naar Marilyn, die net buiten de deur stond, en toen hij haar naam zei, knikte ze en ze liep de gang in.

Tom bleef waar hij was, terwijl zijn moeder een schort voordeed, plotseling had ze het druk, ze schoof haar mouwen omhoog, van aarzeling was nu geen sprake, alsof dit een bezigheid was die voor haar in het verschiet had gelegen. Haar handen knoopten het overhemd van zijn broer los, gingen naar Eddy's middel, trokken het hemd uit zijn broek en legden het open. Terwijl hij toekeek, pakte ze een schaar uit de la van het nachtkastje en knipte de mouwen van de pols tot de hals open, waarna ze het hemd van hem afpelde en wegtrok. Zijn broers huid glansde als oud kaarsvet onder het opgedroogde bloed op zijn gezicht, zijn ingevallen borstkas, de blauwe plekken en snijwonden tussen de sproeten op zijn schouders en in zijn gezicht, en de andere, oudere kneuzingen die als donkere vlekken op zijn armen en in de holten van zijn ellebogen rustten.

Zijn gezicht zit onder het bloed, zei ze alsof ze er met haar gedachten niet bij was. Ik weet niet eens hoe laat het is.

Hij keek weg en ging de kamer uit. Hij ging naar de voordeur, deed hem open en liep naar de weg waar boven hem de enorme takken van de oude spar zich uitspreidden waar hij ooit in was geklommen om op de thuiskomst van zijn broer te wachten. Vanwaar hij stond kon hij tussen de tralies van het slaapkamerraam door zijn moeder zien. Ze stond voorovergebogen en Marilyn stond naast haar met een teiltje waar moeder een washandje in doopte dat ze vervolgens uitwrong en toen verdwenen haar handen en haar armen bewogen en daarna tilde ze haar handen op, die het washandje weer in het water doopten in een eenvoudige ritus van verdriet.

Ergens in de boomgaard blafte een hond. Het geluid echode in hem, de nacht werd plotseling stil en toen blafte de hond weer. Hij liep achter het huis langs het pad op. Hij riep de hond, maar er werd niet teruggeblaft.

De beek die voor hem lag was een zilveren toverstokje. In een plasje regenwater schreed een waterloper over zijn inkrimpende zee. Alles wat die zee in stand had gehouden was langzaam aan het verdwijnen, terwijl hij binnen de grenzen van zijn modderpoel rondstapte. Hij keek naar het pad en zag de afdrukken van zijn werkschoenen vollopen, stukjes klei afbrokkelen, grassprieten terugveren over de beschadigde plekken, zaadhoofdjes die de wortels van volgend jaar in de omgewoelde aarde lieten stromen. Een pad die niet wilde geloven dat het kouder werd had een kuiltje gevonden waar een ijzeren wiel een steen van zijn plaats had geduwd. De pad zat ineengedoken en ziende blind in de nattigheid, er kwam geen geluid uit zijn gevlekte keel en zijn goudkleurige ogen staarden over de regenplas van de waterloper naar de beek die langs de boomgaard stroomde.

Hij herinnerde zich dat zijn vader hem ooit had verteld dat hij als jonge jongen op de boerderij een ekster in een kooitje van wilgenteen had gehad, zijn huisdier, zijn getemde wilde vogel, die een met een scheermesje gespleten tong had zodat hij kon praten. Hij vertelde dat hij op de ochtend dat hij voorgoed van huis ging de ekster had vrijgelaten, maar de vogel had hem nog kilometers gevolgd en met zijn gespleten tong zijn naam geroepen, tot hij later die dag voorgoed was verdwenen. Tom had zich altijd afgevraagd hoe lang zo'n vogel in de wildernis kon overleven. Hij wist dat de andere eksters hem zouden doden als hij voor wat geborgenheid naar ze toe ging, met zijn kreet die een mensenkreet was en zijn veren die naar vader roken.

Hij dacht aan de mannen die 's nachts bij hun vuurtjes langs het spoor zaten en in het flakkerende licht aan zichzelf genoeg hadden, en hij luisterde naar hen als ze praatten over waar ze waren geweest, en terwijl hun levens hem aantrokken, was het zijne elders, urenlang vergeten. Een paar avonden later kwam hij terug en dan waren die mannen weg, maar de vuurplaatsen waren nog warm en er lagen lege bonenblikjes en flessen in de as. Dan zat hij daar en dacht aan hen als ze geleund tegen de ijzeren wand van een open wagon van een goederentrein naar de steden en stadjes staarden waar ze in de loop van de nacht langskwamen.

Er waren de keren dat hij, jaren geleden, ineengedoken in de opening van de grot boven Cheater Creek had gezeten met naast zich het korhoen dat hij had gevangen en gebraden, afgekoeld op de platte steen, en zijn slapende pup verzadigd door borstvlees, gestolen melk en eieren. Hij maakte zijn vuurtjes heel voorzichtig, in de hoop dat de geur van de rook en de gloed van de vlammen hem niet zouden verraden. Het was altijd Eddy die hem vond, Eddy die hem mee terugnam.

Nu hoorde hij een zacht geluid, een dier dat uit de bosjes bij de beek kwam, en hij zag de rode hond tussen de wilgen tevoorschijn komen. Het dier stopte bij het plasje van de waterloper en keek hem even aan alsof hij benieuwd was wie hij was en waarom hij hier stond. Dag hond, zei hij. Maar het dier likte alleen maar even aan het water en ging toen verder. Hij begon te lopen en de hond begaf zich met stevige tred langs het huis en ging de weg op. Hij stopte en keek even om of Tom achter hem aan kwam, en toen deed hij zijn kop omhoog en ving de lichte bries op die uit het noorden kwam. Tom voelde in zijn binnenste iets waar geen naam voor was, en hij ademde diep in en toen nog een keer.

De hond stak de weg over, ging onder het prikkeldraad aan de andere kant van de sloot de omgeploegde akker op en draafde tussen twee diepe voren in de richting van Black Rock, de verderop gelegen meren en de vallei daarachter.

DANKWOORD VAN DE AUTEUR

Ik wil in het bijzonder mijn redacteur Ellen Seligman bedanken, die zo'n stimulans is geweest tijdens de laatste fasen van mijn reis met dit boek, die zes jaar heeft geduurd. Haar steun, haar inzicht en haar onvermoeibare bekommernis droegen ertoe bij dat dit boek zijn uiteindelijke vorm vond. Bij McClelland & Stewart dank ik ook Jenny Bradshaw voor haar scherpe blik en Morgan Grady-Smith voor haar scherpzinnige commentaar. Mijn dank gaat ook uit naar mijn agent Dean Cooke en Suzanne Brandreth, en naar de Canada Council en de B.C. Arts Council voor hun steun tijdens het schrijven van deze roman.

Ik wil graag melding maken van de aanwezigheid van Friedrich Nietzsche en Grace Metalious, evenals de schrijvers van Psalmen, Spreuken, Jesaja, Jeremia en Job uit de King James-Bijbel.

Tot slot ben ik veel dank verschuldigd aan mijn vrouw, Lorna Crozier, die de jaren waarin ik deze roman heb geschreven tolerant, geduldig en vriendelijk heeft doorstaan. Mijn hart gaat naar haar uit.

DANKWOORD VAN DE VERTALER

De Nederlandse vertaling van deze roman is tot stand gekomen met steun van het Expertisecentrum Literair Vertalen te Utrecht, dat een mentoraat beschikbaar stelde. De vertaler dankt Marianne Gossije voor haar waardevolle en kritische begeleiding van het vertaalproces, en Paul Wolman voor zijn uitvoerige en betrokken commentaar. De Bijbelcitaten in deze editie zijn afkomstig uit de Statenvertaling van het Nederlands Bijbelgenootschap (1977).